INTUITIONS

Dr David O'Hare

Jean-Marie Phild

COURANTS ASCENDANTS
Collection dirigée par David O'Hare

Dans la même collection :

Emmanuel Pascal : *Les 3 émotions qui guérissent*, Thierry Souccar Éditions, 2011.

Du même auteur :

Maigrir par la cohérence cardiaque, Thierry Souccar Éditions, 2008.
6 ordonnances anti-stress, Thierry Souccar Éditions, 2010 (ouvrage collectif dirigé par P. Setbon).

Équipe éditoriale : Elvire Sieprawski, Priscille Tremblais
Maquette : Catherine Julia (Montfrin)
Illustrations : © David O'Hare
Photos : © Sebastian Kanlitzki

Imprimé sur les presses de Beta à Barcelone (Espagne)
Dépôt légal : 4e trimestre 2011

ISBN : 978-2-916878-68-3

Je dédie ce livre à Elva, partie un soir de février dernier.
Tu m'as accompagné pendant 59 ans et demi (plus neuf mois).
C'est toi qui a pris la décision de me faire vivre, tu as ensuite pris mes toutes premières décisions avant de m'apprendre, avec patience et amour, comment prendre les miennes tout seul.
Ton intuition de me faire naître était bonne, je le confirme aujourd'hui.
Tu me manques, Maman.

DAVID

Ce livre est dédié à Jeannette ma très chère et regrettée grand-mère.
Tu étais fière de moi, je sais aujourd'hui que tu l'es encore davantage.
À toi tout mon amour, ma Mémé Mira.

TON PETIT-FILS, JEAN-MARIE

REMERCIEMENTS

DE DAVID O'HARE

Mes premiers remerciements vont à mon ami David Servan-Schreiber qui est l'inspirateur premier de ma découverte de la cohérence cardiaque et qui m'a fait l'honneur de son amitié fraternelle. Il me fit confiance en me délégant la direction pédagogique de l'Institut de Médecine Interne et des formations à la cohérence cardiaque qu'il avait souhaité et soutenait avec passion. À David, ma reconnaissance pour ta présence, ma tristesse pour ton absence aujourd'hui. J'aurais tant aimé te dire au revoir encore des centaines de fois.

Un chaleureux remerciement à Érik Pigani qui a accepté de préfacer ce livre. Cette préface est un honneur pour moi car vous m'avez précédé dans tous les domaines que survole ce livre. Votre hypersensibilité et la musique vous ont ouvert à ces perceptions qu'on dit extrasensorielles et vous avez décidé de les étudier et de partager vos découvertes. Je salue en vous un grand journaliste d'investigation et un auteur de talent. Merci Érik.

Mes remerciements sincères à Jean-Marie Phild. Ton amitié m'est précieuse. Rien ne pouvait laisser prévoir notre rencontre, nos échanges et notre collaboration. Une amitié solide et sincère est née malgré et grâce à nos différences. Nous nous sommes mutuellement ouverts des horizons et le monde, pour nous, ne sera plus tout à fait le même. Il sera plus riche, plus vaste et mieux perçu par la nouvelle connaissance que nous en avons.

Mes plus profonds remerciements à mes enfants, mes petits-enfants et à Catherine sans qui ma vie aurait moins de sens. C'est à vous que je dois mes plus belles émotions, mes plus forts sentiments et mes plus grandes ambitions. C'est aussi pour vous que je désire prendre des décisions, intuitives ou raisonnées, qui feront de nous une belle et heureuse famille.

DE JEAN-MARIE PHILD

Toute ma gratitude à mes parents. C'est un immense bonheur pour moi de vous dire ma reconnaissance pour l'amour, la tendresse et la compréhension dont vous avez toujours fait preuve et qui se renforce encore aujourd'hui. J'ai baigné dans votre amour et j'y ai puisé l'équilibre d'aujourd'hui. Vous n'avez jamais posé des obstacles à mes choix même lorsqu'ils ne vous étaient pas compréhensibles. Merci du fond du cœur.

Une profonde reconnaissance à David O'Hare. Merci pour ta confiance accordée. Notre rencontre fut un grand moment, grâce à toi, j'ai pris de l'assurance et de la confiance en moi. Ce livre fut, pour moi un révélateur de ce que je pouvais offrir, tu fus celui qui en décela la richesse et qui me donna l'envie de le partager malgré ma timidité. Un énorme merci pour ce cadeau.

Un clin d'œil affectueux à ma grande sœur Catherine. Tu évolues, ton regard sur moi a changé et j'en suis très heureux. Ta présence m'est précieuse même lorsque nous n'étions pas d'accord sur tout. Tu vois, je peux aussi avoir raison ! Je te souhaite la plus belle des vies, ma grande sœur.

À mon ami Jérôme. Toute ma gratitude pour la façon que tu as de me rassurer. J'ai grandi, j'ai appris et je m'épanouis en te connaissant. Avec toi, j'ai découvert ce que c'est qu'aimer vraiment. Merci pour tout.

COURTE BI-BIOGRAPHIE

DAVID O'HARE

David est né au Canada, il grandit entre la France et les États-Unis, étudie à l'université de Marseille et obtient son doctorat en médecine en 1977 à 26 ans. Les premières années d'étude sont partagées entre faculté de médecine, faculté de théologie et conservatoire de musique. Un choix s'impose vite. Une décision, deux déceptions sont forcément attendues.

Première installation en médecine générale trois semaines après l'obtention de son diplôme, toujours à Marseille. Il débute sa carrière de médecin de famille avec passion, fonde une famille et s'engage dans la voie qu'il a choisie ou qui l'a choisi. Il n'est pas encore sûr de l'origine de sa carrière, s'agit-il d'un choix ou d'une évidence, une vocation, une voie ou une voix ? Madame Nature ou Miss Terre ont-elles une volonté extérieure à la nôtre ? Le diapason ou le stéthoscope, la foi ou le foie ? Voies impénétrables dit-on.

Plusieurs décisions successives modèlent ensuite sa carrière et sa vie, pas toutes heureuses ni faciles mais les conséquences sont riches d'expériences et de forces motivantes.

La médecine moderne morcelle l'homme en spécialités distinctes. La constatation de cette orientation pousse notre auteur à étudier l'homéopathie, spécialité globale qui comprend autant la fonction que la constitution humaine dans la genèse des maladies, leur globalité et les pistes pour leur traitement.

Puis il devient pilote et obtient son diplôme de médecine aéronautique et spatiale. La médecine aéronautique intègre la psychologie de l'aviateur. Le pilote impose aux passagers de son appareil le résultat de ses décisions ; il tient leur vie entre son expérience, son jugement, ses émotions et la part d'intuition qui font un bon pilote. Notre auteur a été passionné par cette partie insoupçonnée de ses études : comment décidons-nous ? À quelles pressions et à quelles forces sommes-nous soumis lorsque nous choisissons ?

La nutrition est un ennemi de poids personnel depuis toujours. Il espère la maîtriser en devenant nutritionniste, cherchant les remèdes pour guérir le mal pesant, l'épidémie de surpoids. Très rapidement, il comprend que les régimes et les restrictions ne sont pas la solution unique à l'équilibre pondéral et nutritionnel, il manque une composante : la gestion émotionnelle. Notre auteur obtient un diplôme universitaire de psychothérapie cognitive et comportementale qui lui permet de comprendre la relation entre la pensée (cognition) et l'alimentation (comportement).

Le hasard (?) place alors la cohérence cardiaque sur le chemin, c'est la découverte d'un chaînon manquant qu'il développe, étudie et applique. Ses premières réflexions sur le sujet font l'objet de *Maigrir par la Cohérence Cardiaque*[1].

Depuis les premiers mots de cette courte biographie, plus de trente années ont passé, et des centaines de milliers de décisions plus tard, il commence à comprendre que le résultat n'est pas que le choix, le poids, la foi, la loi, le moi ou l'émoi mais une subtile combinaison dont il commence à entrevoir l'alchimie nourrie de son expérience de décideur professionnel.

[1](Thierry Souccar Editions, 2008).

JEAN-MARIE PHILD

Jean-Marie est né dans le sud de la France. La vie normale d'un garçon des années 1970, une trajectoire conforme. Peut-être plus sensible, plus émotionnel, plus attentif que la moyenne mais conforme, la vie qu'on forme entre des parents aimants, la famille et les amis d'enfance. Entre 14 et 15 ans, des perceptions émotionnelles le troublent. Elles ne sont pas habituelles chez les adolescents de son âge. Jean-Marie est sensible aux autres, il sent des événements, des menaces, des émotions enveloppant les personnes autour de lui. Des images et des sensations apparaissent, fugaces et volatiles.

Peu à peu il fait le rapprochement entre ces intrusions imagées et leur validation par leur accomplissement. Ce qu'il voit, ce qu'il sent et ce qu'il perçoit semblent se réaliser souvent. Sa curiosité aiguisée par ces phénomènes encore inexpliqués l'amène à les étudier, les observer et à les attendre. Il travaille cette capacité sans jamais la considérer comme un don ou un talent particulier. La restauration l'attire. L'école hôtelière et quelques affectations en établissement gastronomiques ne semblent pas le conforter dans son choix. À dix-neuf ans, la décision est prise, elle n'est pas simple, même risquée, et il est seul à la prendre. Peu de soutien par l'entourage. Il veut aider les autres, ce besoin est profond et viscéral. Jean-Marie sait qu'il peut apporter un soutien par son art de comprendre les courants invisibles sous la surface de la réalité perceptible.

Le sens de sa vie sera son sixième sens au service de l'autre. Depuis vingt ans il exerce la profession parapsychologue-conseil au service de ses clients.

Une certaine renommée, rapidement constituée, le projette dans le monde médiatique. Sept années de radio sur une chaîne majeure. Une émission hebdomadaire de consultation et de conseil lui procure une clientèle diverse et satisfaite. Une émission de télévision confirme son art et la justesse de son choix de trajectoire. Le monde du spectacle et de la politique sollicite ses conseils, les entrepreneurs consultent, les particuliers l'interrogent.

Rangé des médias pour en avoir fait le tour, il est maintenant confortablement installé à Montpellier dans ce qu'il a toujours voulu faire : aider, conseiller, accompagner.

PRÉFACE

L'INTUITION A, DANS NOTRE SOCIÉTÉ, UNE PLACE BIEN curieuse. Dénigrée par les sciences orthodoxes, écartée par la psychologie académique, elle s'est vue, depuis trop longtemps, reléguée dans la catégorie des « phénomènes inexplicables », si ce n'est dans celle des sulfureux « pouvoirs occultes ». La raison en est simple : cette faculté court-circuite tous nos processus intellectuels, faisant surgir du néant des informations qui ne passent par aucun de nos cinq sens. Pour les scientifiques cela n'a, justement, aucun sens… pas même un sixième. Pourtant, il s'agit d'une faculté bien humaine, d'une véritable *intelligence* dont la grande majorité d'entre nous – en dépit des assertions de la science – a pu faire l'expérience au moins une fois dans sa vie, et que certains sont même capables d'écouter et d'utiliser au quotidien.

On peut aussi expliquer cette incroyable différence entre ce que l'humain vit et ce que le scientifique dit par l'une des particularités de l'intuition : la *connaissance directe*, qui va généralement de pair avec l'impression d'« être dans le vrai », avec cette sorte de certitude intérieure qui, l'espace d'un instant, rend le monde transparent. Malheureusement, dans notre monde où la logique prédomine, aucune connaissance non transmise n'est admise. Pourtant, presque toutes les cultures, à toutes les époques de l'humanité, ont fait référence à l'intuition en proposant leur propre version du mythe universel de la Source qui donne savoir et sagesse instantanés à ceux qui s'y abreuvent. Ainsi, les *Upanishad* disent : « Une essence invisible et subtile est l'Esprit de l'Univers entier. Cela est la réalité. Cela est la vérité. Tu es cela. » Le Bouddha, quant à lui, disait que l'intuition est la source de la vérité ultime, et comme la nature de soi-même, elle permet de découvrir la totalité de l'univers en chacun de nous.

Il n'est pas étonnant que dans un contexte de déni, que l'on pourrait même qualifier d'« oppressif », de l'une des facultés les plus lumineuses de l'esprit humain, il existe peu de livres sur le développement de l'intuition. Le travail que nous présentent ici David O'Hare et Jean-Marie Phild n'en est donc que plus remarquable. En s'appuyant sur leur propre expérience et leur propre vision de l'intuition, ils nous montrent d'abord que, dans certains cas – le bouddhisme dirait plutôt « dans tous les cas » –, l'expérience personnelle prévaut, et de loin, sur les discours académiques. Ce qui ne les empêche nullement de se référer aux apports et expériences de la science, beaucoup plus nombreux qu'on ne le croit, pour expliquer ce que sont « nos » intuitions. En nous faisant traverser un vaste champ de connaissances, qui part de la neuro-psycho-physiologie pour oser ensuite l'aventure de la parapsychologie scientifique, les auteurs ont opté pour une approche globale et néanmoins précise dont la grande qualité est de rendre à l'être humain son unité.

Mais la richesse de ce livre ne tient pas que dans son fondement théorique ; elle tient surtout par un véritable processus de développement personnel auquel les auteurs nous convient, avec une multitude d'exercices aussi divers que judicieux : tests de connaissance de soi et de décodage de notre système sensoriel, visualisation, respiration, automassage, méditation, pratique de l'intention, préparation des rêves intuitifs, aide à la décision… Avec une clé de voûte : la cohérence cardiaque, que le Dr O'Hare, l'un des plus éminents spécialistes mondiaux de cette méthode, présente pour la première fois comme un formidable outil d'éveil et de développement de l'intuition.

On aurait cependant tort de considérer l'intuition comme une faculté « annexe », d'une utilité relative. Déjà, Carl Gustav Jung l'avait définie comme l'une des quatre fonctions psychologiques fondamentales, et donc indispensables à l'épanouissement de notre personnalité (les trois autres étant la *sensation*, le *sentiment* et la *pensée*). Mais, dans un monde visiblement en pleine mutation, en proie à une décohérence globale, on peut se demander si cette faculté qui relie à la fois notre corps, notre âme et l'Univers, ne sera pas bientôt indispensable pour entrevoir la Grande Cohérence au-delà du rationnel et de la logique, des faits et de la pensée. En tout cas, on peut sans hésiter dire que le travail auquel nous invitent David O'Hare et Jean-Marie Phild tombe aujourd'hui bien à point…

ÉRIK PIGANI

SOMMAIRE

TROISIÈME PARTIE :

LES DÉCISIONS

INTRODUCTION

Cher lecteur, puisque nous devons avoir une relation textuelle, permettez-nous, en préliminaires, de vous présenter l'aventure que nous nous apprêtons à vivre. Cette aventure qui commence sera ponctuée de nombreuses expériences que vous découvrirez au gré des pages. Ce livre est un guide, une méthode pratique. Il est impossible d'aller au fond de toutes les notions que nous abordons, mais nous vous les présentons avec des exercices pratiques pour les développer à votre tour et les appliquer à votre propre vie. Après les présentations d'usage vous trouverez deux sections dans ce livre. La première consacrée aux perceptions que sont les intuitions, la seconde consacrée aux décisions dont la justesse peut être améliorée par l'accroissement du niveau des perceptions.

LES PERCEPTIONS

Nous débuterons par les **perceptions sensorielles** avec des exercices de visualisation, de focalisation, d'imagerie mentale et de développement des perceptions en général. Les perceptions sensorielles peuvent être **externes** (la vue, l'ouïe, le toucher, l'odorat et le goût) ou **internes** (émotions, les sensations et les sentiments).

Vous trouverez des exercices de prise de conscience et d'entraînement des différents modes de perception. Ces exercices sont d'une importance capitale pour la suite de la progression. Vous apprendrez aussi à pratiquer régulièrement la **cohérence cardiaque** qui est un élément majeur de votre pratique quotidienne de développement.

Nous aborderons ensuite **les perceptions extrasensorielles**, les bases théoriques, les expériences étonnantes qui ont été faites dans ce domaine pour leur donner la notoriété et la crédibilité nécessaires à la compréhension et à la mise en pratique. Vous découvrirez progressivement comment utiliser les synchronicités, les pressentiments, les prémonitions, les précognitions, les rêves intuitifs et tous les autres moyens que nous développons pour vous.

Vous découvrirez aussi ce que sont **l'intention, l'attention et l'intuition** avec les exercices appropriés pour les développer chez vous. Et où se situent les informations, dernier questionnement de cette section « perceptions ».

LES DÉCISIONS

Tout d'abord nous présenterons les décisions et leurs applications par **ordre progressif de complexité** et de leur importance dans la vie : vous verrez successivement comment développer les petites décisions, les décisions simples, les décisions cruciales, les décisions complexes et les dilemmes. Nous aborderons ensuite les **trois secteurs principaux où les décisions sont capitales** : la santé, les finances et l'amour. Nous terminerons par la décision de dire NON qui est souvent une décision affective lourde de conséquences.

LES EXERCICES

Les exercices pratiques sont au cœur de ce livre. Trente et un exercices, du plus simple au plus complexe. Certains sont à appliquer pendant quelques minutes tous les jours, d'autres à appeler lorsque vous en aurez besoin.

Le classement correspond à la progressivité dans la découverte des perceptions et des intuitions. Pour chaque exercice une fiche a été établie comportant les renseignements essentiels à leur réalisation. Une liste des exercices est reprise à la fin de l'ouvrage.

Vous n'aurez pas de résultats sans pratique. Nous proposons une pratique, la plus simple possible. Voilà en quelques lignes ce que vous découvrirez dans notre programme d'aventure commune.

Que l'aventure commence !

PREMIÈRE PARTIE

LES PRÉSENTATIONS

AVANT-PROPOS

CHANGER LA VIE DES GENS

PAR DAVID O'HARE

Cette consigne m'a marqué. Elle fut prononcée par mon éditeur lorsqu'il me confia la direction de la collection des « courants ascendants », publier des livres pour changer la vie des gens. N'est-ce pas finalement l'objectif de tout auteur et de tout livre ? Que le lecteur soit différent après sa lecture, qu'il en sorte grandi, plus heureux ou plus motivé.

La vie est une succession de conséquences des décisions que nous prenons à chaque instant. L'intuition ayant une part prépondérante dans l'élaboration de ces décisions, améliorer ses choix en développant les intuitions peut changer la vie des gens. L'apprentissage du développement de mes décisions a changé ma vie, elle peut changer la vôtre.

Avant de changer sa vie, peut-être faut-il aussi changer son avis quant à tout ce qui constitue les intuitions et les décisions. Êtes-vous prêt à changer d'avis ?

LAISSEZ-VOUS ENTRAÎNER

« - Je ne peux pas croire cela ! s'exclama Alice.
- Vraiment ? dit la Reine ton de pitié. Essaie de nouveau : respire profondément et ferme les yeux.

Alice se mit à rire.
- Inutile d'essayer, répondit-elle : on ne peut pas croire des choses impossibles.
- Je suppose que tu manques d'entraînement. Quand j'avais ton âge, je m'exerçais à cela une demi-heure par jour. Il m'est arrivé quelquefois de croire jusqu'à six choses impossibles avant le petit déjeuner. »

(LEWIS CARROLL, *Alice au Pays des Merveilles)*

Peut-être ne croirez-vous pas tout ce que vous lirez, peut-être aussi manquez-vous d'entraînement. À aucun moment dans nos lignes ne sera-t-il question de croyance. Certaines choses peuvent paraître impossibles, nous le reconnaissons volontiers. Le mot « paraître » prend toute sa justification : en observant attentivement ces choses avec un esprit ouvert elles finissent « par être ». Acceptez que nous vous entraînions à de telles constatations.

Ce livre est un guide d'entraînement progressif. Notre objectif est de vous entraîner à développer vos capacités intuitives innées mais inexploitées faute de méthode. Ce livre n'est pas un traité de physique, de médecine, de psychologie ou même de parapsychologie bien que ces matières soient forcément abordées et utilisées pour expliquer nos propos et poser les fondements des exercices proposés. Ce livre est donc un manuel d'exercices à pratiquer. L'intuition n'est pas enseignée dans nos écoles et nos universités, il semble qu'il y ait une vacance de ce côté-là dans nos cursus. Ce livre sera votre cahier de devoirs de vacances !

Les exercices proposés ne peuvent à aucun moment avoir un effet néfaste ou indésirable, il n'y a pas de précaution particulière à adopter et aucune contre-indication. La plupart des exercices sont construits sur la base de connaissances millénaires et de pratiques traditionnelles, les autres sont fondés sur les plus récentes découvertes en neurosciences.

Alors, même si certains passages seront certainement affectés du label pseudo-scientifique ou parapsychologique avec dédain, nous vous suggérons, en toute confiance, de mettre au moins un des exercices à l'épreuve, de constater avant de contester.

Nous ne pouvons pas tout démontrer par les connaissances scientifiques actuelles mais nous pouvons tout montrer. Il n'y a pas une ligne de ce livre qui n'ait été écrite sans le support d'au moins une publication ou une constatation digne de confiance. Les détracteurs de la psience[1] ne peuvent ni démontrer ni même montrer que ce que nous évoquons n'existe pas. Nous avons le bénéfice du doute scientifique de notre côté. Permettez que nous devenions vos entraîneurs.

COMMENT LIRE CE LIVRE

Lisez ce livre ouvert. Par ouvert, nous entendons ouverture. Ouverture d'esprit, ouverture de conscience, ouverture du cœur.

La progression

Nous vous recommandons de lire ce livre dans l'ordre des chapitres car les notions nouvelles pour vous seront introduites progressivement pour en favoriser l'apprentissage. Il s'agit d'une méthode comportant des exercices pratiques. Lorsque vous en serez aux exercices, vous pourrez choisir de les pratiquer dans un ordre différent ou de donner plus d'importance à l'un d'entre eux selon vos besoins. Ne négligez pas cependant les explications qui entourent chaque exercice, vous en aurez besoin. Avancez méthodiquement, vous profiterez davantage, évitez de sauter les paragraphes d'explications. Nous n'avons pas encore prévu une version de poche pour les kangourous.

[1]Psience : la science des facultés extrasensorielles.

Les mots dits

Afin que vous ne nous maudissiez pas en raison de multiples allers-retours entre le texte et un glossaire, nous expliquons les mots nouveaux à la première occurrence de ce mot. Il s'agit d'une raison supplémentaire pour ne pas ignorer certaines sections.

Néologismes et néoillogismes

Nous aimons les mots et nous en inventons. La plupart n'auront comme durée de vie que celle de ce livre, ils nous sont venus par inspiration, par jeu ou par hasard, ils repartiront comme ils sont venus ayant vécu leur vie. Nous espérons sincèrement ne pas vous ennuyer avec ces mots pour rire, c'est l'effet inverse que nous voulions en cherchant tous les moyens pour éviter l'ennui.

Les néologismes et *néoillogismes* seront imprimés en italique. Il est inutile de chercher la plupart de ces mots dans un dictionnaire, *inissompa*. Lorsque la définition sera par trop *capillotractée*[1], des pistes de compréhension seront données en note de bas de page.

Contactez-nous

N'hésitez pas à nous contacter pour toute question ou commentaire, vos expériences seront aussi accueillies avec une grande bienveillance. Nous mettons un site Internet à votre disposition pour cela : www.intuitionsdecisions.com.

[1] Capillotracté : de *capillo* : cheveux et *tracté* : tiré – tiré par les cheveux.

POINTS DE DÉPART

MONTRÉAL

PAR DAVID O'HARE

Nous marchions vivement Vincent et moi. Février et Montréal incitent à l'accélération du pas et à ne pas rester plus que nécessaire dans la rue enneigée. Sur le trottoir, de lourds manteaux noirs nous frôlaient en accéléré emportant avec eux leurs occupants pressés comme nous d'arriver à destination ; la nôtre était en vue, le magasin chauffé nous attendait, accueillant comme un foyer.

Devant nous, soudain, bloquant notre course, un capuchon gris se dressa, encadrant le visage surprenant et sombre d'un jeune homme pas vraiment propre. Il tendit un objet à Vincent, murmura : « Je te le donne » et disparut dans le flot des passants. Vincent, surpris, tenait un paquet de cigarettes, il vérifia machinalement le contenu : ouvert mais complet. C'était une aubaine pour un adolescent qui puise dans son argent de poche pour acheter ses *consummables*[1].

L'incompréhension fit place à la satisfaction, Vincent fourra le paquet dans sa poche avec nonchalance et reprit la marche espérant que l'événement serait clos. Je n'étais pas heureux qu'un inconnu encourage ainsi la *tabattitude* de mon fils, sujet incessant de recommandations paternelles.

[1]Les mots en italique dans le texte sont des néologismes que nous insérons volontiers.

Le mécontentement n'était pas la seule raison de mon trouble soudain. Une autre émotion m'envahissait, étrange, puissante, négative, étrangement et puissamment négative. « Vincent ! Jette ce paquet ! », je n'ai pas l'habitude d'être si autoritaire, « Vincent jette ce paquet tout de suite ! », j'étais sérieux, il le comprit, « mais, il est plein, je veux le garder », la supplique avait peu de chance de me faire céder. À contrecœur, il jeta le paquet dans la première poubelle, comprenant que l'achat que nous avions programmé pour lui pouvait être remis en question. Nous étions arrivés et nous nous sommes plongés dans l'étude comparative du téléphone portable convoité dans la chaleur incitative du magasin.

Une sirène me fit soudain sursauter. Un camion rouge rutilant venait de s'arrêter devant la vitrine et des hommes en uniforme jaune en sautaient et inondaient d'un supplément de neige une certaine poubelle totalement embrasée. Je compris alors que la farce que l'énergumène encapuchonné avait dû trouver drôle aurait pu blesser gravement la personne à qui il destinait son cadeau piégé et que ce destinataire, mon fils, avait bénéficié d'un signal venu d'ailleurs. D'ailleurs ? D'où venait-il donc ?

Prémonition, préscience, prévention ; je ne sais comment le nommer, le signal avait été clair pour moi.

Cette histoire m'a hanté, elle est venue s'ajouter à la liste de ces messages d'avertissements ou d'informations que j'avais reçus au cours des dernières années. En médecin cartésien, hermétique par principe hypocrato-scientifique à ce que la raison ne peut expliquer, je me lançai dans mon exploration de cet ailleurs obscur dans lequel nous baignons et qui nous pénètre parfois d'une étincelle de pré-connaissance. Je voulais savoir, avoir ce pouvoir de prévoir, celui de prévenir et de mieux décider. Décider, le mot est lâché, écrit sur cette page, ce sera le sujet de mon expérience et de ce livre.

Quarante ans après mon installation en tant que médecin à Marseille, je contemple émerveillé depuis Montréal la montagne de certitudes d'où a dévalé une avalanche de faits, de découvertes et d'expériences qui a balayé mon esprit cartésien initial. Une simple boule de neige a pris de l'ampleur, avalant mes théories et les fondamentaux de ma science. Le flocon initial fut, sans conteste, la découverte totalement fortuite de la cohérence cardiaque.

De cohérence cardiaque il en sera largement question dans ce livre. J'aimerais que vous en saisissiez la subtile puissance et les effets surprenants que vous pouvez en attendre. Je vous expliquerai ce qu'est cette pratique, j'expliquerai aussi ce qu'est la résonance cardiaque ces notions seront les bases de plusieurs exercices pratiques.

Je n'ai aucun souvenir d'avoir entendu prononcer le mot « émotion » durant mes années d'études ou dans la bouche d'un de mes professeurs. Méconnaissant les relations entre le corps et l'esprit, les interactions subtiles entre les sentiments, les affects et la maladie je poursuivais ma route vers ma mission de guérir et soulager mes patients. J'ignorais qu'il manquait une part majeure à mon art. Surviennent la cohérence cardiaque et Jean-Marie Phild, deux remises en questions, de bien nombreuses questions et leurs surprenantes réponses.

La cohérence cardiaque

Plusieurs signes du destin (j'espère que c'est la dernière fois que je prononcerai ce mot dans ce livre) m'ont poussé peu à peu, par de multiples synchronicités[1] convergentes, vers la découverte de la cohérence cardiaque. Cette approche scientifiquement validée m'expliquait enfin, de façon rationnelle et acceptable pour moi, les relations entre le corps et le cerveau, le cœur et la raison.

Je l'ai mise rapidement en place dans mon propre cabinet avec des résultats surprenants par la simplicité de la technique, la rapidité des résultats et l'efficacité sur la gestion du stress, des émotions

[1] Synchronicité : coïncidence qui a un sens pour celui qui l'observe. Une section entière lui sera consacrée dans ce livre.

et des déséquilibres entre psycho et somatique. La cohérence cardiaque[1] m'ouvrit la porte de la méditation, de la pleine conscience et d'une pratique quotidienne bouleversante.

Jean-Marie

La rencontre de Jean-Marie fut fortuite, je dirai aujourd'hui *fort-intuite*. Il y a une dizaine d'années, nous traversions, mon épouse et moi, une période difficile en termes de choix et d'orientation, pour nos carrières, nos projets communs, nos enfants et leurs propres orientations. Nous avions l'impression de tourner en rond, le sentiment de ne pas progresser. Catherine s'en ouvrit à l'un de nos amis qui venait de traverser une semblable situation ; il lui parla d'un parapsychologue à Montpellier qui l'avait accompagné dans ses décisions avec une grande efficacité. La justesse de ses informations sur la situation présente et sur les possibilités étaient surprenantes, l'empathie et le guidage de ce professionnel lui avait permis de prendre les décisions qui s'étaient, par la suite, avérées judicieuses. Catherine décida de consulter Jean-Marie, je n'étais pas vraiment convaincu, mais qu'avait-on à perdre ?

Le compte rendu de la séance fut des plus surprenants ; tout confirmait ce que notre ami avait indiqué : la justesse d'informations qu'il ne pouvait pas connaître, l'évocation des possibilités qui se présentaient à nous et les avantages à suivre telle ou telle voie, dans la plus grande empathie et gentillesse. Ma curiosité fut piquée au vif, restait le tabou. Dans les jours qui ont suivi, à plusieurs reprises, d'autres personnes de notre entourage, ignorant notre démarche, évoquèrent Jean-Marie nommément. Je suis fermement persuadé de ne jamais avoir entendu prononcer son nom auparavant, autant de

[1] La cohérence cardiaque est une pratique respiratoire simple aux effets majeurs sur le stress et ses conséquences. La pratique vous sera enseignée dans ce livre car elle est la base des exercices proposés.

synchronicités qui me surprirent, d'autant plus que je commençais à m'y intéresser. Je pris rendez-vous en catimini, je me donnai l'excuse d'une « recherche scientifique ». Je fus ébranlé dans mes croyances par ce qui suivit.

Moi, cartésien de chez *Cartésie*, j'attendais un peu penaud dans la salle d'attente du cabinet d'un parapsychologue à Montpellier ! Avec une ruse de Sioux, devenant animal de laboratoire volontaire, j'étais un agent double qui allait scruter les moindres méfaits et gestes de sa cible dans un repère de l'étrange qu'il voudrait démystifier. J'étais là par jeu, je jouais au cobaye et aux Indiens. La porte s'ouvrit, un courant d'air emporta toutes mes certitudes, ma mascarade mentale et mon envie de jouer. Jean-Marie était sympathique, franc et avenant, de toute évidence il était bien dans sa peau, son cabinet neutre, sans boule de cristal, d'encens ou de grenouilles dans du formol. Dès qu'il fut assis, Jean-Marie me demanda mon prénom et déroula sa séance, respectant ce que j'appris plus tard, l'ordre qu'il suit à chaque consultation.

Ma santé, mon travail et mes finances, ma famille. Je n'ai fourni aucune indication, il ne savait pas que j'étais le mari de Catherine qui l'avait consulté quelques jours plus tôt ni mon amitié avec d'autres personnes qu'il avait croisées. Impossible était le mot qui revenait sans cesse. Le tout dans la gentillesse, la bienveillance et la fermeté parfois aussi lorsque ses prévisions étaient plus menaçantes. Par la suite, depuis plusieurs années, j'y retournai plusieurs fois, pour comprendre, apprendre et orienter mes décisions.

Lorsque j'ai *Googlelisé* Jean-Marie Phild, je suis tombé sur le livre d'or de son site, et une phrase m'a marqué : « Jean-Marie est l'ami qu'on aimerait avoir », c'était très touchant de la part d'un client anonyme qui avait perçu la même bienveillance que moi. Aujourd'hui la prophétie de ce client inconnu est devenue réalité pour moi, Jean-Marie est mon ami.

HYÈRES

PAR JEAN-MARIE PHILD

Hyères, avec un Y comme *Yesterday*. Hyères, c'est hier pour moi, l'école au soleil, les palmiers, le mimosa, presqu'une île, chez moi. J'ai eu la chance d'habiter à dix minutes à pieds de mon collège. Deux fois par jour je longeais la plage, la brise tiède venant de la mer chargée de parfums de Méditerranée m'accompagnait, agréable et fidèle. Je l'ai encore soufflant dans ma mémoire. Les années de collège, c'est Hyères, le plaisir de cette marche biquotidienne au bord de la mer.

Le plaisir était décuplé lorsqu'Albane m'accompagnait le soir au retour. Elle habitait dans ma rue et le chemin que nous faisions ensemble était un bonheur partagé, au gré des saisons et de leurs lumières changeantes au soir sur la rade. Parfois nous nous arrêtions, trempions nos pieds dans l'eau imaginant que les vagues ainsi déclenchées atteignaient, au large, l'Île de Porquerolles.

Albane était mon amie, j'appréciais sa compagnie joyeuse, c'était un feu follet, toujours en mouvement, toujours riante : elle ne marchait pas, elle sautillait, et nous étions en cinquième ! Je l'appelais Poupette en secret, je ne sais pas pourquoi sa chevelure ébouriffée m'avait inspiré ce petit nom. Sa démarche enfantine me faisait un peu honte, mais j'aimais ces moments d'insouciance. Des soucis j'en avais cependant : Albane traversait les rues comme la vie, en riant, en regardant le ciel, les oiseaux et les rêves. Nous avions trois carrefours à passer, trois cauchemars pour moi. Albane me devait la vie sauve au moins deux fois par semaine. Je l'empêchais de traverser au feu vert des voitures, je la retenais par le bras, et je criais : « Albane ! », et elle riait. Je refoulais l'image de son corps à terre, renversé par une auto, son cartable rouge éventré gisant à côté d'une chaussure assortie. Cette image me revenait sans cesse, elle me parasitait, Albane s'en amusait. La hantise du cartable d'Albane à terre m'a poursuivi bien après notre déménagement loin de la rade, les retours de collège du soir rangés aux souvenirs d'enfance.

J'ai revu récemment un ami de cette époque. Nous partagions nos histoires et nos mémoires sur cette période adolescente. J'attendais un peu pour lui demander des nouvelles d'Albane. Vingt ans plus tard, il pouvait peut-être me dire ce qu'elle était devenue. « T'es pas au courant ? » me dit-il étonné, « peu après ton départ elle a été renversée par un autobus, elle est morte sur le coup ». Violente, connue, douloureuse, l'image hantée a rejailli ; j'avais vécu avec cette scène pendant des années. Je ne l'ai pas sauvée ce jour-là.

Un message m'avait été adressé, destiné à Albane, pour la mettre en garde contre les carrefours, les rêves et les autobus, l'inciter à la prudence. Je savais et je savais que je savais. Je n'ai pas pu sauver Poupette. Ce fut la première fois, la plus vive, la plus douloureuse. De telles images j'en ai eu des milliers, j'ai cultivé cette aptitude, je l'ai développée, j'en ai fait ma vocation. Mon métier, c'est d'aider à la prise de décision et à la direction de vie. Je dis bien vocation, c'est une voix, celle d'Albane, qui m'y a poussé, une voie que tous peuvent emprunter, je ne parle ni de don, ni de pouvoir mais de pour voir.

Mes expériences, mon expérience sont l'objet de ce livre. J'aimerais vous laisser des pistes à explorer, des exercices à pratiquer, des méthodes pour augmenter votre capacité à voir avant, à prévoir. Je vis avec une conscience exacerbée depuis mon enfance. Je sens des images, j'entends des situations, je vois des paroles. Les sensations se mélangent et des impressions se dégagent. J'ai l'impression que mes sens m'envoient des informations en permanence, en superposition à mes pensées. J'ai mis longtemps à faire la part des choses entre mon imagination et une imagerie réelle, entre ma réflexion propre et la réflexion d'une sorte de miroir qui me renvoie les images de la vie.

Il m'a fallu des années pour canaliser ces impressions et apprendre à les gérer. Je pensais que mon imagination était trop fertile et que les pensées surgissaient sans cesse entourant de ses commentaires chaque personne que je rencontrais. Je regardais passer les gens et je croyais créer des scénarios, imaginer des tranches de leur vie, surprendre des conversations qu'elles pourraient avoir. Je gardais tout cela pour moi, c'était mon jardin secret. Je rêvais des personnes autour de moi, j'inventais leur vie et les scènes qui vont avec, mon jardin foisonnait. J'étais parfois bouleversé par ce que je voyais, des menaces et des dangers transformaient parfois mes rêves éveillés en cauchemars, j'avais peur pour certaines personnes, je voyais des nuages gris au-dessus de leurs têtes, des menaces d'orage dans leur vie. J'avais des émotions pour des gens, c'était inconfortable souvent. Si seulement je pouvais aider, prévenir et avertir.

J'ai parfois eu l'impression de savoir que quelque chose allait arriver à une personne de mon entourage et que j'aurais voulu crier pour l'avertir du danger pour qu'elle se mette à l'abri mais qu'aucun son ne pouvait sortir de ma bouche. J'ai commencé, timidement, à prévenir autour de moi. J'ai aussi commencé à réaliser que mes rêves étaient réalité et que les menaces qui planaient n'étaient pas de simples brumes qui se dissiperaient mais de véritables orages qui pouvaient s'abattre sur quelqu'un. Je ne pouvais rester insensible et silencieux.

Mes prévisions (pré-visions : images précédant la réalité) devinrent des prédictions (pré-diction : j'ai commencé à dire). Je vous assure qu'il faut beaucoup de courage pour exprimer une image désagréable lorsqu'on est jeune, exprimer prend tout son sens de pousser dehors avec force. D'un naturel plutôt timide et réservé, il a fallu « prendre sur moi » pour intervenir. C'est la reconnaissance des autres qui progressivement m'a poussé à prendre confiance et à prendre conscience que j'avais un rôle à jouer. Voici vingt ans maintenant que j'aide et que j'assiste tous ceux qui m'en font la demande.

Aujourd'hui, j'ai appris à gérer mes émotions. Je sais comment me protéger des informations et des menaces. Je me considère comme un psychologue à qui on demande conseil sur les imbroglios émotionnels dans lequel certains sont empêtrés ; j'aide à faire le tri, je bénéficie de l'avantage d'être détaché, d'avoir travaillé cette gestion émotionnelle et d'avoir une vision d'ensemble de la situation. Les images que je reçois ne sont pas dépendantes du temps, il peut s'agir du passé, du présent ou de l'avenir. Je peux ainsi faire bénéficier mon « client » de l'ensemble du scénario et des possibilités qui s'offrent à lui.

La pratique de la parapsychologie n'est pas un don particulier. Je n'ai reçu de personne une quelconque attribution ou formation spécifique, je ne crois pas en l'initiation ou aux pouvoirs surnaturels réservés à quelques privilégiés (ou victimes car ce n'est pas toujours simple de savoir). Je suis profondément persuadé que toute personne a la possibilité de rêver des images de sa réalité et qu'il est possible de travailler cette possibilité.

Lorsqu'un médecin, David, est venu me rendre visite, je m'en souviens encore, j'en ai été très touché. Son scepticisme était masqué par la bienveillance et la gentillesse, mais il était palpable.

J'ai été très touché par la proposition de David de participer à l'écriture d'un livre dont il rêvait depuis quelques années. Cette écriture accomplit l'un de mes rêves d'enfance que je n'aurais jamais cru possible. J'avais eu cette image, mais comme souvent lorsqu'il s'agit de moi ou de mes proches, l'image est très floue et difficile à définir, je pense que les émotions et l'implication affective viennent brouiller la vision sereine et détachée..

Je réalise, par ce livre, mon désir de dire à tous : vous avez la possibilité de maîtriser une part non négligeable de votre destinée. Cela demandera du temps, du travail, de la persévérance, de la confiance et aussi beaucoup de reconnaissance. Je suis reconnaissant à David de sa proposition de réaliser ce rêve et de vous y inclure, merci pour votre confiance de lecteur. Ayez confiance, en vous.

LES EXPERTS ÈS DÉCISION

Les experts ès décision (juges, médecins...) sont-ils, en fait, des experts ès intuition ? Quelques faits et chiffres le laissent à penser.

LES JUGES

Les professionnels de la décision par définition, leur métier c'est de juger et de trancher. Décider et décision viennent des mots latins *decisio* action de retrancher, et *decido* couper, trancher. Thémis, déesse grecque, le symbole de la justice, est représentée un glaive dans la main droite pour trancher, une balance dans la main gauche pour évaluer et les yeux bandés en signe d'impartialité.

Les trois filles de Thémis sont Loi, Équité et Paix. Le juge a étudié la loi, il en a l'expérience, il fait appel à son jugement, à sa pensée et à ses capacités logiques. La finalité de la justice est de maintenir la paix et l'équilibre favorable au développement social humain, cette recherche demande réflexion, pondération et évaluation. L'équité requiert l'analyse des intérêts réciproques et de leur corrélation, il s'agit aussi d'un travail de réflexion.

Plus de 4 millions de décisions (sans compter les 8 millions d'amendes forfaitaires majorées etc.) sont prises par 8 140 magistrats chaque année (lire encadré page suivante). Si on considère qu'un juge travaille environ 1700 heures par an, s'il pouvait

QUELQUES NOMBRES QUI DONNENT LE VERTIGE

En 2009, dans les tribunaux français, voici le nombre de décisions rendues[1] :

• Justice civile	2 611 190 décisions
• Justice administrative	225 424 décisions
• Justice pénale	1 167 322 décisions
• Total des décisions en 2009 en France	**4 003 936 décisions**

consacrer la totalité de son temps de travail à rendre un jugement cela représenterait un temps de prise de décision d'environ 3 heures et demi par dossier, temps de lecture des centaines ou milliers de pages compris. Ce rapide calcul ne prend pas en compte le fait que la plupart des décisions sont collégiales, un seul dossier est examiné par trois juges divisant ainsi encore par trois le temps nécessaire à rendre une décision, une heure environ pour trancher. Mission impossible, et pourtant la justice est rendue tous les jours.

La justice serait donc véritablement aveugle si elle se basait uniquement sur jugement et la raison ; les décisions font appel à d'autres ressources que l'analyse et la réflexion. L'intime conviction a été introduite dans la législation française par la Révolution en même temps que la justice était rendue au nom du Peuple Français en substitution à celui du Roi.

Les juges ont une faculté d'apprécier qui relève de pouvoirs naturellement humains et souvent inconscients, l'intuition, le sentiment, l'expérience et l'intime conviction en sont des exemples. L'intime conviction pourrait-elle être l'intuition judiciaire ?

[1] Source : Ministère de la Justice, Service du Budget et des Statistiques : « Chiffres-clé de la Justice ».

LES MÉDECINS

En France, 209 000 médecins pratiquent[1], parmi eux exercent 101 667 omnipraticiens, soit 165 médecins de famille pour 100 000 habitants. En moyenne, en France, un médecin généraliste consulte 19 fois par jour[2], cinq jours sur sept. Cela représente plus de 502 millions de consultations par année, chaque consultation comporte une moyenne de 2,4 diagnostics, soit plus de 1 milliard deux cent vingt millions de diagnostics par année pour les seuls médecins généralistes. Le diagnostic est un choix éclairé, une décision fondée sur la connaissance, le recueil des informations et l'expérience du praticien.

La durée moyenne d'une consultation médicale est de 16 minutes[2], c'est le temps nécessaire pour accueillir, écouter, questionner, examiner, réfléchir, arriver à 2,4 diagnostics et rédiger les décisions sous forme ordonnancée : six minutes par diagnostic, sans compter les minutes prises par le déshabillage, le rhabillage et les appels téléphoniques.

La raison seule ne peut expliquer la capacité des médecins à décider et à choisir. Une dizaine d'années d'études pour acquérir les bases et le savoir sans lesquelles aucun art n'est possible, ensuite c'est l'expérience, le bon sens et des perceptions subtiles et indéfinissables qui orientent les choix. Peut-on parler d'intuition médicale ?

LES CLAIRVOYANTS

Leurs appellations sont multiples, leur mode d'exercice aussi. Le flou concernant l'origine de leur connaissance nimbe de mystère leurs pratiques. Longtemps écarté de la légitimité par la religion,

[1]Source : INSEE (Institut National des Statistiques et des Études Économiques) année 2009.
[2] Source : *La revue du Praticien*, médecine générale, Tome 18 N°656/657 6, Juin 2004.

la crainte ou la science, le développement parallèle de cette activité foisonnante s'est fait dans le chaos et la confusion des genres. Les clairvoyants sont médiums, voyants, gourous, astrologues, devins, mages, marabouts ou sorciers en fonction de l'environnement, l'époque ou le rôle qu'on leur attribue. Parapsychologue serait le titre le plus adapté au propos de notre livre et c'est de cette activité dont il sera exclusivement question au cours des pages qui suivent. Le parapsychologue clairvoyant est un scientifique au sens noble de la science. Environ 200 parapsychologues travaillent actuellement en milieu universitaire dans le monde.

Le parapsychologue est un expert en décisions, il met son expertise de la connaissance subtile de l'inconscient et des changements environnementaux à la disposition de son client.

La demande existe car l'incertitude et le doute sont omniprésents, l'homme a besoin d'être rassuré, ses choix guidés par une plus grande connaissance, une plus grande science au sens étymologique de ce mot.

La profession n'est pas réglementée, elle a longtemps été interdite, l'exercice de la voyance était un délit jusqu'au 1er mars 1994[1]. La récente libéralisation de l'exercice, la méconnaissance de la profession par le public, la confusion des genres et la non-réglementation ont fait qu'il est difficile de voir clair dans le monde de la clairvoyance.

Un parapsychologue étudie les phénomènes inexpliqués proches de la psychologie. Albert Einstein, Thomas Edison et Louis Pasteur étudiaient des phénomènes inexpliqués, ce sont des scientifiques, leur travail était de comprendre et de porter à la connaissance générale le fruit de celui-ci pour qu'il devienne utile à l'humanité. Pour nous, le parapsychologue est un scientifique aux mêmes aspirations.

[1]Article R.34-7 de l'ancien code pénal.

C'EST VOUS, L'EXPERT

C'est bien l'objet de ce livre : faire de vous un expert, c'est-à-dire quelqu'un « Qui est fort versé en la pratique de quelque art, de quelque connaissance qui s'apprend par expérience »[1].

La prise de décision est un art inné dont l'expertise s'acquiert par l'expérience. Vous êtes l'artiste et les exercices que nous vous proposons permettront d'acquérir cette expertise par la pratique de l'art de décider mieux.

[1] Dictionnaire de l'Académie Française.

TERMINOLOGIE

La terminologie est-elle l'art de terminer un livre ? Oui, si au terme du livre les lecteurs ont tout compris parce que les auteurs auront clairement défini les mots employés. Tout au long de cet ouvrage vous rencontrerez souvent les termes suivants :

- Intuitions
- Perceptions
- Décisions
- Intention
- Attention

Nous pouvions tout définir en une seule fois ou distiller les définitions au fur et à mesure de leur apparition au cours de votre lecture. Nous avons opté pour la seconde manière. Le premier d'entre eux est le titre : **intuitions**.

Un pluriel bien singulier

Nous aurions pu intituler le livre « intuition » au singulier mais il était alors difficile de conjuguer les deux aspects des intuitions que nous désirions développer avec vous. Les intuitions sont donc de deux sortes : les **intuitions internes** et les **intuitions externes** mais ce sera plus facile pour vous de comprendre si nous passons par la perception, nouveau singulier qui s'accorde fort bien au pluriel.

Les intuitions sont des perceptions. Nous détournons donc notre survol des intuitions vers un chapitre sur les perceptions. Nous reviendrons à vous plus tard avec les intuitions, objet de notre étude.

LES DEUX ASPECTS DE LA PERCEPTION

Les perceptions sont des messages qui nous informent de l'environnement, de notre état interne et donnent accès à d'autres informations essentielles à la réflexion et la délibération. Ce sont des messages d'appel à l'action. Les perceptions sont classées en deux catégories principales :

1- Les perceptions sensorielles

Ce sont les perceptions d'informations qui nous parviennent par nos sens, nos émotions et nos sentiments. Les perceptions sensorielles sont ensuite classées selon la provenance du message :

- Les perceptions sensorielles externes sont celles qui proviennent de notre environnement par les cinq sens (la vue, l'ouïe, le toucher, le goût et l'odorat), nous développerons plus loin d'autres sens dont nous sommes dotés qui nous permettent de réagir avec l'environnement pour nous y adapter.
- Les perceptions sensorielles internes sont celles qui proviennent de l'intérieur de notre corps, de nos organes, de notre pensée et des expériences passées stockées dans nos mémoires.

Dans les deux cas, ces messages déclenchent des émotions qui sont des réactions automatiques et des sentiments qui sont des émotions qui ont été interprétées par notre pensée et notre mémoire. Les perceptions externes empruntent les mêmes voies de l'information, le système nerveux autonome[1].

Nous développerons plus loin ces deux types de perceptions sensorielles, leur participation aux décisions ainsi que les méthodes pour les développer et les utiliser dans le cadre de l'aide à la prise de décision.

[1] Le système nerveux autonome est la branche automatique du système nerveux qui fonctionne en dehors de la volonté, il participe à toutes les régulations et aux automatismes du corps humain.

2 - Les perceptions extrasensorielles

Ce sont les perceptions d'informations qui nous parviennent au moyen de sens constatés mais non élucidés à ce jour. Ces perceptions comprennent les prémonitions, les pressentiments les précognitions et les autres sens qui ont été arbitrairement et injustement catalogués comme sixième sens. Nous développerons également, de façon très importante cette branche souvent inutilisée des perceptions dans le cadre de l'aide à la prise de décision.

LES DEUX ASPECTS DE L'INTUITION

PAR DAVID O'HARE

Ces explications préalables étaient nécessaires pour que vous compreniez la difficulté à expliquer l'intuition lorsqu'elle est écrite au singulier. Deux lectures sont possibles pour le mot intuition. Des milliers d'ouvrages ont été écrits sur le sujet, chaque auteur défend sa propre vision et son parti pris, mais les chercheurs et les auteurs ont systématiquement ignoré l'alternative. Ils parlent soit des perceptions extrasensorielles, soit des perceptions sensorielles internes.

L'intuition est le brassage d'informations provenant de nos **perceptions sensorielles internes** et de nos **perceptions extrasensorielles**.

Les intuitions sont des perceptions. Elles empruntent les mêmes voies d'information d'où qu'elles viennent.

La définition générique du mot intuition décrit les pensées et les préférences qui viennent spontanément à l'esprit sans réflexion. Le mot intuition vient du mot latin « intueri » qui peut être traduit par « regarder à l'intérieur » ou « contempler ». L'intuition entraîne des croyances qu'on ne peut pas forcément justifier. C'est à ce titre que l'intuition a donné lieu à une intense étude en psychologie. Une des seules concessions des scientifiques à la dualité de l'intuition réside dans l'acceptation de grandes découvertes scientifiques innovantes comme ayant été « intuitives ».

L'intuition interne (perceptions sensorielles internes)

J'aimerais pouvoir écrire intra-intuition.

La connaissance se forme en puisant dans notre mémoire. Ce sont nos expériences passées, nos apprentissages et nos erreurs qui ont été enregistrées avec des étiquettes émotionnelles permettant de les utiliser à nouveau lorsque le danger, le risque ou l'émotion similaire se présente. Cette intuition est nécessaire à la réponse rapide et sécuritaire face à des situations menaçantes ou ayant un schéma connu. Il s'agit d'une réponse rapide de type réflexe, sans réflexion.

C'est le corps et les émotions qui reconnaissent un schéma et nous préviennent en disant, « nous avons ça en magasin, on peut s'en servir ».

Au moment où l'intuition est requise, j'ai la connaissance de l'information, elle est déjà stocké dans ma mémoire par de façon innée ou acquise par l'expérience, l'entraînement ou la découverte.

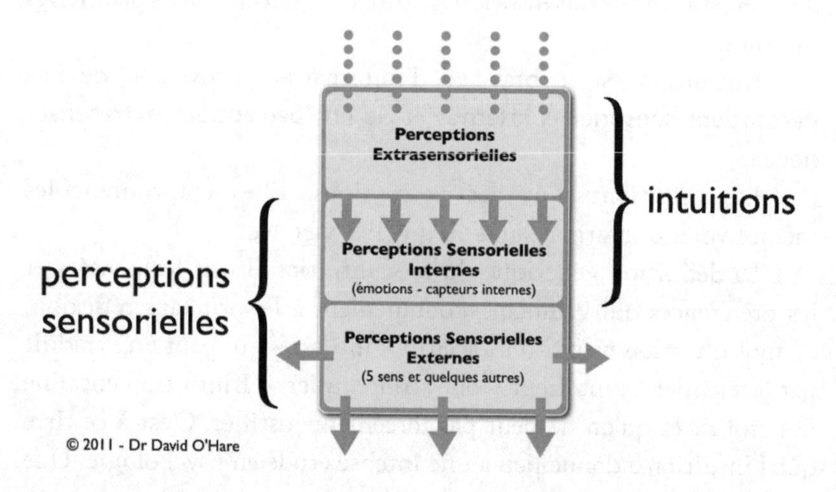

L'intuition externe (perceptions extrasensorielles)

J'aimerais pouvoir écrire extra-intuition ou mieux, extuition. La connaissance et la reconnaissance ne viennent plus de ma mémoire personnelle mais d'une accumulation d'expériences, de savoir et de conscience collective stockées quelque part dans notre environnement. Nous en parlerons plus loin. Au moment où je fais appel à l'intuition externe, je n'ai pas connaissance de l'information et pourtant je l'obtiens.

UNE MONTAGNE À EXPLORER

PAR DAVID O'HARE

LES INTUITIONS FORMENT DONC UN SUJET COMPLEXE QUE nous avons tenté de simplifier pour le rendre accessible et dégager un plan d'approche. Si la perception était une montagne, elle serait un iceberg.

La partie visible et accessible représente à peine plus d'un dixième de la masse totale. La partie consciente des perceptions, celles que nous pouvons commander par la volonté et la réflexion, est la seule accessible par la voie directe. La partie inconsciente, qui fonctionne en permanence à notre insu, notre système de renseignements et de traitement des informations participe à l'élaboration des intuitions et des décisions en secret, inaccessible sous la surface de la conscience.

Lorsque je décide de choisir un cabriolet rouge plutôt qu'une fourgonnette bleue, c'est ma volonté réfléchie, ma raison, pour de nombreuses raisons. Lorsqu'au volant de mon cabriolet je profite du paysage, de la conversation avec la passagère et que je monte le son de l'autoradio, je ne prête aucune attention aux automatismes de la conduite, je suis la route, j'accélère, je freine, je tourne et je m'arrête devant la maison sans même me souvenir du chemin emprunté, c'est un automatisme fondé sur l'habitude, l'expérience et la mémoire.

Ce sont des centaines de décisions passées sous silence. Lorsqu'un malaise indéfinissable me dit de ralentir avant le prochain virage et que mon pied, subitement moins lourd, obéit à cette impression, c'est aussi un ordre venu parfois de la connaissance inconsciente de la présence d'une fourgonnette bleue tapie dans les buissons.

Nous partons à l'assaut du *Neverest*[1], la montagne secrète qui ne se repose jamais.

Avant notre exploration, nous devons vous expliquer sommairement quelques notions de base d'alpinisme subconscient.

Nos actions, notre volonté, nos décisions réfléchies dépendent du système nerveux volontaire que l'on appelle aussi **système nerveux somatique**[2]. Ce système dominé par le mouvement musculaire utilise des informations issues des perceptions sensorielles internes et externes. C'est la partie visible et volontaire du *Neverest*. Cette partie dont le contrôle dépend largement du cortex cérébral ne fait pas appel à aux intuitions pour l'action et les prises de décision, des milliers d'ouvrages ont été écrits sur le sujet car l'exploration et l'analyse sont simplifiées par l'accessibilité par la conscience.

Notre exploration n'est pas de gravir ces pentes-là mais d'aller à la découverte du système nerveux autonome nettement plus confidentiel.

LE SYSTÈME NERVEUX AUTONOME

Il s'agit de la partie invisible du *Neverest*, elle est inaccessible directement par la volonté. Il faut user de subterfuges et emprunter des approches plus discrètes, moins connues et plus profondes. La très grande majorité des décisions se prennent à un niveau subconscient et intuitif. Le système nerveux autonome contrôle toutes les régu-

[1] *Neverest* : néoétymologisme formé de *never* = jamais et *rest* = repos.
[2] Somatique : de *soma* = le corps dans son ensemble, en opposition à la psyché, la pensée.

lations automatiques de notre organisme, ainsi que la gestion des émotions et de la mémoire. Tous les sens, toutes les perceptions, les émotions et les sentiments empruntent les voies discrètes du système nerveux autonome. Le système nerveux autonome contrôle toutes les sécrétions hormonales et les neurotransmetteurs[1].

Le contrôle du système nerveux autonome dépend en très grande partie des cerveaux automatiques plus archaïques que le cortex. Ce sont les cerveaux dits « reptilien » pour le plus ancien d'entre eux et « limbique » pour le plus récent d'un point de vue évolutionnaire. Ce contrôle est involontaire et inconscient basé sur des réflexes ou des comportements innés ou acquis par l'apprentissage.

La mission que nous avons acceptée est de vous guider dans cette exploration. Vous ne pourrez développer vos facultés intuitives sans aborder l'exploration de la part masquée de vos intuitions. Avant de poursuivre notre route nous devons vous présenter la carte sommaire de notre parcours. Rassurez-vous, nous avons simplifié le plus possible pour une compréhension aisée de tous nos explorateurs.

Le système nerveux autonome comporte deux branches antagonistes principales et une branche destinée aux commandes automatiques du tube digestif. Les deux branches principales sont dites antagonistes car elles fonctionnent en alternance pour stimuler ou inhiber la fonction d'un organe. Il s'agit des systèmes nerveux sympathique et parasympathique.

Le système nerveux sympathique

Cette première branche principale est responsable des réactions de fuite, de combat ou d'immobilisation. Il s'agit du B.A.-BA de la réaction à toutes les menaces perçues, se BAttre, se BArrer ou se BArricader. Ce système emploie principalement l'adrénaline. Il est responsable de

[1] Neurotransmetteur : substance chimique qui transmet une information d'un nerf à un autre pour commander une fonction ou un organe.

l'accélération du cœur et de la fréquence cardiaque et de la mobilisation de l'énergie. C'est le système mis en action par la peur par exemple. Pour le cœur et les poumons le système sympathique est l'accélérateur.

Le système nerveux parasympathique

Cette deuxième branche a les effets inverses. Il s'agit du système de repos, de relaxation et de restauration des forces et de l'énergie. Il ralentit le cœur et la fréquence respiratoire. Il est activé après la fuite ou le combat pour réparer, restaurer et préparer aux actions futures. Le système parasympathique est nécessaire pour la mémorisation, l'apprentissage et toutes les fonctions qui ont été mises de côté pendant les combats. Pour le cœur et les poumons, le système parasympathique est le frein.

L'équilibre des deux systèmes est indispensable. Le stress et la vie moderne font souvent basculer cet équilibre vers le système sympathique qui s'épuise faute de pouvoir se restaurer et peut basculer dans l'épuisement ou la dépression.

Un agent double

Le système respiratoire a un rôle particulier dans cet ensemble. Il est un agent double car il fait partie du système nerveux autonome inaccessible à la volonté : vous respirez lorsque vous dormez et lorsque vous ne prêtez aucune attention à votre souffle ; mais vous avez aussi un certain contrôle sur la respiration, vous pouvez l'interrompre, l'accélérer, la rendre plus profonde par la volonté. Vous ne pourrez cependant jamais vous suicider en arrêtant de respirer ! L'automatisme reprend le dessus dès que le corps s'estime en danger, c'est le cerveau reptilien qui veille sur votre sécurité.

Je mets en avant ce rôle particulier de la respiration car c'est par elle que nous allons pénétrer dans la partie cachée de votre système nerveux autonome et avoir accès à des fonctions autrement impénétrables. La respiration sera pour nous un cheval de Troie très utile.

L'accès au système nerveux autonome est la voie obligatoire pour développer les intuitions.

LES INTUITIONS

Toute décision implique les intuitions. Il est même communément établi qu'environ 90 % de toutes les décisions ne résultent pas de la réflexion mais d'un processus intuitif complexe et mystérieux, c'est la face cachée des décisions. Ce large chapitre déborde le domaine habituellement dévolu à l'intuition au sens strict et habituel. La réflexion est le langage de la pensée, les émotions sont le langage du corps et l'intuition est le langage de l'âme au sens étymologique du mot âme : ce qui est animé. C'est par ce langage que nous communiquons avec notre inconscient, la part profonde qui fait de nous un moi, celle qui ne peut être délimitée à un endroit précis du corps.

L'âme c'est le principe vital de toute entité douée de vie. Les termes originaux *nèphès* en hébreu et *psukhê* (d'où vient la racine *psych* des mots comme psyché ou psychologie) signifient souffle ou respirer. Le vivant est un respirant. Le mot âme provient du latin *anima* qui a donné *animal* ou *animé.* L'intuition est le langage de l'être animé de vie.

L'étymologie du mot intuition est floue et les traductions diffèrent, le mot latin *intuitio* signifierait « vue, regard » et dériverait du mot *intuiri* qui signifie « regarder attentivement, contempler, avoir la pensée fixée sur »[1].

*« Il n'y a pas d'autres voies qui s'offrent aux hommes, pour arriver à une connaissance certaine de la vérité, que l'***intuition*** évidente et la déduction nécessaire »* (René Descartes).

L'intuition est un mode de connaissance immédiat, ne faisant pas appel à la raison. Ça c'est la définition courte et consensuelle car les philosophes ont chacun apporté leur part contradictoire.

[1] Source : Centre National de Ressources Textuelles et Lexicales.

Nous aimons la phrase toute simple de Delphine de Girardin « l'intuition c'est le nez de la pensée » qui rejoint celle de Jonas Salk[1] « l'intuition dira à la pensée où regarder ensuite », l'intuition est un guide qui oriente la pensée, elle est une part indissociable de la réflexion et souvent initiatrice de celle-ci.

Le titre de notre livre, *Intuitions,* englobe tout ce qui participe à la prise de décision qui n'est pas le calcul, la réflexion et la pensée unique. Une décision est un processus complexe qui englobe la raison et l'extra-raison. C'est cette extra-raison que nous appellerons intuition et nous pensons qu'il est raisonnable de bâtir un ouvrage sur la face cachée du processus décisionnel. Peu de livres traitent de ce sujet, sur les 15314 ouvrages en langue française traitant de décisions, 83 sont consacrés à l'apport de l'intuition[2] c'est environ 0,5 %.

Le sujet n'est donc pas ordinaire, ce livre est donc, étymologiquement, « extra-ordinaire ».

L'intuition existe mais elle est discrète, elle a été bâillonnée et sa voix masquée par des médias[3] plus forts et plus intrusifs. L'intuition est l'un des outils qui vous permettra de prendre de meilleures décisions mais il est nécessaire d'aller la chercher, de la dénicher à l'intérieur de notre corps en de multiples endroits où nous n'avons pas l'habitude de trouver des messages, il faut apprendre à la voir, l'apercevoir, la percevoir. Il est largement question de perception dans cet ouvrage. Les intuitions existent, elles sont discrètes, c'est leur perception que nous vous aiderons à développer.

Ce livre a été écrit pour que vous puissiez apprendre à reconnaître les signaux de vos intuitions, accéder plus facilement à l'information dont elles disposent et, surtout, leur faire confiance pour décider mieux.

[1] Jonas Salk (1914-1995), virologue à l'origine de la découverte du vaccin antipolio.
[2] Source : Amazon France, sondage du 4 juin 2011.
[3] Média : au sens littéral de moyen de communication.

DEUXIÈME PARTIE

LES PERCEPTIONS

LES INTUITIONS SONT DES PERCEPTIONS, NOTRE SUJET DE conversation. La perception est souvent limitée dans sa définition par celles que les cinq sens nous fournissent et qu'on apprend en sciences naturelles. Les perceptions, ce sont les sens, l'essence de la vie, la base de notre capacité d'adaptation. Les sens sont les organes de la perception. La perception sensorielle c'est la faculté qui relie les vivants au monde, c'est un don universel fait à tous, c'est public, la perception c'est le trésor public. Tout ce qui suit fait appel à la perception ; je dirai plutôt : aux perceptions, pluriel(les).

La perception de l'environnement est essentielle aux choix conscients ou inconscients que nous adoptons pour évoluer dans celui-ci. L'interaction constante entre changement de l'environnement et adaptation à ce changement passe forcément par la perception ou la prévision du changement (qui est aussi une perception d'ailleurs). Nous sommes tous des percepteurs.

La vie se définit aussi par le mouvement et l'adaptation par l'action au changement. Les objets inanimés et les morts ne s'adaptent plus, n'agissent et ne réagissent plus aux variations extérieures. Il n'y a pas de vie sans réaction, il n'y a pas de réaction sans perception, donc pas de vie sans perception. La vie végétative dans laquelle le malheur peut nous plonger après un accident est une vie quand même. Le corps continue à s'adapter, la perception est minime mais elle existe, vaillante et tenace. Les organes essentiels répondent aux informations du système nerveux autonome qui forcent le cœur à battre, les poumons à ventiler, le cerveau à veiller. Même les légumes ont une vie, ils poussent, fraient leur chemin dans la terre en évitant les pierres, de la racine vers le ciel ils s'ouvrent au soleil pour percevoir l'énergie offrant alors leurs vitamines à nos assiettes.

LES PERCEPTIONS SENSORIELLES EXTERNES

LE MOT *PERCEPTION* VIENT DES MOTS LATINS *PERCEPTION, percipio* qui signifient « recevoir, prendre possession de, c'est l'action d'appréhender par les sens ou par l'esprit ». Historiquement, la perception est le premier domaine que la psychologie a exploré. C'est le résultat de l'interaction entre nos expériences passées, notre culture et l'interprétation du message perçu. Le mot « perception » désigne à la fois un **processus** et un **résultat**.

La perception en tant que processus

La perception est une **opération complexe** par laquelle l'esprit organise des données sensorielles et prend connaissance du monde réel en se faisant une représentation des objets extérieurs. C'est donc plus que la sensation : c'est la sensation suivie de l'acte intellectuel conscient ou inconscient qu'elle déclenche et par lequel elle est interprétée. La sensation n'arrive jamais en terrain neutre. Elle déclenche une réaction affective, une émotion ou un ressenti qui varient selon la nature de ce qui la provoque mais aussi de celui qui la reçoit.

La perception sensorielle en tant que résultat

C'est le **résultat** de ce qui est perçu par les sens. La perception d'une situation résulte de ce que m'envoient les sens. C'est le résultat de l'action. C'est la prise de conscience, un sentiment plus ou moins précis de quelque chose.

LES CINQ PRINCIPALES PERCEPTIONS SENSORIELLES EXTERNES

Pour rester simple : ce sont les cinq sens. Le nombre de sens a historiquement été limité à cinq. Ce nombre restreint est dérivé des traditions et des premiers philosophes. Au VIe siècle avant notre ère, la littérature bouddhiste les représente comme cinq chevaux qui tirent le chariot du corps dirigés par la pensée. Ce nombre est tellement ancré dans les habitudes, l'art, les philosophies et les théories psychologiques qu'on nomme 6e sens tout ce qui est incompréhensible et qui pourrait se rapporter à notre propos d'intuitions.

Les sens, leur fonctionnement, et leur classification qui soutient leur étude sont des sujets abordés par plusieurs disciplines, principalement la neurophysiologie, les neurosciences, mais aussi la psychologie cognitive (ou science cognitive), et toutes les philosophies ayant trait à la perception. Il n'y a pas d'accord véritable des neurophysiologistes sur le nombre exact de sens chez l'être humain et les autres animaux. Selon l'approche adoptée, le nombre de sens déborde largement ce qu'on pourrait compter sur les doigts des mains et des pieds.

Les types de perception

Une façon neurophysiologique de cataloguer les perceptions est de les classer selon le principe physique du stimulus qui reçoit l'information externe au départ :

- Stimulus électromagnétique : électromagnétoception
- Stimulus mécanique : mécanoception
- Stimulus chimique : chimioception
- Stimulus nerveux : neuroception (à la fois chimique et électrique car il transite par des neurotransmetteurs qui sont des substances chimiques sécrétés par les neurones)

Les cinq sens de base

La vision (électromagnétoception)

La lumière est une onde électromagnétique au même titre que les ondes X ou les ondes radio, seules leurs fréquences changent. Elle est considérée comme un, deux ou trois sens par les auteurs s'ils distinguent la vision de la lumière, des couleurs et de la distance comme des sens indépendants.

L'audition (mécanoception)

Les vibrations sonores stimulent le tympan qui est déformé et vibre en résonance avec l'onde sonore, les fréquences de vibration sont captées par des cellules de l'oreille interne.

Le goût (chimioception)

La langue dispose de papilles spécialisées, quatre goûts de base sont décrits (sucré, acide, salé, amer et puis un nouveau qu'on nomme *umami* qui est celui qui reconnaît certains acides aminés).

L'odorat (chimioception)

C'est le sens qui perçoit les substances chimiques volatiles présentes dans l'air, leur parfum. L'alliance du goût et de l'odorat définit la saveur d'un aliment par exemple.

Le toucher (mécanoception)

C'est la perception de la pression et de l'étirement qui est transmise par des récepteurs spécialisés. Quatre types de récepteurs présents dans la peau sont ainsi capables de définir si la pression dure ou non, si cette pression est un frottement, un tremblement ou un étirement... La peau est l'organe de perception le plus important du corps humain en masse et en surface : 2 m^2 pour 5 kg !

COMMENT RECEVEZ-VOUS ?

Cinq sur cinq serait la réponse traditionnelle en télécommunications (Force = 5, Clarté = 5), il pourrait en être autant des cinq sens. En fait, l'expérience montre que nous nous faisons une représentation mentale du monde principalement au travers de trois des cinq sens : l'audition, la vision et le toucher. Les autres sens seraient accessoires pour créer notre représentation du monde.

Ainsi nous nous **parlons** à nous-mêmes sans dire un mot, nous nous **créons des images** dans notre tête lorsque nous pensons ou rêvons, et nous ressentons des **émotions corporelles** en évoquant mentalement des situations ou des événements. Ainsi vous me comprenez parfaitement si je vous dis « **voyez-vous** ce que je veux **dire** ? ». Si je vous demande d'épeler un mot, vous pourriez le **visualiser** mentalement comme écrit sur un morceau de papier, vous pourriez aussi **l'écouter** dans votre tête, utilisant ainsi votre vision ou votre audition.

Lors de tout processus mental, et en particulier lors du processus de décision, nous nous parlons, nous nous créons des images et nous sentons les choses, nous faisons semblant, comme si c'était vrai. C'est une représentation du monde, bien connue des enfants et de leurs jeux.

D'après les hypothèses de la PNL (Programmation Neuro Linguistique), toute personne fonctionne comme un filtre perceptif lié à la mémorisation et au fil du temps, elle favorise l'un ou plusieurs de ses cinq sens. Il semblerait que la grande majorité des humains reçoive 3 sur 5 car nous privilégions les trois premiers modes de perception : le mode visuel, auditif ou kinesthésique (qui fait référence à la sensation du toucher). Il s'agit d'un mode préférentiel et non exclusif.

Les « visuels »

Les visuels représentent 65 % de la population. Ils comprennent mieux des éléments nouveaux lorsqu'ils peuvent visualiser les informations. Ils préfèrent les images à mille mots. La vue et la pensée sont leurs sens dominants. Ils appréhendent bien les formes, les couleurs, les espaces. Certaines idées se construisent dans leur tête et pour s'assurer de leur compréhension, ils sont rassurés de pouvoir les repérer sur une photo, un tableau, un graphique ou un schéma. Lorsqu'ils parlent ou expliquent quelque chose, ils ont souvent recours à une feuille et à un crayon pour illustrer leur propos.

Les « auditifs »

Les auditifs représentent 30 % de la population. Ils apprennent facilement en écoutant la parole (les mots) ou les sons. L'ouïe est leur sens dominant. C'est pourquoi ils ont généralement de fortes habiletés en communication verbale. Ils apprécient la musique et ont souvent un talent musical. Ils ont aussi de la facilité à apprendre des langues puisqu'ils entendent et maîtrisent les intonations de voix et les accents. Ils prennent très peu de notes et ils se fient à leur mémoire. Ils choisiront d'enregistrer pour réécouter au lieu d'écrire pour relire. Lorsqu'ils lisent, ils le font à haute voix pour mieux comprendre. Pour mieux retenir, ils se dotent de « trucs » phonétiques sous forme de rimes ou de chansons.

Les « kinesthésiques »

Les kinesthésiques représentent 5 % de la population. Comme l'indique le préfixe « kiné » qui veut dire « toucher », ces personnes apprennent mieux lorsqu'elles peuvent participer, toucher, agir, imiter, donc être physiquement actives. Les kinesthésiques aiment le mouvement. C'est ainsi qu'ils ont beaucoup de difficulté à rester en place ou à demeurer attentifs pendant une longue période. Souvent ils sont bons dans les activités sportives et font preuve d'une forte motricité. Ce sont ces gens qui préfèrent la méthode essai-erreur au lieu d'écouter des instructions. Parfois, ils sont perçus comme lents. C'est que, tout simplement, ils apprennent différemment par l'expérience, ils veulent toucher la réalité du doigt.

Comment vakez-vous ?

VAK1 est l'acronyme pour **V**isuel – **A**uditif – **K**inesthésique. Le VAK est un mode de perception et d'apprentissage, il s'agit du mode par lequel nous apprenons le monde, a-prendre c'est prendre pour soi.

Les styles d'apprentissage sont les suivants :

- Voir et lire pour les **V**isuels
- Écouter et parler pour les **A**uditifs
- Toucher et faire pour les **K**inesthésiques

Le premier exercice pratique de ce livre sera de connaître votre mode de perception préférentiel du monde. Vous savez maintenant l'importance de la perception dans le développement des intuitions.

Les théories et les applications sont multiples, les tests de détermination du VAK sont disponibles, en particulier sur Internet. Les tests sont souvent complexes, longs ou coûteux, nous vous proposons un test très simple, limité par sa simplification extrême, il peut cependant vous donner une indication sur votre propre VAK, à vous de poursuivre votre recherche si le cœur vous en dit (cette métaphore est typique d'un Auditif).

Exercice pratique n°1 : trouvez votre VAK

OBJECTIF : trouvez votre mode de perception au moyen d'un test simple.
IMPORTANCE : utile.
DIFFICULTÉ : ★
TYPE : prise de conscience.
QUAND : indéfini.
FRÉQUENCE : une seule fois.
DURÉE : quelques minutes.

[1]Le terme « officiel » est le VAKOG pour ne pas oublier Olfactif et Gustatif non pris en compte ici.

L'EXERCICE :

- **Utilisez le test présenté ci-dessous.**
- **Répondez franchement et le plus honnêtement possible.**
- **Il n'y a pas de bonne ou de mauvaise réponse.**
- **Notez votre score avec la grille de correction.**

COMPÉTENCES VISÉES : connaître son mode de perception préférentiel.

Testez votre VAK

Ce test a été traduit et reproduit avec l'aimable autorisation des auteurs[1].

		VISUEL	AUDITIF	KINESTHÉSIQUE
1	Lorsque j'utilise un appareil pour la première fois, je préfère :	lire les instructions	écouter ou demander une explication	me débrouiller tout seul et apprendre par l'expérience
2	Lorsqu'en voyage je cherche un lieu :	je consulte une carte	je demande à quelqu'un	je suis mon instinct ou j'utilise une boussole
3	Lorsque je prépare un plat pour la première fois :	je suis la recette	je demande de l'aide à une amie	j'expérimente et je me fie à mon goût
4	Lorsque je veux enseigner quelque chose à quelqu'un :	j'écris les instructions	je lui explique	je lui montre et lui demande d'essayer

[1]© 2005-2011, *VAK Learning Styles and Self-Assessement Test* de Victoria Chislett et Alan Chapman, utilisé avec la permission du site Businessballs.com, accordée en juillet 2011. Traduction de David O'Hare. Reproduction, distribution ou diffusion interdites sous toutes ses formes.

5	J'ai tendance à dire :	« je vois ce que vous voulez dire »	« j'entends ce que vous voulez dire »	« je sais comment vous vous sentez »
6	J'ai tendance à dire :	« montre-moi »	« dis-moi »	« laisse-moi essayer »
7	J'ai tendance à dire :	« regarde comment je fais »	« écoute mes explications »	« essaie toi-même »
8	Pour me plaindre d'un appareil qui ne fonctionne pas, je préfère :	écrire une lettre ou un courriel	téléphoner	retourner au magasin ou renvoyer l'objet
9	Je préfère les loisirs suivants :	les musées ou les galeries	la musique ou les conversations	les activités sportives ou les travaux manuels
10	Lorsque j'achète en magasins, je préfère :	regarder et décider	parler à un vendeur	essayer, toucher ou tester
11	Pour choisir un lieu de vacances, je préfère :	regarder les catalogues	écouter les recommandations	imaginer le voyage
12	Lorsque je choisis une nouvelle voiture, je préfère :	lire les revues	en parler à des amis	faire un essai sur route
13	Lorsque j'apprends une nouvelle méthode, je préfère :	regarder ce que fait l'enseignant	demander à l'enseignant exactement ce que je dois faire	essayer et apprendre au fur et à mesure par moi-même
14	Lorsque je choisis un menu au restaurant, je préfère :	imaginer à quoi va ressembler le plat	me répéter les options dans la tête	imaginer le goût des aliments

15	Lorsque j'écoute un orchestre, je préfère :	chanter en lisant les paroles	écouter les paroles et la musique	bouger avec la musique
16	Lorsque je me concentre, je préfère :	me focaliser sur les mots ou les images devant moi	me répéter le problème et les solutions intérieurement	bouger beaucoup, tripoter des crayons ou des objets non liés au problème
17	Je me souviens davantage lorsque :	j'écris, je prends des notes ou je dessine	je répète les mots et les points importants dans ma tête	je visualise et je m'entraîne en imagination
18	Mon premier souvenir :	est une image	est une parole	est d'avoir fait quelque chose
19	Lorsque je suis inquiet :	je vois des scénarios catastrophe	je ressasse mes soucis intérieurement	je ne peux pas rester assis, je bouge et tripote des objets
20	Je me sens en connexion avec quelqu'un par :	son look	ce qu'il me dit	les impressions qu'il dégage
21	Lorsque je révise un examen, je préfère :	prendre beaucoup de notes, faire des schémas, utiliser des couleurs	je relis mes notes ou je les lis à quelqu'un	j'imagine en train de faire un mouvement ou de créer la formule
22	Lorsque j'explique quelque chose à quelqu'un, je préfère :	lui montrer ce que je veux dire	lui expliquer plusieurs façons différentes jusqu'à ce qu'il comprenne	l'encourager à essayer et l'accompagner dans ses essais

23	Mes intérêts principaux sont plutôt :	la photographie, le cinéma ou de regarder les gens	écouter la musique, la radio ou parler à quelqu'un	les activités sportives, les bons plats, le bon vin ou la danse
24	Mon temps libre, je préfère le passer :	en regardant la télévision	en parlant à des amis	à pratiquer un sport ou de fabriquer quelque chose
25	Lorsque je dois contacter quelqu'un pour la première fois, je préfère :	la rencontrer face à face	lui parler au téléphone	je préfère qu'on se retrouve pour faire quelque chose
26	Ce que je remarque en premier chez quelqu'un :	son aspect et ses vêtements	le son de sa voix et son discours	sa façon de se tenir et de bouger
27	Si je suis très en colère :	je me repasse sans cesse l'image ou la situation qui m'a bouleversé	je crie et je dis ce que je ressens	je claque les portes, fais du bruit et jette des objets
28	Je me rappelle plus facilement :	les visages	les noms	les choses que j'ai faites
29	Je sais que quelqu'un me ment :	lorsqu'il ne me regarde pas en face	au son de sa voix	aux vibrations que je perçois
30	Lorsque je rencontre un vieil ami :	je lui dis « c'est super de te voir ! »	je lui dis »ça fait du bien d'entendre ta voix ! »	je le serre dans mes bras

Il y a deux façons de noter ce test.

Première façon : cochez chaque préférence et faire le total des croix dans chaque colonne, il se dégagera une préférence.

Deuxième façon : notez 1 à 3 l'ordre de vos préférences pour chaque case puis totalisez les trois colonnes.

Vous verrez que vous n'êtes pas totalement V, A ou K mais un mélange des trois, c'est normal. Le libellé des questions est assez clair pour que vous puissiez comprendre le principe de la préférence sensorielle. Il n'y a pas de « bons » ou de « mauvais » sens mais une simple orientation et un meilleur développement dans un sens ou dans un autre. C'est par la perception et par les sens que vous aurez vos premières intuitions, il est donc intéressant de les développer et de les amener à la conscience.

Utilisez votre VAK

Nous mettons immédiatement en pratique votre VAK. La plupart des exercices de ce livre seront basés sur la prise de conscience, un état d'esprit d'éveil calme. L'exercice suivant est à réaliser souvent, jusqu'à devenir un rituel de prise de conscience. Faites-en une base pour tous les exercices suivants, faites-en un mode de fonctionnement, une habitude, vous ne serez jamais déçu de cet entraînement. Si vous ne deviez pratiquer que deux exercices dans ce livre (sur les 31 que nous proposons) ce serait celui-ci et l'exercice de cohérence cardiaque (respiration en fréquence 6, voir page 104).

Exercice pratique n°2 : porter attention à son VAK

OBJECTIF : s'habituer à porter volontairement à l'attention des perceptions routinières, jugées insignifiantes et peu dignes de conscience.
IMPORTANCE : indispensable.
DIFFICULTÉ : ★★★ (au début)
TYPE : entraînement.
QUAND : à tout moment.
FRÉQUENCE : plusieurs fois par jour [explication 1].
DURÉE : de 5 à 10 minutes.

L'EXERCICE :

• Choisissez l'un des trois VAK.

• Commencez par votre VAK préférentiel.

• Si vous ne le connaissez pas, commencez par le Visuel.

• Prévoyez une dizaine de minutes pendant lesquelles vous ne serez pas dérangé.

• Portez toute votre attention au mode de perception choisi.

• Explorez tout ce qu'il peut vous révéler de votre environnement immédiat.

VISUEL :

• Parcourez tout votre champ visuel avec attention.

• Revenez à chaque détail, observez les couleurs, les nuances, les ombres, la profondeur.

• Imprégnez-vous de l'image comme si vous deviez la décrire avec précision dans une heure, un mois, une année.

• Regardez le mouvement des feuilles, l'harmonie de la composition de la pièce, les objets surprenants, les attitudes des personnes, leurs vêtements, la poussière qui danse dans un rai de lumière.

• Zoomez, repérez, observez, appréciez.

• Laissez-vous envahir par les émotions qui caractérisent ce que votre regard embrasse, c'est par l'émotion que vous arriverez à faire réapparaître cette image plus tard.

AUDITIF :

• Fermez les yeux.

• Parcourez tout votre champ auditif.

• Faites un 360° en imagination et repérez chaque son, chaque activité qui se manifeste autour de vous.

• Essayez d'amplifier les voix, les mélodies, les fonds sonores.

• Passez un moment avec chaque son en l'individualisant et en le séparant du reste. Avec l'entraînement vous arriverez à suivre une conversation dans une foule.

• Passez au son suivant.
• Suivez les sons qui se déplacent, l'avion qui vous survole, le moustique qui vous perturbe, le déplacement des enfants qui jouent dans le jardin.
• Laissez-vous envahir par les émotions que ces sons suscitent.
• Nommez les émotions, c'est par elles que vous vous souviendrez de ce moment sonore.

KINESTHÉSIQUE :

• Fermez les yeux.
• Cherchez tous les points où votre peau perçoit une pression, un étirement ou une quelconque sensation.
• Focalisez-vous sur chacun de ces points.
• Que sentez-vous ?
• La pression est-elle douce ou appuyée, agréable ou désagréable ?
• Quelle est la température à cet endroit ?
• Sentez le poids de votre corps à chaque endroit où il se pose.
• Imaginez la surface sur laquelle porte cette portion du corps : quelle est sa texture, sa température, son degré de plaisir ?
• Êtes-vous confortable ?
• Avez-vous du plaisir à être dans cette position ?
• Si vous marchez, observez chaque pas au moment où vous posez le pied et analysez mentalement la surface sur laquelle vous vous déplacez.
• Touchez tout ce qui est à la portée de votre main et explorez les sensations.

ENSUITE :

• lorsque vous aurez pris la mesure et le plaisir que ce simple exercice déclenche, vous pourrez, le plus souvent possible, pendant une très courte période, faire un rapide tour des trois VAK à tout moment. Sélectionner une perception, une localisation du corps, l'amplifier, l'explorer et la rendre à son anonymat.

C'est peut-être pour cela qu'on dit « prêter » attention. Ce que vous venez de faire est l'une des bases de tous les exercices suivants : la pratique de la pleine conscience, le prêt d'attention qui vous permettra d'être « toujours prêt ».

COMPÉTENCES DÉVELOPPÉES : initiation à la pleine conscience.

[explication 1]
À tout moment, plusieurs fois par jour : il s'agit d'un entraînement nécessitant des répétitions. Cet exercice ouvre la voie à tous les exercices d'augmentation de l'attention présentés par la suite. Imprégnez-vous de votre environnement, immergez-vous en amplifiant tous vos sens.

MA DOUCHE

PAR JEAN-MARIE PHILD

Je reçois tous les jours en consultation des soucieux, des indécis, des soupçonneux, des perdus, des abandonnés et autres *émoti-négatifs*. Je plonge dans leurs émotions et leurs ressentiments, leurs émotions sont béantes, leurs pensées à nu et leurs cœurs à vif. Il m'a fallu des années pour prendre de la distance, apprendre à isoler mes propres émotions pour ne garder que les images, les sons et les impressions. Je fonctionne sur les trois VAK pour être en phase avec l'ému assis en face de moi. Lorsque David me demanda comment je me préparais à chaque journée, ma réponse fut immédiate, instinctive : la douche !

La douche stimule tous les sens. Lorsque je m'y installe pour de longues minutes agréables tous les matins, je me **vois** sous une belle et fraîche cascade purifiante. Je ferme les yeux et j'**entends** le jet bienfaisant jaillir et m'envahir, l'eau ruisselle, bruisse et s'*englougloutit* dans l'écoulement avec le gargouillement satisfaisant d'une mission accomplie. Je **ressens** un plaisir tactile sur tout mon corps, chaque pore ouvert me relie alors au monde. Je **sens** le délicat parfum de mon savon, propre, neuf, nouveau jour, vanille, citron, lavande. J'ouvre la bouche et je laisse l'eau la remplir je **déguste** ce moment ! La douche m'est devenue indispensable, elle est une très forte génératrice d'émotions, d'images et de mélodies que je siffle ou chante. Elle est libératoire. Je ne saurai que trop vous conseiller de pratiquer votre premier exercice complet de perception sous la douche tous les matins, ouvrez le robinet et toutes vos émotions !

LA SAVEUR DE LA VIE

PAR DAVID O'HARE

Goûtez la vie, appréciez son parfum. Poussez votre exploration des VAK, élargissez vos sens. Lorsque vous mangez, explorez la totalité des champs gustatifs et olfactifs. Il s'agit de l'alimentation en pleine conscience. Cette approche a été abordée dans mon premier livre dans la régulation des émotions alimentaires, « manger en pleine conscience » est le titre d'un formidable livre qui développe cette approche. La civilisation occidentale a peu à peu oublié le goût au profit de l'industrialisation de la nourriture, la recherche de la quantité, la normalisation de la composition, la recherche de la vitesse et de la standardisation. Nous atrophions peu à peu ce sens pourtant porteur d'un plaisir intense. Un autre plaisir intense, nous l'avons juste sous notre nez ! Utilisez vos narines, sentir c'est obligatoirement ressentir. À chaque fois que vous le pouvez, détectez les parfums de votre environnement. Dégustez la vie par tous les sens.

Dépêchez-vous !

LES PERCEPTIONS SENSORIELLES INTERNES

NOTRE CORPS EST TRUFFÉ DE CAPTEURS DE TOUS ORDRES, capteurs de pression, de température, de taux de sucre, de tension musculaire… le nombre pourrait remplir la page. Tous ces capteurs véhiculent silencieusement leurs messages par les branches du système nerveux autonome. Nous n'avons pas accès aux signaux de ces capteurs s'ils ne représentent pas une menace demandant une action préventive ou curative : mal au ventre, migraine, battement dans les tempes, souffle court, bouche sèche, vessie pleine et ainsi de suite.

Voici quelques exemples de messages connus :

• **La faim et la satiété** (chimioréception)

Ce sont les sensations qui se produisent pour informer d'un déficit en énergie à combler par l'action de manger. C'est le taux de sucre, la distension de l'estomac et d'autres niveaux hormonaux qui véhiculent le message.

• **La soif** (chimioréception)

Ici c'est le besoin d'hydratation qui est ressenti principalement dans la bouche et la gorge.

• **La fatigue**

De nombreux récepteurs signalent l'état de fatigue et de somnolence, ils sont chimiques, ils sont aussi neuroceptifs et aussi kinesthésiques au niveau des muscles.

• **Récepteurs de pression et de distension** (mécanoréception)
Pratiquement tous les organes disposent de capteurs pour renseigner le système nerveux central sur l'état de chacun d'eux (cœur, intestin, estomac, poumon, vessie, etc.). Ce sont ces récepteurs qui nous fournissent les impressions, les pressentiments, ce sentiment de malaise qu'on peut sentir dans les tripes, la boule dans la gorge, un poids sur le cœur, etc.
• **Récepteurs de douleur** (nociception)
Notre corps interne n'étant pas accessible au regard, la douleur est le seul moyen pour que le corps puisse nous appeler au secours. Tous les organes disposent de capteurs de douleur pour attirer notre attention sur lui.

Les influx sensoriels sont constants, la plupart passent par l'inconscient, heureusement ! Le risque de cet enfouissement inconscient est que vous perdiez peu à peu l'usage de certaines perceptions qui se sont étiolées faute d'observation et d'utilisation. La faim par exemple : nos sociétés occidentales ne la connaissent pratiquement plus et nous mangeons sans fin faute de comprendre le message d'arrêt de notre corps.

PAPILLONS, CHATS, POULES, FOURMIS ET AUTRES TITILLEURS

« J'ai des papillons dans le ventre », « des fourmis partout », « un chat dans la gorge », « j'en ai la chair de poule », ce ne sont que quelques aphorismes animaliers, vous connaissez aussi « le coup de poignard dans le ventre », « voir trente-six chandelles », « mon sang n'a fait qu'un tour », « les nerfs en pelote » ou « les tripes nouées », etc. Les émotions sont des sensations souvent très imagées. Ces sensations empruntent le trajet habituel du système nerveux autonome, le système nerveux sympathique, le parasympathique et le système entérique très riche en capteurs d'émotions.

La gestion des émotions, de la mémoire et des expériences passées font partie de ce système, les intuitions internes s'appuient sur ces éléments, l'intérêt de développer votre perceptivité interne, est de première importance, c'est l'exercice que nous abordons maintenant.

Avez-vous déjà eu la gorge nouée, un nœud à l'estomac, les nerfs en pelote, les muscles noués ? Le nœud semble bien représenter la focalisation des problèmes émotionnels. Les nœuds sont les nids de ces petites bêtes qui nous titillent. Cherchez les nids, cherchez les nœuds.

Exercice pratique n°3 : cherchez les nœuds

OBJECTIF : développer l'introspection corporelle ou comment mieux percevoir les sensations internes et les porter à la conscience.
IMPORTANCE : indispensable.
DIFFICULTÉ : ★★★
TYPE : entraînement et perception.
FRÉQUENCE : selon la nécessité.
DURÉE : de 1 à 5 minutes en général.
QUAND : cet exercice se fait à deux moments. La recherche d'un nœud émotionnel peut se faire à froid pour déceler de quelle façon chacune de vos émotions vous touche de l'intérieur. La recherche peut aussi se faire à chaud, immédiatement après une émotion. Le principe général est le même.

L'EXERCICE :

À FROID :

- Prenez un moment calme sans distraction.
- Imaginez une émotion récente (ou violente passée) désagréable.

• Revivez la scène entière en imagerie mentale[1].
• Parcourez votre corps à la recherche de l'endroit précis où vous sentez un inconfort **[explication 1]**.
• Si vous avez le temps, repassez une autre émotion désagréable et faites la même recherche.
• Localisez à nouveau la gêne, la pesanteur ou la douleur.
• Posez votre main ou votre doigt à cet endroit **[explication 2]**.
À CHAUD :
• Le plus tôt possible après une émotion désagréable, cherchez à quel endroit dans votre corps vous avez ressenti l'inconfort.
• Il s'agit du même exercice qu'à froid, cette fois-ci, il n'est pas volontaire.
ENSUITE :
• prenez l'habitude de repérer vos nœuds émotionnels. Vous serez peut-être surpris de constater qu'il n'y en a pas beaucoup et que vous aurez vite une bonne connaissance du langage de vos émotions. Après les émotions désagréables, vous pouvez essayer avec les émotions agréables.

COMPÉTENCES DÉVELOPPÉES : prise de conscience des blocages.

[explication 1]
Parcourez votre corps : comme pour le VAK des perceptions externes, nous avons un mode et un lieu de perception interne préférentiel pour chaque émotion.
[explication 2]
Posez le doigt ou la main : il s'agit d'un exercice de focalisation qui permet d'associer un endroit du corps et sa représentation cérébrale.

[1] Imagerie mentale : il en sera souvent question dans ce livre. Il s'agit de l'imagination, la représentation d'une image ou d'un scénario virtuels dans notre pensée. Cette imagerie mentale peut être spontanée ou volontaire.

RECONNAÎTRE LES ÉMOTIONS

Nous verrons dans la suite de notre exposé que la reconnaissance est une notion capitale en matière de perception, d'interprétation, d'apprentissage et finalement d'intuitions. Il n'y a pas d'intuitions sans reconnaissance. Nous en débattrons plus longuement. Pour reconnaître, il faut d'abord connaître. Lorsque vous avez cherché vos nœuds émotionnels, vous les avez localisés ; donnez-leur aussi un nom.

Dans un premier temps, nous vous proposons d'utiliser les 7 émotions de base que Paul Ekman a définies en 1972 à partir de l'expression universelle du visage.

Ces émotions universelles sont :

- la colère **D:<**
- le dégoût **:|**
- la peur **>:0**
- la honte **>:X**
- la tristesse **:'(**
- la surprise **:-0**
- la joie **:-)**

Vous pourrez, par la suite, si vous le désirez, ajouter d'autres noms à ces émotions de base mais il est plus simple de commencer avec un petit nombre.

Si vous êtes un visuel, nous vous proposons de reporter sur un dessin la localisation fréquente de certaines de vos émotions. Les émotions ont tendance à se loger dans un endroit préférentiel de votre corps, chercher cet endroit et connaître l'émotion qui lui est souvent associée pourra vous rendre de grands services lorsque nous étudierons les pressentiments et les autres perceptions intuitives de danger.

Voici un **exemple de localisation des émotions** (qui peut ne pas correspondre à votre cas).

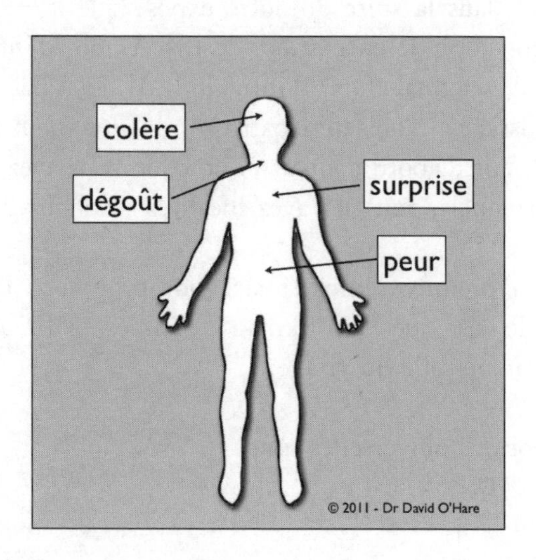

COMPLEXUS

Complexes ces perceptions internes ? Certainement, mais les exercices qui s'y rapportent sont très importants pour la suite. Puisque nous parlons de nœuds nerveux nous devons évoquer les plexus nerveux. Les plexus sont des réseaux de nerfs qui se rencontrent en un point précis. Vous avez tous entendu parler du « plexus solaire » ce n'est qu'un plexus parmi d'autres. Les principaux plexus du corps humain sont :

- le plexus cervical ;
- le plexus brachial ;
- le plexus lombaire ;
- le plexus sacral ;
- le plexus cœliaque (le plexus solaire car ses rayons nerveux ressemblent à un soleil) ;
- le plexus coccygien.

Les plexus sont des concentrations neuronales, ils peuvent donc aussi concentrer les informations et les perceptions (pression, étirement, douleur, sensations, émotions, etc.). Le plexus solaire occupe cependant une place particulière car il sert de carrefour entre les nerfs parasympathiques (le nerf vague) et le système nerveux autonome entérique. Il est considéré comme l'un des centres des émotions intuitives en raison de cette position anatomique particulière. Ce sont les émotions qui sont senties dans les « tripes », le « gut feeling » des Anglo-Saxons.

Le plexus solaire

Le système digestif est considéré comme un second cerveau par les neuro-gastro-entérologues. Cette considération se base sur la découverte des cent millions de neurones qui le composent et la vingtaine de neurotransmetteurs qu'il sécrète au même titre que le cerveau. Ces connaissances ont été portées au public en 1998 par le livre « The Second Brain » de Michael Gershon. Le plexus est très sensible au stress, à la peur, à la colère et à toutes les émotions désagréables. Il est aussi l'un des sièges de l'intuition émotionnelle. Lorsque vous avez recherché vos nœuds émotionnels, il est vraisemblable que vous avez souvent localisé la région du plexus solaire. Nous vous proposons ici un petit exercice d'automassage pour apprendre à prendre le contrôle sur le recentrage du plexus solaire.

Exercice pratique n°4 : automassage abdominal

OBJECTIF : augmenter la perception du plexus solaire et intervenir sur son contrôle automatique.
IMPORTANCE : recommandé.
DIFFICULTÉ : ★
TYPE : massage.

QUAND : indéfini.
FRÉQUENCE : indéfinie.
DURÉE : indéfinie.

L'EXERCICE :
1ère ÉTAPE :
- Mettez-vous en position couchée sur le dos.
- Frottez vos deux mains l'une contre l'autre pour en augmenter la chaleur et les charger d'énergie.
- Placez vos deux mains, paumes vers le bas, sur la région du plexus solaire.
- Maintenez vos mains immobiles, pendant environ une minute, le temps de ressentir une légère chaleur irradier à cet endroit.

2e ÉTAPE :
- Toujours en position allongée sur le dos.
- Pliez les genoux en espaçant légèrement les pieds.
- Inspirez profondément en faisant passer l'air dans le haut du thorax et en gonflant le ventre.
- Expirez en rentrant le ventre, creusez légèrement la partie inférieure de la paroi abdominale en rentrant le ventre.
- Appuyez légèrement de vos deux mains sur le ventre.
- Gardez cette position durant l'inspiration thoracique suivante.
- Lors de la nouvelle expiration, creusez encore plus l'abdomen.
- Vous renouvellerez ce cycle d'inspirations/expirations, 6 fois.
- À chaque nouvelle expiration vous creuserez un petit peu plus l'abdomen et maintiendrez cette pression durant toute l'expiration.
- Lorsqu'il vous semble impossible de creuser davantage, vous relâcherez progressivement la paroi abdominale.

UN AUTRE RÉSEAU DE NŒUDS

Un nœud dans le bois est une sorte de disque de cercles concentriques. En sanscrit un disque se prononce « chakra ». Un nœud est ainsi un chakra, un disque, la concentration d'énergie en un point précis du corps. La tradition du Kundalini-yoga a mis en évidence 7 chakras principaux qui sont des nœuds d'énergie dont le blocage peut être source de dérégulation ou de maladie. Nous ne chercherons pas ici à détailler ou expliquer cette tradition du Kundalini-yoga qui a été introduite en Europe par Carl Gustav Jung. Nous ne sommes pas des spécialistes, nous avons cependant noté, avec des professionnels qui pratiquent le yoga que ces nœuds sont souvent des lieux de blocage émotionnels et fonctionnels du corps.

Voici la description et les caractéristiques de ces chakras qui pourraient vous donner envie de progresser davantage ou d'en savoir plus.

Le sommet de la tête

Au niveau de la fontanelle. Représentant la conscience. Manifesté par une lumière de couleur blanche. Il s'agit du *Sahasrara* si vous voulez connaître son nom d'origine, c'est le sommet de la tête, la couronne.

Entre les sourcils

Entre les sourcils. En rapport avec les régulations hormonales et la vision. Manifesté par la couleur indigo. Est aussi appelé troisième œil car c'est à cet endroit du corps que l'on situe l'imagerie mentale. *Ajna*.

La gorge

En rapport avec la communication. Manifesté par la couleur bleu pâle. *Vishuddha*.

Le cœur

En rapport avec les émotions comme l'amour, la joie et la compassion. Manifesté par la couleur vert pâle ou rose. *Anahata*.

Le plexus solaire

En rapport très important avec les émotions, la peur et l'intuition (la peur au ventre cela vous dit quelque chose ?). Manifesté par la couleur jaune comme le soleil. *Manipura*.

Région sacrée

Situé au niveau du sacrum. Centre des organes de la reproduction et du système urinaire. Manifesté par la couleur orange. *Swadhisthana*.

La base

Au niveau du périnée. En relation avec les réactions de fuite et de combat, de la force de vie et des besoins fondamentaux. Manifesté par la couleur rouge. *Muladhara*.

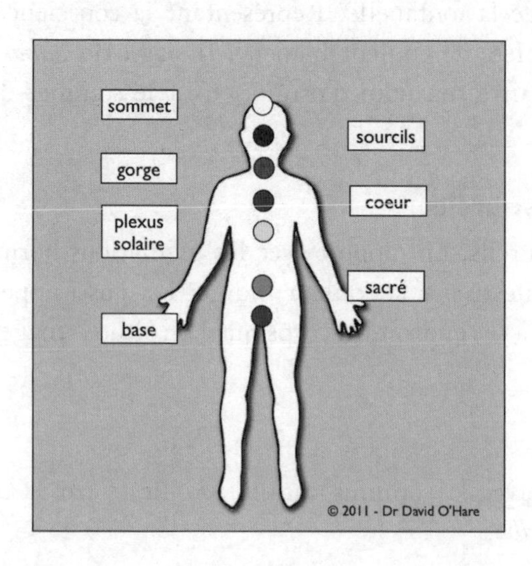

Nous présentons les chakras indépendamment de toute connotation philosophique, religieuse, *nouvelagienne* pour ne conserver que le principe général d'un enchevêtrement émotionnel positionnable sur le corps accessible par l'introspection. Nous vous demanderons simplement de passer de nœud en nœud, de localisation en localisation, de chakra en chakra.

LE DÉNOUEMENT

PAR JEAN-MARIE PHILD

Pour terminer ce chapitre consacré aux nœuds émotionnels et au développement des perceptions internes, j'aimerais vous proposer un exercice d'une très grande importance pour passer la totalité du corps en revue. Je l'ai appelé le scanner du corps dans ma propre pratique, je vous le propose en exercice simplifié sous l'appellation d'**autoscanner** car c'est vous qui le pratiquerez régulièrement sur vous-même.

Toutes mes consultations débutent par un scanner du corps, je vous encourage donc à bien maîtriser l'exercice qui suit car il vous sera utile tous les jours à partir d'aujourd'hui !

Exercice pratique n°5 : l'autoscanner

OBJECTIF : partir à l'exploration de la totalité de l'intérieur du corps à la recherche de nœuds et de blocages.
IMPORTANCE : indispensable.
DIFFICULTÉ : ★★★
TYPE : exploration des perceptions.
QUAND : cet exercice est à pratiquer régulièrement jusqu'à obtenir une maîtrise de sa réalisation. Ensuite il est à pratiquer à la recherche des nœuds émotionnels et

lorsque vous aurez besoin de faire un scanner de santé (expliqué dans la prochaine section).
FRÉQUENCE : indéfinie.
DURÉE : variable de 10 à 20 minutes.

L'EXERCICE :

• Installez-vous dans un endroit calme où vous ne serez pas dérangé.
• Vous pouvez pratiquer cet exercice allongé ou assis.
• Il peut être utile de pratiquer un automassage abdominal avant de commencer pour placer le plexus solaire au neutre.
• Fermez les yeux.
• Imaginez le contour de votre corps debout de face, comme s'il s'agissait d'une image de radiographie, de scanner ou plus simplement d'une ombre chinoise.
• Partez du sommet de la tête en imagination.
• Explorez très lentement en descendant chaque millimètre du sommet de votre tête **[explication 1]**.
• Explorez le prochain nœud, au milieu de votre tête, à la hauteur des yeux et des oreilles de la même façon.
• Descendez au prochain nœud, la gorge et procédez de même avec votre rayon circulaire, observez tout.
• Ainsi vous passerez de nœud en nœud, de chakra en chakra jusque vers la base.
• Ensuite explorez les membres l'un après l'autre, de la racine à l'extrémité, commencez par les bras pour terminer par les jambes.
• Une exploration complète peut prendre plusieurs minutes. Pour commencer, prévoyez au moins 12 minutes pour le scanner complet (une minute par nœud, une minute pour chaque membre et une minute pour quitter l'examen) **[explication 2]**.
• Prenez votre temps.

• Lors de votre descente notez tout blocage, toute impression de ralentissement ou de congestion

• Notez les différences de chaleur ou de pression que vous pouvez ressentir.

• Cette impression peut se manifester avec l'habitude par une lueur de couleur, un flash ou un scintillement comme un voyant d'alerte [explication 3].

• Lorsque vous aurez terminé avec la seconde jambe laissez votre lumière s'enfoncer doucement dans le sol et laissez-la s'éteindre tranquillement.

• Avant son extinction, vous pouvez revenir explorer une partie de votre corps qui aurait attiré votre attention.

Rassurez-vous si vous ne le voyez pas les premières semaines, il s'agit d'un apprentissage difficile.

ENSUITE :

• lorsque vous aurez pris l'habitude de circuler lumineusement à l'intérieur de votre corps, vous pourrez modifier la couleur de la lumière exploratrice et associer la couleur correspondante aux 7 chakras tels que définis plus haut, ce sont les couleurs de l'arc–en-ciel, en commençant par le blanc au sommet suivi de l'indigo, etc. Ceci permettra, grâce à l'entraînement, de personnaliser chaque chakra et de reconnaître plus tard des nœuds colorés plus facilement. Cette coloration du rayon de lumière est optionnelle, elle fonctionne très bien pour certaines personnes.

COMPÉTENCES : introspection et pleine conscience corporelle.

[explication 1]

Explorez très lentement en descendant : imaginez une vision circulaire qui explore la totalité de l'intérieur de votre corps. Imaginez un fin rayon lumière éclairant chaque millimètre lors de sa descente en spirale. Représentez-vous ce rayon comme celui d'un projecteur illuminant, poursuivant un artiste sur la scène sombre et l'entourant d'un halo de lumière révélateur. La lumière part du centre de votre tête, elle tourne et éclaire de l'intérieur toutes les parties de votre crâne. Vous n'avez pas besoin de connaître l'anatomie cérébrale pour imaginer. La lumière descend en tournant, vous pouvez aussi imaginer un phare marin et son rayon circulaire.

[explication 2]

Une exploration complète peut prendre 10 à 15 minutes : avec la pratique régulière vous pourrez aller de plus en plus vite. Vous pourrez être « attiré » immédiatement par un nœud important. Il vous faudra des mois ou des années d'entraînement ; jusqu'à ce moment-là prenez votre temps dans l'exploration.

[explication 3]

Rassurez-vous si vous ne voyez pas les congestions : c'est avec la pratique qu'elles apparaîtront.

LE SCANNER DE SANTÉ

La consultation

PAR DAVID O'HARE

Je me suis assis de l'autre côté du bureau. Cette place de client ne m'est pas familière. J'avais déjà rencontré Jean-Marie une fois pour « savoir » comment il fonctionnait. Ce jour-là c'était différent, je lui avais demandé une session, une vraie !

Il prend une feuille de papier blanc, un tout petit crayon et commence à écrire mon prénom : « David ». Il démarre sur ma santé, il regarde sans cesse au-dessus de mon épaule gauche. À plusieurs reprises je me suis retourné pour observer l'objet de son attention : rien, un mur vide. Il me rassure, me dit que tout va bien, qu'il ne voit rien de particulier, une fatigue peut-être, un surmenage, du stress. Ce n'était pas difficile à prévoir : reçoit-il des gens qui n'ont pas de stress ? Et puis, à un moment, il semble s'arrêter, il me dit alors : « je vois comme un petit tube qui se bouche ». Je porte mon attention sur le cœur immédiatement, mon père est décédé d'un infarctus, c'est ma hantise. Il précise « rien de grave, ce n'est pas le cœur », comme s'il lisait dans mes pensées, « c'est dans la partie inférieure de votre corps, les reins, les veines ? Je ne peux pas être plus précis ».

J'avais déjà eu plusieurs épisodes de coliques néphrétiques, en été, lors de voyages. Nous étions en été et je devais partir au États-Unis. Je me disais qu'il était très fort mais c'était, pour moi, de la télépathie. Il lisait mon passé et l'extrapolait. En tout cas, il me mettait en garde. Le soir même je commençais à boire abondamment et à garnir ma trousse d'urgence de tout le matériel nécessaire, mes souvenirs de coliques néphrétiques « frénétiques » dans des chambres d'hôtel à l'étranger aidant. La consultation continua mais j'étais perdu dans mon calcul rénal et mental. Deux jours plus tard, j'arrivai à New-York où je connus ma première phlébite ! « Je vois un petit tube qui se bouche ». Merci pour le tuyau.

Ma fréquentation de Jean-Marie m'a confirmé qu'il pratique toujours de la sorte avec chacun de ses clients. Ses indications sont des mises en gardes et des recommandations, en général de bon sens mais toujours dans le bon sens : prendre des mesures de protection. J'aime l'implication empathique de Jean-Marie et son accent méridional lorsqu'il dit : « Vous me faites attention à ça ! Je compte sur vous ! Ça, je ne le veux pas ! ».

Pratiquer un scanner de santé

PAR JEAN-MARIE PHILD

Vous avez commencé à pratiquer l'autoscanner dans notre précédent exercice. Il s'agissait alors de se familiariser avec la méthode et de porter à la conscience les perceptions et les émotions. Le scanner de santé est l'application immédiate de cet autoscanner à l'équilibre de la santé et à la manière intuitive de déceler des faiblesses ou des maladies débutantes. Au départ, lorsqu'elles ne sont pas encore ni signes ni symptômes, les maladies sont muettes, elles ont du mal à dire et à nous faire comprendre de prêter attention à un déséquilibre. Ce mal à dire, la maladie. Pourtant le corps a une voix et des voies de communication.

Ce chapitre est très important pour la santé, sa surveillance et son maintien, il s'agit de développer une « intuition de santé » pour vous orienter dans les décisions importantes concernant votre style de vie ou votre équilibre. Votre corps dispose de nombreux signaux pour vous informer lorsque la santé n'est plus équilibrée. Vous connaissez certains de ces signaux internes, ce sont la douleur, la chaleur locale, la compression, la sensation de plénitude. Toutes ces sensations sont transmises par les capteurs et provoquent un sentiment d'inconfort appelant à une correction.

Lorsqu'un client est assis en face de moi, je fais immédiatement apparaître, en imagerie mentale, le contour de son corps, c'est très sommaire, mais voici à quoi cela ressemble.

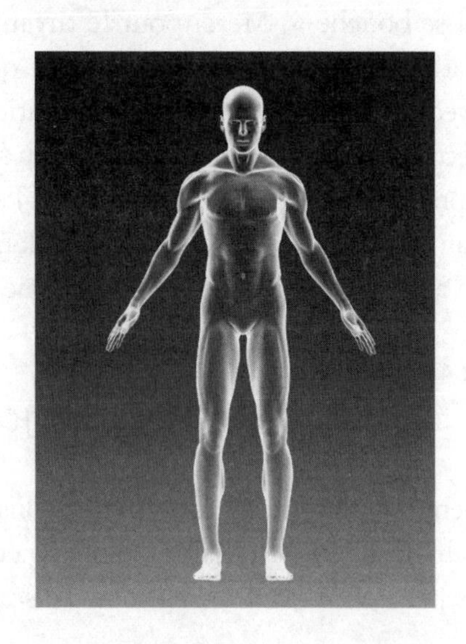

Je pratique le rayon descendant tel que nous vous l'avons expliqué pour l'autoscanner. Mon regard est attiré par des scintillements lumineux de couleur blanche ou rouge, l'intensité de la lumière dépend de l'importance de l'alerte. Je pratique plusieurs fois par jour depuis vingt ans, j'ai immédiatement une vue d'ensemble, mon regard est attiré et je reviens zoomer sur les régions délicates.

Je ne suis pas médecin, mes notions d'anatomie étaient faibles à l'origine même si elles se sont améliorées peu à peu grâce à ces scanners virtuels de mes clients. Mon message est d'attirer l'attention du client sur telle ou telle zone potentiellement suspecte. Mes conseils ne sont jamais diagnostiques ni thérapeutiques : j'attire l'attention sur une région du corps, je donne cette information, c'est au client de choisir la démarche à suivre, je recommande très souvent de consulter un professionnel de la santé pour confirmation ou infirmation. Dans la très grande majorité des cas, mes perceptions de localisation s'avèrent justes et se confirment par la suite.

Je compare souvent cette constatation à celle que nous pouvons tous faire, vous et moi, sans diplôme mais avec diplomatie, en regardant un ami avec un gros furoncle sur le front, « tu as un énorme bouton rouge sur le front, tu devrais te regarder dans un miroir ou le montrer à un médecin ». Il ne s'agit, bien évidemment, pas d'une démarche médicale mais amicale. Les boutons pour moi brillent sur le fond d'un firmament bleu nuit au-dessus de votre épaule.

Alors que nous parlions, David et moi, de cette manière intuitive de consulter la cartographie de mes clients et de leur révéler leurs points scintillants, David s'est rappelé du récit d'un neurochirurgien très réputé aux États-Unis qui pratiquait une méthode similaire sans jamais avoir voulu la rendre publique avant de partir à la retraite par peur du ridicule. L'histoire de ce chirurgien est racontée par le Dr Elizabeth Mayer qu'il avait consultée pour des migraines. La voici telle qu'elle la raconte :

« Le neurochirurgien avait une réputation internationale. Il était appelé auprès des chefs d'États, des notables et des personnalités lorsqu'une intervention délicate du cerveau devait être envisagée. La réputation de cet homme était à la hauteur de ses résultats, il semblait n'avoir jamais perdu un patient pendant sa carrière.

Il consulta pour des migraines insupportables pour lesquelles aucune explication n'avait été trouvée. Jusqu'à l'apparition des migraines tout allait bien pour lui, il était à l'apogée de sa carrière, heureux en ménage, des enfants magnifiques. Il fut impossible de trouver une cause psychologique a ses migraines, les causes médicales ayant, bien entendu, été éliminées.

Je cherchais la solution, mon client était professeur d'un centre hospitalier universitaire réputé, je lui posai donc des questions sur ses fonctions d'enseignant. Tristement, le neurochirurgien me répondit qu'il n'enseignait plus. Sentant sa tristesse je demandai pourquoi il avait dû interrompre son enseignement. Il révéla alors quelque chose qu'il n'avait jamais dite à personne. Il ne pouvait plus enseigner honnêtement sans expliquer comment il pratiquait pour n'avoir pas d'échec en chirurgie.

Il me raconta pourquoi ses patients ne mouraient pas : dès qu'il apprenait qu'un patient devait être opéré par lui, il se rendait à son chevet et s'asseyait à ses côtés. Il attendait alors parfois trente secondes, parfois des heures. Il attendait qu'une lumière blanche apparaisse à lui autour de la tête de son patient. Il savait que si ce halo blanc n'apparaissait pas, il n'était pas prudent d'intervenir. La lumière blanche était son feu vert, le signal que tout était correct. « Comment voulez-vous que j'explique cela à mes étudiants ? Ils penseraient que je suis fou. C'est peut-être fou, mais c'est comme cela que je procède, systématiquement ». Son dilemme fut réglé en décidant de ne plus enseigner. Lorsque je l'ai interrogé sur la date de survenue de ses premières migraines, la réponse fut évidente : lorsqu'il annonça son intention de ne plus enseigner ce qui était pour lui un énorme plaisir ».

Je fus surpris mais rassuré : je n'étais pas seul à voir des scintillements annonciateurs. Le corps utilise de nombreux moyens pour nous informer de sa souffrance en dehors de la douleur. De petits messages subtils sont envoyés à chaque seconde pour attirer notre attention sur une localisation précise. Lorsque je revois mes clients et que leur image corporelle réapparaît je peux constater les déblocages, les signaux blancs, rouges et les feux verts.

C'est aussi comme ces tableaux lumineux des stations de contrôle de trains ou de métro. Tout le réseau des voies est affiché en grand écran avec les motrices, les aiguillages et surtout : les signaux. Les voies ouvertes, débloquées, libres de circulation et les voies fermées, occupées dangereuses à emprunter. C'est ce réseau d'information qui apparaît devant moi, mais c'est vous qui avez le contrôle. Je n'aime pas le terme de voyant dont on peut m'affubler, je pense qu'il est réducteur et surtout chargé d'une histoire malsaine, le voyant c'est le signal qui s'allume pour signaler le danger. Je le vois, je vous informe, mais je ne peux pas toucher aux manettes. Vous êtes le chef de gare, je suis celui qui crie gare !

J'espère que mes petits voyants orientent parfois quelques trains de la mort sur de meilleures voies. Je pense que c'est aussi pour cette raison-là que je débute mes consultations par la santé au risque de prendre tout le temps nécessaire. Si vous venez me voir en consultation, et si, en vous accueillant je vous dis « je suis enchanté de vous voir » j'espère que vous comprendrez aussi « je veux vous voir en santé », c'est mon souhait le plus cher et la base de ma vocation.

Exercice pratique n°6 : le scanner de santé

OBJECTIF : déceler des déséquilibres physiologiques et des points sensibles du corps.
IMPORTANCE : indispensable.
DIFFICULTÉ : ★★★

TYPE : exploration des perceptions.
QUAND : au calme.
FRÉQUENCE : une à deux fois par mois si vous êtes en bonne santé.
DURÉE : de 10 à 20 minutes au début [explication 1].

L'EXERCICE :

- **Il s'agit d'un autoscanner complet vous devez donc le pratiquer tel quel.**
- **La différence est la recherche d'alertes corporelles concernant la bonne santé et pas seulement la localisation d'émotions.**
- **En descendant, prêtez une attention toute particulière aux impressions de chaleur, de douleur, de pression et d'oppression.**
- **Vous connaissez vos faiblesses et vos maladies passées, passez plus de temps sur les zones à risque.**
- **Si vous décelez quelque chose d'inhabituel, ne prenez pas de risque, consultez un médecin, faites des examens complémentaires et, surtout : ne négligez pas les alertes de votre corps.**

COMPÉTENCES VISÉES : auto-examen et prise de conscience des messages du corps.

[explication 1]

De 10 à 20 minutes de durée : c'est au début. Comme pour l'autoscanner, la vitesse de balayage de votre exploration augmentera avec l'entraînement.

LA PLEINE CONSCIENCE

Les six premiers exercices sont des exercices de pleine conscience. L'attention volontaire que vous avez portée à vos sens externes ou internes est l'un des fondements du développement de toutes vos perceptions et, par conséquence, de vos intuitions. La méditation, le yoga, les arts martiaux et la prière fervente sont aussi des exercices de pleine conscience. C'est l'attention au corps et à ce qui s'y passe qui est au centre de la pratique. Toutes les occasions sont bonnes pour prêter attention. Vous pourriez arrêter la lecture du livre à cet endroit et déjà bénéficier d'un changement de style de vie si vous mettez les 6 premiers exercices en pratique régulièrement.

Vous pourriez aussi décider de parfaire votre expérience en y incluant la gestion des pensées, vous pourriez vous orienter vers le « mindfulness » qui est la pratique de la pleine conscience selon des protocoles mis au goût du jour et correspondant à notre culture occidentale. Le pionnier du développement de ce mouvement se nomme Jon Kabat-Zinn, tous ses livres peuvent être recommandés pour poursuivre votre introspection. Le Dr Kabat-Zinn dirige un service hospitalier à Boston où il prend en charge des patients atteints de dépression, de douleur chronique, de stress et d'autres pathologies modernes. Voyez en particulier : « Où tu vas tu es » et « L'éveil des sens ». Pratiquez la pleine conscience le plus souvent possible, vous faciliterez tous les apprentissages qui suivent.

L'IMAGERIE MENTALE

PAR JEAN-MARIE PHILD

Les parapsychologues sont aussi appelés « clairvoyants », mais je n'aime pas cette appellation car elle est restrictive et elle prend une connotation péjorative de type mystique, magique ou ésotérique ce que je réfute totalement pour mon approche de la parapsychologie.

Nous pratiquons l'imagerie mentale tous les jours en faisant apparaître des images fixes ou animées sur demande. L'imagerie mentale est aussi appelée imagination, c'est la capacité du cerveau à se représenter un objet, et c'est une force de création et d'anticipation dont nous sommes tous dotés. L'imagerie mentale peut être **involontaire et intrusive**, la démonstration classique en psychologie est de vous demander de **ne pas penser à un ours polaire**. Immédiatement, bravant l'interdiction, blanc comme neige, le nounours apparaît. Le rêve, les visions éveillées et les hallucinations qui échappent à notre contrôle conscient sont des images mentales involontaires. L'imagerie mentale peut aussi être **volontaire**, on peut appeler une image pour l'explorer, la contempler ou l'étudier. **Pensez à un lapin rose**. Immédiatement, ignorant les lois des couleurs de la nature, il apparaît infatigable avec son tambour dans votre imaginaire. L'imagination, la réflexion et la visualisation sont des images mentales volontaires.

Les rêves sont des images mentales, les projets que vous formez, la maison dont vous rêvez, votre prochain lieu de vacances et vos souvenirs sont tous des images mentales destinées à être projetées à nouveau à la moindre évocation.

Utilisez votre HUD

HUD est l'acronyme de « *Heads Up Display* » apparu dans l'aviation de combat dans les années 1960 et que l'on commence à voir dans quelques automobiles haut de gamme et les jeux électroniques de simulation.

Dans un avion de combat, le pilote doit surveiller son environnement (évitement des obstacles pendant le vol à basse altitude et les avions ennemis) en même temps qu'il doit assurer le pilotage, la navigation et la réalisation de sa mission. L'œil du pilote doit donc constamment accommoder sa vision sur le paysage extérieur (à l'infini) puis sur sa planche de bord (quelques dizaines de centimètres) ce qui est source de fatigue et peut aussi amener le pilote à ignorer un événement important. Le HUD permet de projeter des images sur le pare-brise contenant les informations de navigation. Les informations se superposent donc au paysage et le pilote n'a pas besoin de baisser la tête en permanence, d'où l'expression *Heads Up Display*.

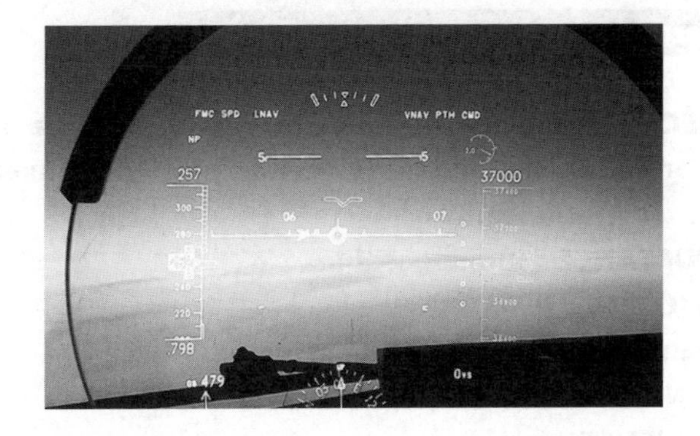

Le HUD se prête parfaitement à notre définition de l'imagerie mentale car l'image se superpose à celle fournie par la rétine, on peut la consulter les yeux ouverts ou fermés. Si l'acronyme HUD avait été plus joli à prononcer, nous l'aurions adopté pour représenter l'écran de visualisation mentale dont nous sommes tous dotés.

L'imagerie mentale prend une grande place dans le développement de vos intuitions et nous y ferons appel souvent. Développer ses intuitions consiste à augmenter le niveau de perception d'une information existante mais discrète. C'est par l'imagerie mentale que passent la réflexion, la créativité et les découvertes. Pour le chercheur en sciences cognitives Steven Pinker, toutes nos expériences sont stockées dans notre mémoire sous forme d'images mentales. Ces images sont ensuite associées et comparées aux nouvelles, et peuvent être employées pour créer de nouvelles images. Vous imaginez, vous rêvez, vous réfléchissez, savez-vous où se projettent les images formées ? Où donc est l'écran de votre *homme-cinéma* ?

LA VISUALISATION

Exercez-vous à localiser des images, vous pourriez avoir besoin d'allumer l'écran de votre imagerie mentale pour les autres exercices du livre.

Exercice pratique n°7 : la visualisation

OBJECTIF : reconnaître une image mentale, la localiser et l'analyser. Il s'agit (une fois de plus) d'un exercice de pleine conscience.
IMPORTANCE : indispensable.
DIFFICULTÉ : ★
TYPE : exploration de perceptions.
QUAND : indéfini [explication 1].
FRÉQUENCE : indéfinie.
DURÉE : variable, à loisir.

L'EXERCICE :
• Asseyez-vous ou allongez-vous.
• Choisissez un objet, un personnage, un animal, ce que vous voudrez.
• Inspirez-vous d'un mot, d'une affiche, d'une personne, il peut être incongru par la couleur ou par la forme, mais il doit exister.
• Pensez à cet objet, l'image apparaît immédiatement.
• Localisez cette image dans votre tête **[explication 2]**.
• Faites tourner l'image dans tous les sens, explorez-la, décrivez-la.
• L'objet de ce petit exercice est de « localiser » l'écran de projection ou de définir l'endroit où vous irez chercher une image par la visualisation pour l'explorer, la décrire et l'utiliser.
ENSUITE :
• vous pouvez vous entraîner régulièrement à observer toutes les images de votre imagination, il s'agit encore (et toujours) d'un exercice de prise de conscience, d'attention.

COMPÉTENCES VISÉES : développement de l'imagerie mentale.

[explication 1]

Pratiquez à volonté : considérez cet exercice comme un jeu, il est d'ailleurs assez addictif et riche en découvertes. Aussi souvent que vous le désirez, lorsque vous n'avez rien d'autre à faire ou que vous vous ennuyez dans une salle d'attente ou un long déplacement en transport en commun.

[explication 2]

Localisez cette image dans votre tête : si vous tracez une ligne imaginaire partant entre vos deux sourcils (le troisième œil) se dirigeant vers l'arrière de votre crâne et une autre, perpendiculaire, située juste devant les oreilles, à l'articulation de la mâchoire, vous aurez une bonne représentation de l'endroit où l'image semble se projeter.

Vous venez de pratiquer un exercice de visualisation. Naturellement on peut recourir à la visualisation pour « provoquer » un phénomène d'imagerie mentale qu'on appelle aussi « rêve éveillé ». La visualisation est une fonction mentale que nous pouvons utiliser pour représenter un objet, un son, une situation, une émotion ou une sensation. Selon son intensité, cette représentation peut déclencher plus ou moins les mêmes effets physiologiques (émotions) que le ferait la réalité.

La visualisation est largement employée dans la préparation sportive, dans le développement personnel et en thérapeutique (dans la désensibilisation des phobies par exemple). Il s'agit d'évoquer l'image mentale d'une situation, d'une action ou d'un événement potentiellement dangereux ou ressenti comme tel, de le maintenir à l'écran mental, de sentir les émotions et les pensées qu'elle suscite et de mettre en place une stratégie de préparation ou de désensibilisation.

Imagerie mentale et visualisation seront très souvent utilisées par la suite. Commencez votre entraînement dès maintenant.

LA FOCALISATION

La focalisation est la capacité que nous avons à concentrer notre pensée sur un point précis en occultant tout le reste. Cette capacité peut se développer, l'entraînement à la focalisation est d'ailleurs l'un des objectifs de la méditation et du *mindfulness* : apprendre à se focaliser sur la respiration ou un endroit précis du corps. L'apprentissage de la focalisation permettra ensuite d'envoyer notre regard intérieur à n'importe quel endroit du corps pour en recevoir un message. Paradoxalement l'apprentissage de la focalisation augmente notre capacité à élargir notre champ de perception.

La focalisation est similaire à l'imagerie mentale car elle fait intervenir l'imagination. Il s'agit de diriger l'attention vers un point et ne « voir » plus que celui-ci. Plusieurs techniques de méditation utilisent des points de focalisation, souvent la flamme d'une bougie ou un point sur le mur. Dans la plupart des cas, lorsque nous évoquerons la focalisation, il sera question de focalisation corporelle : porter toute son attention sur un point du corps ou sur une fonction de celui-ci. Et en particulier de focalisation respiratoire qui permet la prise de contrôle du système nerveux autonome.

Nous vous proposons maintenant un exercice très important et spécifique : la focalisation respiratoire. L'entraînement à cette focalisation est indispensable pour la gestion des intuitions.

Exercice pratique n°8 : la focalisation respiratoire

OBJECTIF : s'entraîner à la focalisation d'un point du corps. La focalisation respiratoire est le meilleur moyen pour cet entraînement. Il servira de tremplin pour les exercices de cohérence cardiaque sur laquelle nous fondons une grande partie de votre entraînement aux intuitions et aux meilleures décisions.

IMPORTANCE : indispensable.
DIFFICULTÉ : ★
TYPE : entraînement.
QUAND : lors d'un moment de calme.
FRÉQUENCE : une à deux fois par jour jusqu'à ce que vous ayez commencé les exercices de cohérence cardiaque qui remplaceront la focalisation respiratoire.
DURÉE : 5 minutes.

L'EXERCICE :

• Prévoyez au moins cinq minutes pendant lesquelles vous ne serez pas dérangé.
• Prenez l'habitude de vous servir d'une minuterie de cuisine ou de la fonction minuterie de votre téléphone pour définir un temps d'exercice.
• Ne dépassez pas dix minutes pour cet exercice.
• Asseyez-vous bien droit sur une chaise, les deux pieds au sol, laissez reposer vos mains sur vos cuisses. Fermez les yeux.
• Portez toute votre attention sur votre respiration.
• Focalisez votre attention sur le point, au niveau des narines, où l'air pénètre et sort pendant quelques respirations.
• Déplacez ensuite la focalisation sur le ventre pour « observer » son mouvement de va-et-vient au rythme de la respiration pendant quelques respirations.
• Suivez le trajet de l'air.
• Si votre pensée se disperse et décide de passer à autre chose que la respiration, ramenez-la en douceur à votre souffle.

ENSUITE :

• la suite logique sera la pratique des exercices de cohérence cardiaque décrits ensuite.

COMPÉTENCES VISÉES : la focalisation corporelle.

TENIR UN JOURNAL

Les exercices de perceptions sensorielles ont été vus, nous espérons que vous déciderez de continuer à les pratiquer.

Nous vous recommandons de commencer à tenir un journal à partir de maintenant. Rien de compliqué ou de formel. Juste un cahier ou un fichier dans votre ordinateur pour noter vos observations avec la date et l'heure. Nous vous conseillons de conserver ce journal personnel secret car les sujets abordés seront intimes et ne concerneront que vous.

Nous aborderons bientôt les perceptions extrasensorielles, la subtilité et la discrétion de leurs messages, les délais qui s'écoulent entre deux perceptions liées, la réalisation d'un pressentiment ou la survenue d'un rêve prémonitoire et sa concrétisation peuvent être importants, il est donc important d'observer et de noter.

MAIS COMBIEN AVONS-NOUS DE CERVEAUX ?

PAR DAVID O'HARE

Jusqu'à présent, nous en avons évoqué quatre :

• Le cerveau reptilien, celui que nous partageons avec les formes les moins évoluées de la création, cerveau réflexe et automatique, et qui gère les besoins de base.

• Le cerveau limbique, un ajout de taille de l'évolution introduisant les émotions et les sentiments ainsi que la gestion de la mémoire et des expériences passées.

• Le cerveau cortical, ce néocortex dont nous sommes fiers en tant qu'hominidés.

• Le « second cerveau », le système nerveux entérique, le « gut brain », nos tripes, qui résonne en nous avec les émotions comme un receveur extra-sensible.

Cette classification est arbitraire, elle n'est pas acceptée par tous, mais elle a le mérite d'être simple. Il semblerait que d'autres cerveaux coexistent et allongent la liste. Si ce sont les cerveaux qui nous dirigent, il est clair que les hommes (h minuscule) possèdent un dictateur. Je soupçonne Woody Allen d'y faire référence lorsqu'il écrit : « mon cerveau est mon second organe préféré[1] ». Nous éluderons ce cinquième cerveau pour circonscrire notre propos à l'intuition.

La peau est aussi un cerveau, il s'agit du premier sens qui se développe dès la septième semaine de la vie de l'embryon. Avec ses 600 000 capteurs directement reliés au cerveau limbique sans passer par le cortex, elle est considérée comme un immense capteur sensoriel et émotionnel. La peau peut être un merveilleux moyen de pénétrer le système nerveux autonome, c'est l'objet des massages et de toutes les pratiques manuelles, ne négligez pas l'exercice d'automassage abdominal, vous stimulez les cerveaux « deux » et « six ».

Cerveau n°7 : le cœur

Le cœur est au centre des émotions, des perceptions et des intuitions. La gestion des décisions a été trop longtemps dévolue à la seule pensée, au seul cerveau, à la réflexion et au calcul de probabilités et de statistiques. La culture, la science et les traditions occidentales ont progressivement remisé le cœur à la simple fonction de pompe, un organe vital sans âme ni émotion. Le formidable et récent développement des neurosciences remet le cœur au centre du système nerveux autonome ; il participe activement à tous les processus impliquant les émotions et les sentiments. Le cœur dispose d'un véritable cerveau avec neurones, synapses et sécrétion de neurotransmetteurs aussi appelés « les molécules des émotions[2] ». La neurocardiologie

[1] Woody Allen : film « Sleeper », 1973.
[2] Pert, C. : *Molecules of Emotion*, Simon & Schuster, New York, USA, 1999.

est devenue une discipline à part entière. Les preuves, s'il en était encore besoin, s'accumulent et viennent étayer ce que les Égyptiens savaient[1], bien avant notre ère et nos errements digressifs : le cœur est un centre émotionnel dans toute sa puissance.

Il restait à trouver un moyen d'impliquer le cœur à la prise de décision car l'homme moderne a oublié comment écouter et prendre en compte l'avis du cœur. Cette écoute reste souvent une simple métaphore, une tournure poétique désuète, un dicton de bonne femme comme le fameux : « le cœur a ses raisons que la raison ne connaît point » de Blaise Pascal.

L'auteur des *Pensées* a aussi compris le danger de la pensée dichotomique qui privilégie soit la raison, soit le cœur. N'est-ce pas lui qui a écrit : « deux excès : exclure la raison, n'admettre que la raison ».

LE CŒUR RÉSONNE

Débutons par un exercice sans aucune explication préalable. L'exercice se base sur l'exercice de focalisation respiratoire que vous devez maintenant avoir maîtrisé. Nous l'appelons la respiration F-6, les explications suivront…

Exercice pratique n°9 : la respiration F-6

OBJECTIF : apprendre à respirer 6 fois par minute pour un cycle respiratoire complet et déclencher un état de résonance entre le rythme respiratoire et le cœur. Cet exercice est la base de la cohérence cardiaque.
IMPORTANCE : indispensable.
DIFFICULTÉ : ★

[1] Le cœur était le seul organe interne qui était conservé car il était le « siège de l'âme », tous les autres organes, étaient retirés, cerveau intracrânien.

TYPE : entraînement.
QUAND : régulièrement.
FRÉQUENCE : trois fois par jour, tous les jours.
DURÉE : 5 minutes.

L'EXERCICE :

• Prévoyez au moins cinq minutes pendant lesquelles vous ne serez pas dérangé.
• Ne dépassez pas dix minutes d'exercice.
• Asseyez-vous bien droit sur une chaise, les deux pieds au sol, laissez reposer vos mains sur vos cuisses.
• Placez devant vous une montre comportant une trotteuse ou qui affiche les secondes qui défilent, vous pouvez aussi utiliser tout appareil électronique qui décompte les secondes.
• Focalisez votre attention sur la respiration.
• Commencez par une expiration profonde **[explication 1]**.
• Inspirez profondément et lentement avec le ventre pendant 5 secondes **[explication 2]**.
• Expirez profondément et lentement avec le ventre pendant 5 secondes.
• Gardez la focalisation de votre attention sur la respiration pendant les 5 secondes d'inspiration et d'expiration.
• Pratiquez l'exercice pendant 5 minutes.

ENSUITE :

• cet exercice est l'un des plus importants de ce livre. Vous pourrez développer des méthodes d'apprentissage pour ne plus avoir besoin d'utiliser une montre ou un quelconque appareil pour décompter les secondes. À terme, vous vous mettrez automatiquement en F-6.

COMPÉTENCES VISÉES : la pratique régulière de la cohérence cardiaque.

[explication 1]

Commencez par expirer profondément : lorsqu'on souffle volontairement de façon ample, le système nerveux parasympathique est stimulé par le nerf vague, il s'ensuit un ralentissement cardiaque et un ordre de repos et de relaxation à tout le corps. Nous débutons donc toujours cet exercice par l'ordre « repos ! ».

[explication 2]

Inspirer profondément par le ventre : lorsque nous inspirons le cœur accélère, c'est l'effet de la diminution de la pression abdominale qui inhibe le système nerveux parasympathique, le frein.

Les bases de l'exercice

Lorsque nous inspirons, le cœur accélère. Lorsque nous expirons, le cœur ralentit. C'est automatique. C'est tout ce que vous avez besoin de savoir à ce point. Je donne quand même quelques explications simples : cette variation de la fréquence cardiaque est ce que les physiologistes appellent **l'arythmie sinusale respiratoire**. Arythmie, car le rythme n'est pas régulier, il accélère et ralentit. Sinusale, car c'est le nœud sinusal du cœur (petit cerveau du cœur) qui est stimulé ou inhibé. Respiratoire, car c'est la variation de la pression de la respiration au niveau abdominal qui stimule soit le système sympathique (accélère), soit le système parasympathique (freine).

La régulation de la fréquence cardiaque est gérée par le système nerveux autonome et ses deux branches sympathiques et parasympathiques. Lorsque votre respiration complète dure 10 secondes, vous respirez 6 fois par minute. C'est la raison pour laquelle nous avons appelé cet exercice la respiration à la fréquence 6 ou F-6. Cette fréquence de 6 par minute est très particulière car il se produit alors un phénomène de résonance entre les poumons et le cœur. Cette résonance cœur-poumons s'appelle la cohérence cardiaque, elle est commune à tous. La cohérence cardiaque est un état particulier qui induit de nombreux effets dont certains vont nous servir dans notre quête d'intuitions.

La cohérence cardiaque

La cohérence cardiaque a été mentionnée pour la première fois par Dr David Servan-Schreiber dans son livre « Guérir ». Elle peut être facilement mise en évidence au moyen d'un logiciel relié à un capteur de pouls placé à l'oreille.

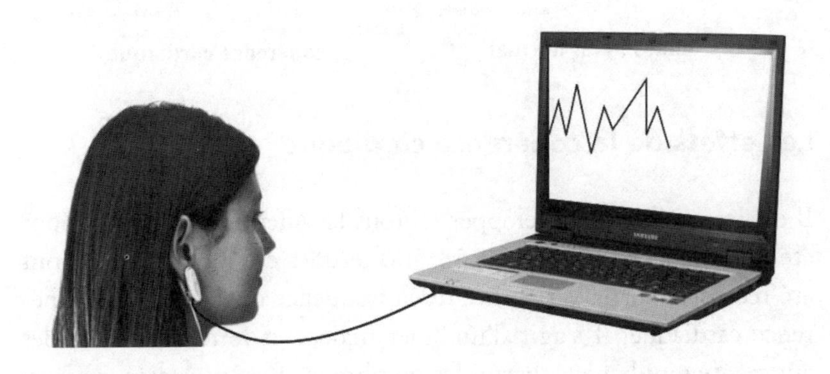

Il est normal que le cœur accélère et ralentisse en permanence. C'est ce qu'on appelle la **variabilité de la fréquence cardiaque**. Le cœur adapte sa fréquence à l'environnement, il réagit aux perceptions externes (les 5 sens) et aux perceptions internes (les émotions). Les accélérations et les ralentissements s'observent à l'écran en temps réel. Le cœur peut ainsi nous servir à constater les effets des perceptions sur le corps.

À l'état normal, dans la vie de tous les jours, que l'on soit éveillé ou endormi, le cœur accélère et ralentit pour adapter sa fréquence aux demandes d'adaptation de l'environnement. L'environnement et ses changements étant chaotiques, la courbe des accélérations et des ralentissements a une allure chaotique. En état de cohérence cardiaque, les accélérations et les ralentissements du cœur se succèdent en vagues égales et amples. La courbe est dite cohérente, l'amplitude des vagues (la hauteur) augmente. Il s'agit d'un état induit par la respiration volontaire.

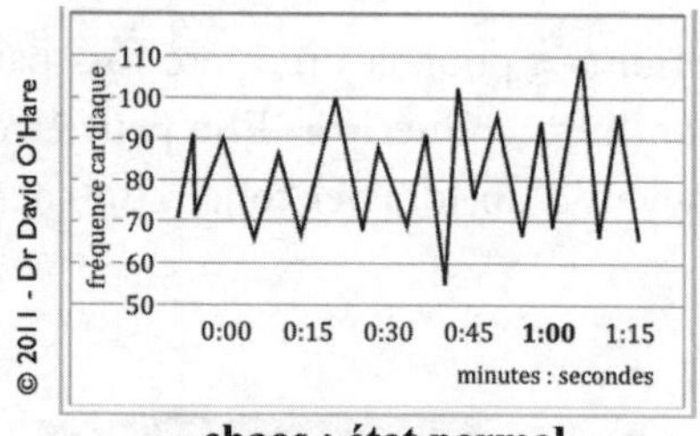

chaos : état normal

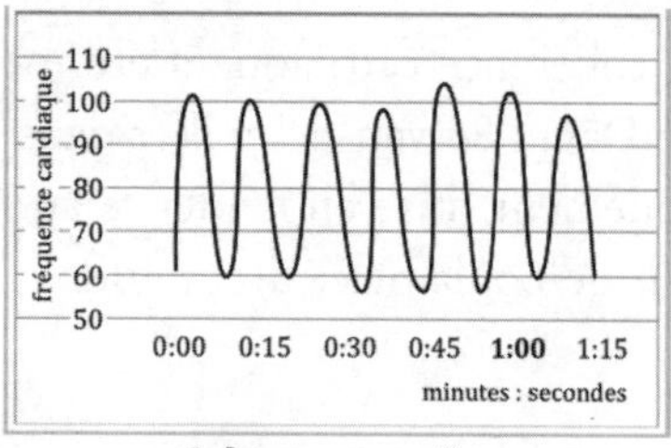

cohérence cardiaque

Les effets de la cohérence cardiaque

Il est impossible de développer ici tous les effets bénéfiques qui ont été étudiés, à ce jour plus de 13 500[1] études cliniques publiées ont été recensées sur la variabilité de la fréquence cardiaque et la cohérence cardiaque, il s'agit d'un sujet majeur et le nombre d'études augmente rapidement. Parmi les nombreux effets constatés, nous en retenons trois pertinents pour notre propos :

La cohérence cardiaque **réduit l'intensité du stress**, en particulier par son action de régulation du cortisol[2] et par une meilleure gestion des perceptions entraînant une prise de distance par rapport aux menaces. La pratique régulière de la cohérence cardiaque est l'un des outils le plus simple et le plus rapidement efficace pour gérer le stress.

La cohérence cardiaque **augmente le nombre d'ondes alpha cérébrales**, ces ondes, observées par l'électroencéphalogramme, sont celles qui sont générées lorsqu'on est éveillé, calme mais attentif. Elles favorisent la réflexion, la mémorisation ainsi que l'accès à l'inconscient. L'hypnose utilise le passage par les ondes

[1] Source Pubmed le 30 mai 2011 (13626 pour être précis avec une recherche par *Heart Rate Variability*).

[2] Le cortisol est l'hormone principale du stress, il est sécrété par les glandes surrénales en réponse aux menaces et aux agressions. Le cortisol est indispensable à la vie, mais l'excès est dangereux.

alpha qui sont une zone de transition entre l'éveil agité, actif, concentré mais aussi stressé ou anxieux (ondes bêta) et le sommeil avec plusieurs types d'ondes plus complexes. Ce passage se caractérise par des rêves éveillés (ceux que vous avez au moment de vous endormir), une plus grande suggestibilité (accès au subconscient) et à une meilleure programmation des souvenirs et une perception détachée des émotions.

La cohérence cardiaque **régule les fonctions automatiques** : de nombreux paramètres du système nerveux autonome sont régulés favorablement par la pratique régulière de la cohérence cardiaque (la pression artérielle, le taux de sucre sanguin, le taux des graisses ainsi que la régulation de plusieurs neurotransmetteurs et hormones dont la DHEA appelée aussi hormone de jouvence. Le poids est aussi favorablement influencé par la pratique régulière, voir à ce sujet le livre « Maigrir par la Cohérence Cardiaque ».

La cohérence cardiaque **est un équivalent physiologique de la méditation** : la pratique régulière de la cohérence cardiaque entraîne des effets physiologiques (sur le corps) équivalents à une pratique de méditation, de yoga, de *mindfulness*, de Tai-chi ou d'autres approches corps-esprit. L'avantage principal étant la simplicité dans sa pratique et la rapidité de son apprentissage. Vous avez et savez déjà tout ce qu'il faut pour commencer.

La pratique de la cohérence cardiaque

La cohérence cardiaque n'est bénéfique que si elle est pratiquée régulièrement. Tous les jours. Plusieurs fois par jour. L'explication est simple : la plupart des effets physiologiques sont fugaces et ne durent que quelques heures, quatre en moyenne après une séance durant entre trois et dix minutes. Des séances plus longues, au-delà de dix minutes n'augmentent pas la durée de l'effet.

Ces constatations physiologiques permettent de dégager une règle simple celle du **3-6-5** :

3 • **Trois** fois par jour
6 • **Six** respirations par minute
5 • Pendant **cinq** minutes

Pratiquez la respiration F-6 tous les jours 365 jours par an.

Pour aller plus loin, rendez-vous sur le site www.intuitionsdecisions.com.

Place de la cohérence cardiaque dans l'intuition

C'est parce qu'un grand nombre de pratiquants réguliers de la cohérence cardiaque ont noté une augmentation de leurs intuitions subjectives et de la qualité de leurs décisions que j'ai d'abord eu envie d'écrire ce livre. L'augmentation des intuitions a également été constatée chez les pratiquants d'autres approches corps-esprit ainsi que chez les artistes qui ont une accessibilité accrue aux émotions.

Les décisions sont difficiles à prendre lorsqu'on est soumis à un stress, les réflexes prennent alors le pouvoir, le cerveau reptilien est en charge. La cohérence cardiaque réduit le niveau de stress, elle augmente donc notre capacité à décider. L'hormone du stress, le cortisol, est néfaste aux décisions, de nombreuses études l'ont montré, et il est vraisemblable que la cohérence cardiaque joue un rôle important à ce niveau.

Les décisions ont besoin des perceptions internes pour avoir accès aux souvenirs, aux expériences passées et aux émotions. La cohérence cardiaque favorise le développement de cet accès.

La cohérence cardiaque est une pratique d'augmentation de la conscience et de l'attention, elle est au premier rang pour l'observation de soi. Elle permet aussi d'intervenir au niveau du système nerveux autonome, ce qui fera l'objet d'exercices spécifiques en fin d'ouvrage lorsque nous nous consacrerons à des décisions difficiles comme les dilemmes.

Si vous n'avez pas de pratique régulière de la méditation, du yoga, du *mindfulness* ou d'une pratique apparentée, nous vous recommandons de mettre en place une pratique régulière de la cohérence cardiaque (respiration en fréquence 6, pendant 5 minutes, trois fois par jour) : vous augmenterez très largement vos chances d'avoir de meilleures intuitions.

ACCORD CŒUR-CORPS

Il est possible d'utiliser les enregistrements de variabilité de la fréquence cardiaque pour nous renseigner sur notre état émotionnel. Comme pour la cohérence cardiaque, des logiciels existent pour analyser l'état émotionnel. La simplicité de l'enregistrement à l'oreille et la diffusion des appareils simples à prix abordable en font l'une des méthodes les plus employées actuellement pour l'évaluation de l'équilibre émotionnel par la mesure de l'activité relative des systèmes sympathique et parasympathique.

Voici quelques exemples schématiques :

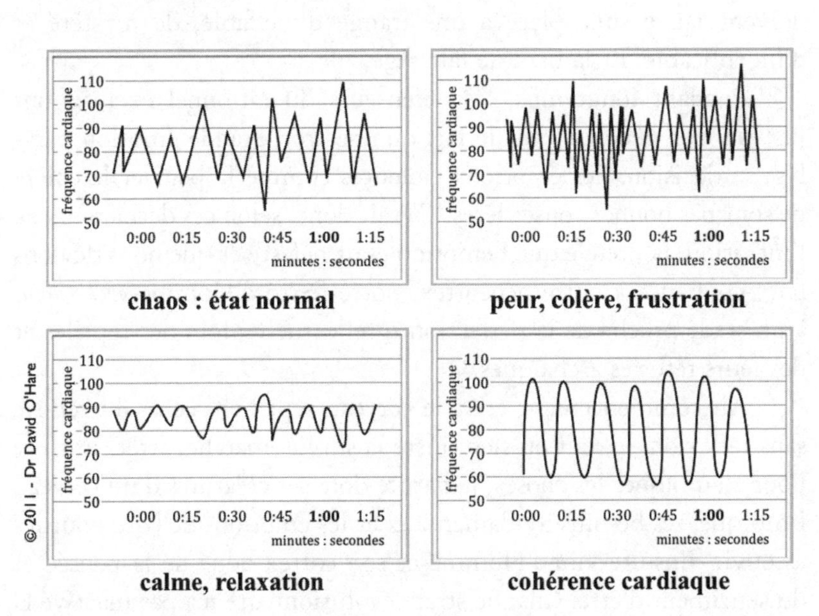

chaos : état normal

peur, colère, frustration

calme, relaxation

cohérence cardiaque

En tant que psychothérapeute, j'utilise un logiciel pour suivre mes consultations en temps réel et constater, à l'écran l'impact des pensées, des souvenirs, du stress et l'évolution des interventions réalisées. L'utilisation de tels logiciels a été étendue aux perceptions extrasensorielles qui feront l'objet d'une prochaine section très importante pour le développement de vos intuitions.

LES PERCEPTIONS SENSORIELLES INTUITIVES

Il est aujourd'hui estimé que 90 % des décisions se prennent à un niveau intuitif. En matière de prise de décision deux écoles s'affrontent depuis des siècles et ne semblent pas encore, de nos jours, s'être totalement accordées. D'un côté les « rationalistes », à la suite de Descartes et de Platon avant lui, qui disent que toute décision est le fruit de la logique et de la réflexion. De l'autre côté les « irrationalistes » (dont les intruitifs) qui soutiennent que les décisions doivent laisser une place à une frange d'ineffable, de mystère et d'inexplicable. Et la bataille fait rage.

Pendant longtemps, les défenseurs du rationnel exclusif ont justifié leur penchant par le fait qu'une trop grande émotion paralyse la décision. Les émotions violentes comme la peur et la colère ne sont pas bonnes conseillères. C'était donc, selon ces détracteurs de l'intuition, la preuve que l'émotion était néfaste et que nous devions faire confiance à notre néocortex, notre fierté d'Homme *évolutionné* à un stade proche de la perfection intellectuelle, loin des reptiles et des leurs réflexes archaïques.

Au commencement était le cerveau reptilien, celui du réflexe sans réflexion, le tout ou rien, juste la survie, marche, arrêt. Ensuite pour alambiquer les choses, la nature dota ses créatures d'un cerveau limbique, ses besoins fondamentaux et les émotions de base pour les assouvir. Ensuite vint l'Homme et son cortex doué de la pensée et du sentiment d'être. Chaque strate évolutionnaire n'a pas inactivé la précédente et nous nous retrouvons avec une interaction constante entre nos trois cerveaux. C'est le cerveau limbique qui reçoit les perceptions car il est au centre de cette architecture, il oriente ensuite vers la gestion des informations selon l'urgence, la menace ou la complexité.

Le professeur Damasio a bien évidemment confirmé que la menace vitale nous plonge en état réflexe car les réponses sont immédiates, automatisées et très rapides, forgées par des millions d'années d'expérience acquise et gravées dans le marbre des fondations archéologiques au temps où nous *reptilions* de survie en survie. Mais ce neurochirurgien a examiné et opéré des centaines de patients privés d'émotion par disparition accidentelle ou tumorale d'une partie du cerveau. Ces personnes sans émotion (le rêve pour les rationalistes) ne pouvaient pas prendre de décisions rationnelles ! La structure *penchante* des rationalistes commençait à trop pencher pour rester longtemps debout. Ils essuyèrent quelques revers dans leurs certitudes cartésiennes (je penche donc j'essuie ?). La communauté neuroscientifique accepte donc maintenant l'idée d'une dualité rationnelle et intuitive, la recherche psychologique aussi.

On l'a vu, c'est le professeur Antonio Damasio qui fut l'un des premiers neuroscientifiques à jeter un pont entre les rationalistes et les intuitifs. Le livre « L'erreur de Descartes », suivi de « Spinoza avait raison » furent le point de départ d'une relative entente. Nous avons besoin de rationnel ET des émotions qu'il nomma les **marqueurs somatiques**. Marqueurs parce que ce sont des signaux, somatiques parce que « somatique[1] » se réfère au corps. Les marqueurs somatiques sont les **perceptions sensorielles internes** que nous présentons actuellement. Ce sont des signaux émis par le corps au moyen des émotions et des sentiments qui sont activés ou inac-

[1] Soma : de « somaticos » en grec ancien qui fait référence à la part physique d'un corps.

tivés lors de chaque décision. La conscience dépend aussi de régions cérébrales archaïques situées à la base et au centre du cerveau mais beaucoup moins de la couche corticale plus récente. Tout ce que nous entendons, que nous voyons ou que nous faisons provoque une réaction pré-organisée à l'insu de notre conscience, dans les sous-sols de notre cerveau.

Les émotions sont des changements perçus dans le corps et le cerveau en réponse à un stimulus.

Le serpent et la branche

Le point de départ est la **perception** d'un stimulus, en général un changement dans l'environnement, repéré par l'un des cinq sens. Le point d'arrivée est une **action** consciente ou inconsciente destinée à l'**adaptation** à la nouvelle situation. La vie est faite d'adaptations, elle se caractérise par le mouvement, l'animation. « Animal », règne dont nous faisons partie, veut dire « animé ».

Voici l'histoire d'un promeneur dans les bois qui marche et savoure chaque instant de sa balade. Soudain, il voit ce qui ressemble à un serpent, juste devant lui, le thalamus s'alarme, le cœur s'emballe, la fuite se prépare. L'analyse plus lente de la perception par le cortex, après une courte latence et une rapide requête à la mémoire, va confirmer ou annuler le message de peur. Le verdict tombe, il s'agit d'une simple branche. Ce fonctionnement en deux étapes a un rôle de survie. Ne vaut-il pas mieux méprendre une branche pour un serpent que le contraire ?

La variabilité cardiaque est un enregistreur de marqueurs somatiques qui deviennent marqués à l'écran. La vision d'un serpent aura une trace de peur à l'écran, la pensée rassurante d'une branche verra la courbe s'adoucir avant de revenir à un chaos normal de veille.

LES PERCEPTIONS EXTRASENSORIELLES : PRÉSENTATIONS

UNE EXPÉRIENCE ÉTONNANTE

Cette expérience a été réalisée par le Pr Antonio Damasio dans les laboratoires de l'université d'Iowa aux États-Unis, elle a été publiée dans la prestigieuse revue *Science* et commentée dans son livre « L'erreur de Descartes ».

Son principe

Seize personnes ont participé à cette expérience connue sous le nom de « Iowa Gambling Task » qui représente un classique et a été reproduite une centaine de fois par différentes équipes universitaires. Elle est actuellement associée à l'imagerie par résonance magnétique fonctionnelle (IRMf), mais à l'époque de la première réalisation, c'est un appareil de biofeedback mesurant les émotions au moyen d'électrodes placées sur les mains qui captait les modifications de la transpiration cutanée, donc de l'émotion.

Il s'agissait d'un jeu de cartes posées faces cachées en quatre tas sur la table. Une somme de 2000 $ en argent factice était donnée à chaque joueur, le but du jeu étant de gagner le plus d'argent possible en retournant les cartes. Les cartes avaient une valeur de 50 ou 100 $ mais d'autres cartes pouvaient également faire perdre de l'argent.

Les joueurs pouvaient retourner les cartes de n'importe quel tas à volonté. Ce que les joueurs ne savaient pas c'est que les tas avaient été truqués : deux tas offraient des gains et des pertes moyennes mais avec un total de gains positif, deux autres tas offraient des gains immédiats plus importants mais avec un total de gains négatif. De temps en temps les joueurs étaient interrompus par les examinateurs qui leur demandaient ce qu'ils pensaient à ce moment-là.

Ses résultats

Chez la plupart des joueurs, il fallait environ 50 tirages pour s'apercevoir qu'il y avait un intérêt à choisir les deux tas ayant le plus de gains. Une cinquantaine de tirages étaient nécessaires pour comprendre le truc que les expérimentateurs leur avait caché : « C'est bizarre mais il semble que les tas ne sont pas les mêmes, j'ai plus intérêt à prendre celui-ci et celui-là ». Cette constatation a été retrouvée dans chacune des expériences réalisées. Jusque-là, rien de surprenant, l'être humain sait reconnaître les schémas gagnants et s'adapter.

Ce qui est surprenant c'est que la transpiration signalant un état de stress était activée dès le dixième tirage lorsque la main du joueur approchait l'un des deux tas à risque de perte plus important. Le système nerveux autonome **avait compris, il savait** bien avant la conscience que les jeux étaient pipés. Dix tirages ont suffi pour que le cerveau intuitif comprenne et apprenne. Plusieurs joueurs ont gagné des sommes importantes sans pouvoir expliquer leur comportement comme s'ils jouaient en faisant confiance, de façon non consciente, à leur intuition.

Les explications

De nombreuses hypothèses ont été avancées, aucune n'a fait l'unanimité ; il s'agit de constatations pour l'instant. Les progrès des connaissances en physique quantique permettront probablement d'en savoir plus. Plutôt que pressentiment, il s'agirait de précognition, c'est-à-dire la capacité à savoir avant que l'information ne soit rendue disponible par les moyens connus à ce jour.

UNE AUTRE EXPÉRIENCE ÉTONNANTE

Laissez-nous maintenant vous raconter une expérience extraordinaire réalisée en conditions de laboratoire à l'Institut de Recherche Heartmath en Californie et qui reprend le principe d'autres expériences réalisées dans plusieurs centres aux États-Unis par différents auteurs.

Son principe

Vingt-six personnes ont participé à l'étude réalisée à plusieurs reprises sur plusieurs semaines.

45 images ont été stockées dans un ordinateur, 30 d'entre elles étaient des images calmes et agréables émotionnellement neutres (paysages calmes, fruits, arbres, animaux etc.) et 15 images étaient émotionnellement fortes (violentes, érotiques ou stimulantes), choisies par rapport à une grille de validation émotionnelle reconnue internationalement.

Le participant était branché à un logiciel de variabilité cardiaque pouvant détecter et enregistrer les émotions désagréables. Lorsqu'il le souhaitait, le participant devait appuyer sur un bouton de la souris, l'ordinateur attendait 6 secondes et affichait de façon aléatoire une image pendant 3 secondes. Au moment où le participant appuyait sur la souris, l'image n'avait pas encore été choisie aléatoirement par l'ordinateur. Le tirage était effectué au moment de l'affichage selon un algorithme crypté que ni le participant ni l'expérimentateur ne pouvaient prévoir.

Plusieurs images étaient présentées dans les mêmes conditions de tirage aléatoire avec un intervalle de 10 secondes après la disparition de chaque image et ceci pour 45 images.

Ses résultats

L'expérience fut reproduite 2340 fois. Les participants n'avaient aucune prédisposition particulièreet les résultats furent systématiquement semblables :

- L'affichage d'une image « calme » n'affectait en rien la courbe normale de neutralité émotionnelle.
- L'affichage d'une image « violente » déclenchait une courbe de stimulation sympathique telle que l'on peut constater lors de la peur, de la colère ou de l'excitation.

Jusque là, aucune surprise.

La surprise vient de ce que les courbes de stimulation apparaissaient **avant** que l'image ne soit affichée alors que le choix de l'image n'avait même pas encore été déterminé par l'ordinateur ! C'était comme si le cœur « pressentait » le danger avant même qu'il n'existe. Le pressentiment se déclenchait quelques secondes (trois à quatre) avant l'apparition de l'image !

C'est cette constatation qui est difficile à avaler pour nous et à avaliser par les « scientifiques » car elle remet en question beaucoup de notions élémentaires de physique. Je suis un scientifique, je ne pourrais pas me permettre d'écrire de tels faits si je n'étais pas sûr de leur véracité contrôlée et de l'honnêteté de leurs auteurs. Des centaines d'expériences similaires ont été réalisées, toutes arrivent au même résultat : notre système nerveux autonome a des capacités de prévoir le danger et nous prévenir.

Les explications

Comme pour l'expérience précédente, de nombreuses hypothèses ont été avancées, aucune n'a fait l'unanimité. Les progrès des connaissances en physique quantique permettront probablement d'en savoir plus. Plutôt que de pressentiment, il s'agirait de précognitation, c'est-à-dire la capacité à savoir avant que l'information ne soit rendue disponible par les moyens connus à ce jour.

LES PES SONT-ELLES VRAIMENT EXTRA ?

PAR JEAN-MARIE PHILD

Les perceptions extrasensorielles (PES) sont, par définition **extra**sensorielles : des perceptions qui n'empruntent pas les sens. Les deux expériences que nous venons de citer tendent à prouver le contraire, cette tendance est d'ailleurs confirmée par toutes les autres études publiées en parapsychologie et par mon expérience personnelle : ce que je perçois passe véritablement par les sens. Je vois, j'entends, je sens, je ressens et le message a la réalité d'une perception sensorielle.

Pensez à votre mère ou à une personne aimée : sa douce image apparaît instantanément dans votre imagerie mentale, vous la « voyez ». Rappelez-vous votre dernière conversation, vous « l'entendez », vous reconnaissez sa voix et ses paroles. Approchez-vous un peu, ne « sentez-vous » pas son parfum ? Imaginez sa main effleurant votre joue d'un geste de tendresse, que « ressentez-vous » ?

Si David enregistrait à ce moment-là votre variabilité cardiaque, les sentiments d'affection donneraient une belle courbe lisse de joie et de satisfaction comme si vous étiez véritablement en présence de la personne imaginée. Pensez maintenant à un accrochage avec elle, une colère, un reproche ou un événement désagréable que votre relation a certainement connus, votre cœur manifesterait son déplaisir, sa colère ou sa tristesse. Pouvez-vous réellement penser que la perception d'une pensée soit extrasensorielle ?

Mes perceptions passent toutes par les sens, je peux vous le garantir.

Les exercices que vous avez pratiqués jusqu'à présent ne vous serviront pas seulement à développer les perceptions sensorielles externes, les perceptions sensorielles internes et celles qui ont été injustement nommes extrasensorielles. Bientôt vous ne pourrez plus, comme moi, faire la différence.

PES, TENTATIVE DE DÉFINITION

PAR DAVID O'HARE

C'est l'ex-6e sens, une manière simple de le rattacher à quelque chose de connu. Depuis une centaine d'années, les chercheurs étudient ce phénomène de façon scientifique en conditions contrôlées de laboratoire.

Le terme a été introduit par Joseph Banks Rhine qui les définissait ainsi : « les perceptions extrasensorielles ou PES (qui sont perçues en dehors des sens, des organes de la perception) désignent un échange d'information – ou ce qui est perçu comme tel – entre un sujet et son environnement selon des principes inconnus des sciences actuelles ».

La définition de la perception extrasensorielle et de l'intuition pour certains (à tort d'après nous) qui semble se dégager de ces consensus pourrait être formulée comme ceci :

« Réception au niveau de la pensée d'une information exacte concernant des événements, des personnes ou des lieux extérieurs à la personne qui n'a pas été reçue par l'un de ses cinq sens ou par un appel conscient ou inconscient à sa mémoire ».

Cette définition est cohérente à notre expérience subjective de l'intuition et à nos besoins de justesse scientifique et d'une recherche contrôlée. En pratique l'étude des perceptions extrasensorielles se répartit en quatre groupes qui ont été étudiés par les chercheurs :

- L'information reçue d'une autre personne (appelée de façon non formelle : **télépathie**).
- L'information reçue à propos d'un événement d'un endroit ou d'un objet (vision à distance ou **clairvoyance**, audition à distance ou ***clairaudience***, par exemple).
- L'information reçue à propos du futur (qui sera séparée pour des raisons d'étude scientifique en **précognition** pour les pensées et en **pressentiments** pour les sentiments et les émotions).
- L'information reçue à propos du passé (c'est la **rétrocognition**).

Terrain inné ou terrain miné ?

Je ne sais pas encore complètement sur quel terrain je m'aventure. J'avance avec « précaution » à chaque mot ; si Jean-Marie avait écrit ce paragraphe il aurait écrit « assurance ». Pour lui, la perception en dehors des sens habituels n'a plus rien d'extraordinaire (en dehors de l'ordinaire), il a appris à connaître et à reconnaître les messages intuitifs. Dans son cas, les messages ne sont pas extrasensoriels mais bien sensoriels, il voit, entend, sent et ressent, c'est la projection de l'image, du son ou du toucher qui n'est pas externe mais interne.

Jean-Marie étant plutôt un perceptif visuel, il voit comme vous avez vu le lapin rose et comme vous rêvez chaque nuit. Je m'entraîne depuis plusieurs années à son contact, au moyen des exercices que nous vous proposons et je commence à voir, à sentir et à ressentir aussi de quelles façons l'information ambiante nous pousse tout doucement. J'apprends tous les jours, je découvre tous les jours et j'avance prudemment. Je vous propose de nous accompagner sur ce terrain sans crainte.

Les intuitions extracognitives

C'est en ces termes que j'aimerais définir ce que sont aujourd'hui les perceptions extrasensorielles. Ce sont des perceptions d'une information dont je n'ai pas connaissance (cognition) au moment où je la reçois. Ça change tout si vous voulez bien vous donner la peine de réfléchir à cette question quelques instants. Je suis persuadé qu'au moins une fois dans votre vie, vous avez été le bénéficiaire d'une information qui vous a rendu service, une prémonition, une alerte, un sentiment bizarre. Je parlais de mon livre hier à un ami pourtant encarté au parti cartésien. Il m'avoua un événement récent qui aurait pu lui coûter la vie. Cet événement peut parfaitement servir d'illustration à ce que je vous demande de rechercher dans votre propre souvenir.

Patrick et Isabelle roulaient en ville, Patrick conduisait. Patrick s'arrêta à une intersection persuadé que le feu de circulation était au rouge. Isabelle, surprise, lui dit : « mais pourquoi tu t'arrêtes ? Le feu est vert ! ». À ce moment précis, une automobile traversa en trombe, grillant son propre feu. L'arrêt intempestif leur sauva peut-être la vie car l'impact aurait été inévitable. Cet événement est fort, mais vous en avez certainement connu des semblables. Cherchez bien.

Maintenant, dites-moi : vous avez eu une perception sensorielle, émotionnelle. Ce que vous n'aviez pas, c'est la connaissance de l'événement ou de la situation. Patrick a eu une perception sensorielle, il a « vu » un feu rouge, il a « senti » une menace, celle du gendarme, il ignorait la présence du chauffard. Il n'en avait pas connaissance. D'où est venue cette connaissance ?

C'est mon point de vue, il justifie tous les exercices et les orientations que nous avons prises :

1• Développez vos perceptions, quelles qu'elles soient. Vous avez déjà commencé.

2• Accédez à l'information, d'où qu'elle vienne, de votre connaissance ou d'un ailleurs en dehors de celle-ci.

Reprenez les deux expériences étonnantes citées en début de chapitre. Pour ce qui est de l'expérience du tirage de cartes, il s'agissait d'une intuition cognitive car l'information était connue par l'expérience des premiers tirages. Ce qui était étonnant c'est que le corps a « su » avant la raison. Dans l'autre expérience, celle des images violentes, le corps ne « savait » pas, et personne d'autre d'ailleurs.

Dans le premier cas, l'intuition cognitive, l'information était en mémoire, pas forcément consciente par l'intellect, le corps savait. Dans le deuxième cas, l'intuition extracognitive, l'information était ailleurs, dans une sorte de mémoire collective, le corps ne savait pas.

La connaissance est acquise par des processus cognitifs : la perception, l'apprentissage, le raisonnement, la mémoire, l'expérience, le témoignage.

SENSORIELLE OU EXTRASENSORIELLE ?

Les perceptions sensorielles étudiées jusqu'à présent sont des **intuitions cognitives,** c'est-à-dire que l'intuition est basée sur quelque chose que **je connais** par les sens, par l'expérience, la mémoire ou l'apprentissage. J'ai (ou j'ai eu) connaissance d'une situation que mon corps reconnaît et qui le fait réagir. L'information est à la disposition de mes sens ou de ma mémoire. Celles que nous abordons dans ce chapitre sont des **intuitions extracognitives** et c'est ça qui dérange les chercheurs, les cartésiens et notre propre logique. Au moment où je reçois un message de mes sens **je n'ai pas la connaissance** de l'information. Où est l'information ? L'information est à la disposition de mes sens mais pas de ma mémoire.

Dans le cas d'une intuition extracognitive aucun de ces processus n'a été employé. Je ne savais pas au moment où mes sens ont été activés.

Ne soyez pas confus par les termes et les définitions, il y a autant de théories que d'auteurs, le principal c'est que vous puissiez développer vos intuitions, qu'elles soient cognitives ou extracognitives.

Voilà quelques pages que nous n'avons pas proposé d'exercice. En voici un que vous devez considérer comme un jeu, il ressemble à la réussite et vous permettra de développer peu à peu vos capacités intuitives extracognitives.

Exercice pratique n°10 : la réussite

OBJECTIF : déceler et développer l'intuition extracognitive par l'entraînement.
IMPORTANCE : optionnel.
DIFFICULTÉ : ★★

TYPE : entraînement.
QUAND : indéfini.
FRÉQUENCE : souvent pour développer cette compétence.
DURÉE : 5 minutes environ par tirage.

L'EXERCICE :

• Prenez un jeu de cartes ordinaire (32 ou 52 cartes, sans joker) le nombre n'est pas important.
• Battez les cartes et placez-les en un tas devant vous, face cachée.
• Posez la main sur la première carte.
• Imaginez sa couleur, noire ou rouge.
• Retournez-la.
• Si vous avez deviné juste, posez-la à droite, félicitez-vous avec un « OUI » enthousiaste.
• Si vous n'avez pas deviné juste, posez la carte à gauche.
• Tirez toutes les cartes du tas.
• Lorsque vous avez terminé, comptez le nombre de cartes dans le tas de « réussite ». Statistiquement, si les intuitions n'existaient pas, il devrait être d'environ la moitié du nombre total de cartes du jeu car la probabilité de deviner la couleur d'une carte est de 50 % à chaque tirage.
• Déterminez le ratio de réussites **[explication 1]**.
• Avec l'entraînement, la répétition et la félicitation de chaque OUI, il y a de très grandes chances que vous progressiez dans votre score.
• Notez cette progression dans votre journal.

ENSUITE :

• toutes les méthodes et les cours destinés à développer les capacités intuitives proposent des exercices de ce genre. Vous pouvez l'étendre à tous les types d'entraînement et imaginer des exercices à l'infini (deviner si la prochaine personne à entrer sera un homme ou une femme, tirages à pile ou face, plaque

d'immatriculation paire ou impaire, objet dans la main droite ou la main gauche). Dans un premier temps choisissez des événements qui ont une chance sur deux de se produire. Vous pourrez compliquer plus tard.

COMPÉTENCES VISÉES : développer ses capacités précognitives.

[explication 1]
Prenez une calculatrice et divisez le nombre de **cartes devinées** par le **nombre total de cartes** du jeu, multipliez par 100, vous aurez votre ratio de réussites. (Exemple : 28 cartes devinées sur un jeu de 52 donnerait 28 / 52 = 0,538 ; multiplié par 100 = 53,8 %.)

L'exercice ci-dessus est un exercice de PRÉCOGNITION, l'une des intuitions extracognitives ou perception extrasensorielle selon l'appellation traditionnelle. Commencez à pratiquer cet exercice chaque fois que cela vous amusera.

Trois notions sont essentielles à cet apprentissage :

• La notion de **répétition** : l'apprentissage se fait par la répétition et le renforcement.

• La notion de **félicitation** : voici le renforcement positif de votre apprentissage, reconnaissez vos réussites à chaque fois. Cette notion est tellement importante que nous lui avons consacré une section (lire page 192).

• La notion d'**amusement**, le jeu favorise l'apprentissage, il est d'ailleurs la caractéristique de l'enfant en pleine phase d'apprentissage de la vie.

Avec l'entraînement il est fort possible que vous développiez votre taux de réussite. L'exercice va beaucoup plus loin que le simple jeu : petit à petit vous prendrez connaissance de la manière dont les intuitions communiquent avec vous. Avant de parler des modes de communication des intuitions, arrêtons-nous sur la notion de chances.

CHANCES OU CHANCE ?

PAR JEAN-MARIE PHILD

Casse au Casino

La roulette est un jeu de hasard où seul le casino gagne sur le long terme. Le cylindre de la roulette comporte 37 cases en France, toutes les cases sont gagnantes pour les joueurs, sauf une, la case numérotée 0. Si la bille tombe sur le zéro, le casino remporte toutes les mises, si elle tombe sur un autre numéro les gains sont distribués aux joueurs ayant misé sur ce numéro. Le casino ne mise pas, il a donc 1 chance sur 37 de ramasser toutes les mises. Le joueur qui mise sur un seul numéro a une chance sur 37 de gagner 35 fois sa mise, il perdra sa mise 36 fois sur 37. Le casino bénéficie donc d'un léger décalage des probabilités de gains. Une probabilité de 2,7 % des mises suffit. Le casino empoche, de façon certaine, 2,7 % de toutes les mises car le nombre important de tirages permet d'assurer cette stabilité de gains. Le joueur a une probabilité de gains certains négative sur le long terme, c'est le prix de l'adrénaline et d'un gain chanceux à payer. Ce sont les joueurs qui paient le casino à tous les coups.

Imaginez un casino où les joueurs gagnent une fois sur mille, plus de joueurs. Un casino où les joueurs perdent une fois sur mille, plus de casino. Tout est question de degré de tolérance du risque, de viabilité, de maintien de l'intérêt, d'une entente mutuelle entre les deux parties.

Aimeriez-vous assister à un match de football dont le résultat serait connu à l'avance ? La loterie nationale survivrait-elle si tous les joueurs gagnaient le gros lot ? Que serait votre vie affective si vous connaissiez à l'avance le jour de la séparation ? Liriez-vous un thriller sans *thrill*[1] ?

[1] *Thrill* : frisson, celui du plaisir suspendu, le suspense.

Vous n'aurez jamais toujours raison

Quelles que soient vos aptitudes et les entraînements que vous pratiquerez, vous n'arriverez jamais à 100 % de réussite à aucun des exercices que nous vous proposons. Cet objectif de certitude n'est pas viable, la nature a besoin d'incertitude, de complexité et de chaos pour survivre. Les casinos sont richissimes, leur objectif est tout simplement d'avoir un peu plus de chances que leurs clients.

Ayez comme objectif un léger décalage en votre faveur que ce soit en termes d'intuitions ou de décisions. Acceptez les échecs, ils sont naturels. Cette acceptation des probabilités est la raison majeure pour laquelle la science et ses chercheurs n'aiment pas la parapsychologie, les perceptions extrasensorielles et tout ce qui touche à l'irrationnel : impossible d'avoir des certitudes. Lorsque je suis avec un client, ce sont des possibilités, des probabilités que je perçois. Il est impératif de garder cette notion à l'esprit en permanence. Je vois une situation qui peut se dégrader ou qui peut évoluer, c'est toujours qui « peut ». Je ne suis pas un devin ou un prophète qui prédit des événements inéluctables, je suis un prévisionniste, un météorologiste de votre climat affectif, financier ou de santé futur. Mes prévisions ont un facteur d'incertitude, elles sont basées sur des renseignements, des informations issues de vous, de votre expérience mais aussi transmise par une mémoire collective à laquelle j'ai accès. Vous pouvez aussi apprendre à accéder à plus d'informations et avoir, juste un peu plus souvent, un léger avantage.

Les pressentiments, les prévisions, les prédictions, les prémonitions et autres *prés* sont des indicateurs pour la *pré*paration. Vous pourrez toujours modifier la trajectoire de votre vie, il ne sera pas toujours question de demi-tours mais de petites corrections de cap pour une vie meilleure. Les corrections de cap se font par petites touches, quelques degrés à droite, quelques degrés à gauche, 1 ou 2 % de chances de plus vers une belle traversée.

L'entraînement au jeu de la réussite que nous vous proposons plus haut vous permettra peut-être d'obtenir un taux de 55 à 60 %, c'est ce que l'entraînement régulier peut vous donner comme espérance. Peu de personnes arrivent au-delà, et il faut un très grand entraînement et des aptitudes particulières pour espérer le 100 %. Ne visez pas si haut, vous ôteriez peut-être tout intérêt à la vie. Un objectif de 55 %, c'est déjà plus que ce sur quoi les casinos ont bâti leur fortune !

CONNAÎTRE L'AVENIR

PAR DAVID O'HARE

Avoir des intuitions ne fait pas la décision. Avoir des intuitions ou des orientations probables sont les guides que nous vous proposons de suivre, reste à vous de prendre vos décisions en toute connaissance des causes et des effets.

L'intuition abolit le temps et souvent l'espace. Notre but est de regarder plus loin sur la flèche du temps, d'observer les grains qui ne sont pas encore tombés dans le sablier, de discerner les possibles et leurs risques. Nous croyons que l'homme est doté de telles facultés d'anticipation et d'appréhension qui lui ont permis de survivre au même titre que les émotions, les réflexes et la force musculaire.

Ma culture religieuse et ses interdits quant aux devins, magiciens et autres procédés divinatoires me font encore poser des questions. La principale étant de savoir si connaître l'avenir devait influencer mes décisions. La réponse est peut-être dans la poursuite de la rédaction de ce livre. Je vous confie une expérience bouleversante et je reviens vers vous ensuite avec des réflexions.

Six millions d'yeux humides. Je suis ému aux larmes. Un individu parmi trois millions de spectateurs émus, c'est moi. J'ai quitté la salle bouleversé par le film « Des Hommes et des Dieux », un grand moment de cinéma et de grâce terrible. Ce chef-d'œuvre est porté par un thème central omniprésent, omni-pesant, omni-oppressant : la décision. Les décisions et les ravages émotionnels, corporels et spirituels qu'elles peuvent déchaîner dans leur élaboration. Une décision ne se prend pas toujours, elle peut aussi nous prendre. Elle peut nous prendre aux tripes, envahir l'âme, tourmenter l'esprit. La décision terrifiante de continuer de vivre, de continuer de croire, de continuer à être droit dans ses valeurs et ne pas renier les décisions antérieures. Continuer.

Au moment où je vous écris je suis encore, en pensée, assis à la table de la scène du repas ultime, la dernière cène de ces disciples humains et beaux de simplicité tourmentée. Je suis à nouveau la caméra qui pèse sur chaque visage ; très proche, elle s'y attarde indiscrète et pudique avant de glisser vers un voisin, un frère, frère dans la foi, frère de sang en devenir. La musique sublime de Tchaïkovski accompagne, inattendue dans ce contexte, le balayage de l'œil, le ballet macabre des pensées et des craintes. Le lac des cygnes, la mort au rendez-vous, incertaine mais probable, l'envol vers l'éternité, la migration de la terre au ciel. L'espérance douloureuse de partir.

Décider de partir, décider de rester, les visages ridés, très proches de mon regard, loin dans leurs pensées. Impassibles, animés de tous les possibles. Les larmes naissantes au coin des yeux cherchent une vieille ride pour se cacher et s'y engloutir à l'abri de ma vue. Tout est dit dans le silence. Les visages de ces hommes ordinaires, simples et beaux me hanteront longtemps de leurs regards profonds perdus dans le bleu hypothétique d'un ciel plombé, égarés dans le futur tellement présent en esprit et en vérité.

Des Hommes et des Dieux, c'est un dilemme, le choix humain de rester, de vivre et de survivre coûte que coûte, le choix divin de rejoindre les anges, les nuages ou les oiseaux grands migrant vers l'horizon. Un dilemme c'est souffrir deux fois : lors du choix et lors de ses effets. Il n'y a pas de dilemme si l'issue n'est ni douloureuse ni fatale pour chaque hypothèse, lorsque ce n'est pas douloureux, c'est un luxe, celui du choix. Un dilemme c'est les émotions à leur paroxysme. Je revois ces visages, leurs dilemmes, leurs conflits intérieurs. Un dilemme, c'est parfois un corps et une âme en proie au conflit. Difficile de s'abandonner corps et âme, de lâcher prise, de décider.

En traitant ici des dilemmes et des décisions douloureuses, je voulais proposer un service de soins palliatifs à la double peine à laquelle ils nous condamnent. Il serait possible de moins souffrir en bénéficiant de l'assistance à la décision que notre inconscient et nos intuitions nous offrent depuis que l'homme est humain. Ces moyens que la science confirme peu à peu du bout des lèvres cousues jusqu'à présent par les tabous et les certitudes des chercheurs cloîtrés dans des laboratoires aux murs plus froids que ceux de Tibhirine.

Je ne pensais pas faire allusion à ce film lorsque j'eus l'idée de ce livre, il n'était peut-être même pas encore projet dans le cœur du réalisateur. Le choix de l'incorporer en hommage à la décision, toutes les décisions que nous prenons chaque jour, conscientes ou non, confiantes ou incertaines, vitales ou futiles, est venu d'une question qui me hante depuis le rideau final. Christian, Luc, Christophe, Célestin, Amédée, Jean-Pierre, Michel et Paul, pouvez-vous répondre à cette question qui me hante : « *Si votre mort était annoncée comme certaine, auriez-vous pris la même décision ?* ». Je crois que l'intuition de votre fin s'est affirmée petit à petit jusqu'à devenir une quasi-certitude, votre décision a pu alors être libre, totalement libre.

Le fait de connaître le futur, même très proche, peut-il influencer nos décisions du moment présent ? Le livre que j'écris ici traite d'intuitions, de conscience du futur, de prémonitions, de pressentiments, de connaissance et de reconnaissance comme des aides à la prise de décision, ai-je raison de poursuivre ? En cela la réponse me vient de la nature, de l'Univers ou de la sélection naturelle et c'est rassurant. Il semble que la réponse intuitive soit une réponse qui est cohérente pour nous, elle rassemble nos valeurs, nos intentions, nos expériences, notre état de santé ainsi qu'un grand inconscient collectif des émotions et de toutes les expériences humaines.

La décision sera toujours libre, éclairée, vôtre ; écoutez vos sens, vos intuitions et vos valeurs si vous désirez qu'une décision juste devienne bonne. Les intuitions sont un éclairage des possibilités et des chances.

LES GRANDES PERCEPTIONS EXTRASENSORIELLES

DANS LES PAGES QUI SUIVENT, NOUS DÉVELOPPONS SÉPARÉMENT les grandes perceptions extrasensorielles et les exercices s'y rapportant. Vous trouverez : la synchronicité, les pressentiments, les précognitions, les prémonitions, les rêves intuitifs, insight, GPS intégré, télépathie, vision à distance, flash-back, rétrocognitions, impression de déjà-vu.

LA SYNCHRONICITÉ

PAR DAVID O'HARE

C'est par l'observation des synchronicités de votre vie que vous pourrez entrer facilement dans une nouvelle dimension de l'information à votre disposition. C'est le psychiatre suisse Carl Gustav Jung qui a défini la synchronicité comme étant l'occurrence simultanée d'au moins deux événements qui ne présentent pas de lien de causalité mais dont l'association prend un sens pour la personne qui les perçoit. C'est une coïncidence avec un sens. Nous savons tous qu'une coïncidence est la survenue de deux événements non liés au même moment (co = avec, incident = événement). Nous en constatons à chaque instant, certaines sont remarquables d'autres non, la plupart oubliées immédiatement. Les coïncidences remarquables sont celles qui sont inattendues, cocasses et surprenantes. Elles n'ont pas forcément un sens pour celui qui les observe.

La synchronicité est une coïncidence remarquable car elle prend un sens particulier pour celui qui l'observe. La survenue des événements ne s'explique pas (acausalité), elle semble annuler le temps et être imprévisible (atemporalité) et elle revêt une signification pour l'observateur (sens subjectif).

J'ai observé de très nombreuses synchronicités marquantes. Je reste profondément touché par chaque survenue, je les trouve réconfortantes et rassurantes. L'une des synchronicités les plus marquantes me bouleverse encore car elle fait remonter à la surface une période extraordinaire de mon enfance.

Dans les années 1960, je vivais à Marseille, j'étais très jeune et j'avais une passion pour la radio. Mon père m'avait ramené des États-Unis un petit transistor dans une petite housse en cuir fauve, l'un de ses plus beaux cadeaux. Ce poste m'accompagnait partout et par toutes les nuits. J'écoutais toutes les grandes émissions du soir, au lit, le petit écouteur en plastique blanc enfoncé dans l'oreille dans la discrétion et le silence le plus total, car la confiscation aurait été la pire des punitions. Un soir par semaine, de 22 à 23 h, j'écoutais « les nuits du bout du monde » de Stéphane Pizella. C'était très tard pour moi, jeune garçon, et je m'endormais souvent, mi-songe, mi-veille, sur la voix de Monsieur Pizella qui lisait des livres de voyage, Orson Wells, Joseph Kessel et d'autres grands voyageurs, poètes et rêveurs. La musique rythmait les chapitres et les choix musicaux ajoutaient à la magie de la nuit, du secret, des lointains pays d'Orient ou d'Amérique du Sud, des talents de conteurs et la voix qui résonne encore en moi comme un grand moment d'enfance. L'émission s'est arrêtée en 1965, j'ai grandi, j'ai déménagé plusieurs fois, je n'ai jamais oublié Stéphane Pizella ni sa voix. Si j'entends la suite du Grand Cañon de Ferde Grofé, générique de l'émission, j'ai encore la chair de poule, y compris en écrivant ces mots.

L'enfance et l'adolescence sont arrivées, la radio est devenue moins présente, j'étais étudiant en faculté de médecine. Le 8 mars 1970, j'étais chez mes parents, j'occupais la chambre de ma sœur, un poste de radio étant près du lit, je l'ai allumé et j'entendis le morceau « Sunset » tiré de la suite du Grand Cañon. Bouleversé, je croyais à une rediffusion des nuits du bout du monde ; Shangaï, Rio de Janeiro, Chandernagor, tous ces noms mythiques me sont revenus avec anticipation. J'attendais avec impatience la fin des 50 secondes de générique pour entendre Sa voix, mais le destin avait choisi une autre voie : « nous avons appris aujourd'hui le décès de Stéphane Pizella journaliste à France Inter ». J'avais allumé la radio pour la première fois en quinze ans le jour même de son décès, cette voix qui avait *émotivé* mon enfance pour les voyages et la belle écriture venait d'envoyer par delà les grandes ondes un message d'adieu de sa nuit du bout du monde.

Vous avez déjà été témoin de très nombreuses synchronicités : vous pensez à quelqu'un que vous n'avez pas vu depuis des années et vous le rencontrez dans la rue le lendemain. Vous lisez un mot pour la première fois, vous le cherchez dans le dictionnaire pour en comprendre le sens, ce mot apparaît ensuite des dizaines de fois dans les jours qui suivent. Vous cherchez la réponse à une question ou à un problème, vous parcourez les rayons d'une librairie au hasard, un livre semble vous attirer, vous le prenez, vous avez la réponse que vous cherchez. Ce ne sont que des petits exemples de la vie de tous les jours.

L'observation des synchronicités de votre vie sera pour vous une porte grande ouverte vers le développement de votre intuition, il semble que ce soit l'un des premiers pas à accomplir, l'un des plus simples en tout cas. C'est d'ailleurs ce qu'ont fait les précurseurs dans le domaine du développement intuitif et les tentatives d'explications du fonctionnement de notre perception intuitive. De très nombreux auteurs ont publié sur la synchronicité et ses applications.

Développer ses intuitions par les synchronicités

Les synchronicités ont ceci de fascinant c'est qu'elles surviennent sans s'annoncer, leur observation pourra ainsi se faire au cas par cas, à chaque survenue, ce sera l'objet l'exercice.

Pour augmenter vos chances d'observer des synchronicités en nombre suffisant pour qu'elles vous soient utiles, nous vous conseillons une pratique de pleine conscience de votre choix, méditation, *mindfulness*, yoga, contemplation et surtout, la respiration en fréquence 6 trois fois par jour qui est, de loin, la méthode la plus simple. La cohérence cardiaque est l'exercice idéal si vous n'avez aucune pratique à ce jour. Nous avons jugé bon d'insérer ce rappel au cas où vous l'auriez oublié.

Exercice pratique n°11 : observer les synchronicités

OBJECTIF : reconnaître et observer les synchronicités, utiliser leur signification.
IMPORTANCE : recommandé.
DIFFICULTÉ : ★
TYPE : observation.
QUAND : à chaque survenue d'une synchronicité.
FRÉQUENCE : selon les survenues des synchronicités.
DURÉE : quelques minutes.

L'EXERCICE :

- **Tenir un journal est un avantage important.**
- **Soyez attentifs à toutes les coïncidences ayant un sens pour vous (synchronicité).**
- **Lorsque deux synchronicités auront été observées, soyez très attentif aux suivantes sur le même thème car elles surviennent, en général, par « paquets » de 3 ou de 4 en quelques jours très rapprochés.**

• Passez un peu de temps pour savoir si ces synchronicités sont une réponse à une interrogation en cours, une situation difficile, une orientation à prendre. C'est souvent le cas.
• Dites « merci ». La reconnaissance est la façon de clôturer tous les exercices à partir de maintenant car c'est l'un des moyens les plus efficaces pour obtenir davantage de renseignements à l'avenir.
ENSUITE :
• vous pouvez « programmer » une réception de synchronicités. Il s'agit de faire une demande sincère d'obtenir une réponse à une question ou une direction et d'attendre l'attention à l'affût [explication 1].

COMPÉTENCES VISÉES : l'auto-observation et la validation des synchronicités.

[explication 1]
Faire une demande : cela pourrait ressembler à la prière, d'ailleurs je l'appelle souvent la prière laïque. Il s'agit d'affermir une intention, une volonté et de la « lancer » dans l'avenir : « je décide, j'aimerais, je voudrais ». La meilleure façon de lui donner un corps est de l'écrire dans votre journal.

Un mot sur l'écriture et le journal

Écrire une décision, une pensée, un souhait, une intention est un moyen très efficace de l'ancrer et de lui donner vie. À ce sujet Henriette Klauser a concentré la recherche scientifique sur le sujet de l'écriture comme ancrage et comme participation à la réalisation des intentions dans son surprenant livre « Writing on Both Sides of the Brain », (écrire dans les deux côtés du cerveau). Ne négligez donc pas la tenue de votre journal, mémoire de vos progrès et terreau de vos décisions.

TROIS FORMES POUR LA SYNCHRONICITÉ

• Un événement incongru

Une synchronicité peut débuter par un seul événement incongru ou paradoxal sans aucune relation avec la réalité en cours. Alors que j'habitais encore en France, j'ai pris une semaine de vacances en Gaspésie, qui est le bout du bout du Québec, à mille kilomètres de Montréal. Je suis donc à Gaspé, ville de 15000 habitants face à l'Océan. Je sors d'un magasin et mes voisins immédiats de ma rue de Nîmes sont là ! C'est une synchronicité : même lieu, même moment totalement improbable d'un point de vue statistique.

• Un lien avec un sujet en cours

Une synchronicité peut avoir un lien avec un sujet ou une question en cours. J'étais, le mois dernier, à Cape Cod dans le Massachussetts pour écrire les dernières pages de ce livre. Je rédigeais le chapitre que vous lisez. L'après-midi je pris une pause. Je suis entré chez un bouquiniste que je ne connaissais pas. L'ambiance ne me plaisait pas, son propriétaire négligé non plus. J'avais décidé de partir lorsqu'il annonça « on ferme dans dix minutes » je me dirigeai vers la sortie sans achat, et sans regret ce qui est exceptionnel pour moi. Soudain, un livre attira mon attention : un livre écrit par Byron Janis sur Chopin. Deux idoles rescapées de mes années de musique et de conservatoire, mémoires d'une autre vie, d'une autre voie. Pressé par le temps et par la frustration, je pris le livre, je sortis sans un sourire. Arrivé à la maison j'ouvris le livre au hasard, sans aucune intention particulière si ce n'est celle d'avoir du plaisir à lire, le livre s'ouvrit en deux et livra un chapitre « Synchronicité ». Je ne savais pas que Byron s'était intéressé aux perceptions extrasensorielles et qu'il en avait bénéficié. Cette intervention de St-Chrone[1] avait un sens pour moi, il n'en aurait peut-être pas eu pour vous.

[1] St-Chrone : Saint issu de mon imagination comme étant celui des synchronicités.

• Un second événement lié

Une synchronicité peut être la survenue d'un second événement lié à un premier et que la survenue d'une telle coïncidence soit improbable. Toujours pour ce livre, je faisais des recherches sur les pressentiments et l'attaque sur les tours jumelles du Word Trade Center. Je suis tombé sur un tableau d'Alex Grey, artiste américain dont je n'avais absolument jamais entendu parlé. Il représentait très clairement l'attaque des tours par deux avions. Ce tableau, nommé Gaïa, avait été peint en 1989 ! C'est une découverte surprenante mais ce n'est pas une synchronicité. Alors que j'écrivais un autre chapitre consacré à la mémoire collective et cherchais des antécédents historiques à cette hypothèse, je découvre l'hypothèse Gaïa ! Ce n'est pas fini. Je cherchais une illustration pour les chakras, quel est l'artiste moderne qui a largement illustré les chakras d'après vous ? Alex Grey ! Une synchronicité à trois volets qui m'a été très utile car elle sert parfaitement d'exemple à mon propos ici.

La signification

Vous croirez de moins en moins au hasard. Les synchronicités sont très rarement le fait d'un simple aléa, en tout cas, elles doivent nous inciter à l'attention. Il est rare qu'une synchronicité soit une mise en garde ou une alerte. En général, notre conscience extra-cognitive utilise plutôt les pressentiments, les prémonitions ou les précognitions (tous ces termes feront l'objet d'un chapitre distinct). La signification habituelle serait plutôt une confirmation, un assentiment par rapport à une décision ou à un choix, un feu vert venu d'un centre de commande situé je ne sais où. Lorsque vous notez une synchronicité, elle a déjà un sens pour vous. Prenez le temps de chercher un sens en rapport avec une question en cours dans votre actualité. C'est souvent le petit coup de pouce qui fera basculer une décision d'un côté ou la certification d'une incertitude. Soyez ouvert, soyez attentif.

La reconnaissance

La reconnaissance est aussi importante que l'attention. Il s'agit d'un simple « merci » à l'origine de la synchronicité, vous pouvez l'appeler comme vous voulez : l'Univers, la Nature, St-Chrone, Dieu, un Ange Gardien, la Destinée, votre guide, qu'importe. Dites-lui merci.

Programmer des synchronicités

Il s'agit de la programmation par l'intention. Pour illustrer cette notion, voici un exemple tiré formidable ouvrage « PSI » d'Érik Pigani :

Lise, auteur de chansons, raconte une expérience particulièrement significative. Alors qu'elle était encore étudiante, elle décide d'investir toutes ses économies pour ouvrir un bar à chansons à Québec. Pour l'inauguration, elle aimerait faire venir des journalistes, mais tous lui répondent qu'elle doit créer un événement en faisant parrainer son bar par une personnalité. Le chanteur Félix Leclerc par exemple. *{Ici, elle formule une intention : contacter Félix Leclerc}*.

Alors, elle cherche à contacter celui-ci, en vain. « C'était terrible. J'avais vraiment besoin de sa présence pour l'ouverture, raconte Lise. Sans lui, pas de presse. Mais je ne me suis pas découragée, j'ai eu confiance en la vie, sachant qu'elle apporte souvent des réponses à nos besoins fondamentaux ». *{Ici, elle lâche prise et s'ouvre}*

Le soir même, la jeune femme éprouve l'envie de faire un tour en voiture. Pourtant, c'est l'hiver, il fait nuit et froid. Elle roule donc. *{Ici, elle suit son intuition}*

Tout à coup, devant elle une voiture fait une embardée et se fiche dans un banc de neige. Lise s'arrête, le conducteur sort de son véhicule… et qui croyez-vous se trouvait devant elle ? Pour ceux qui ne l'auraient pas deviné, il s'agissait de Félix Leclerc, bien sûr. Quinze jours plus tard, relate le journaliste, le chanteur faisait l'ouverture du bar de Lise.

L'intention était le point de départ, il servait aussi de première occurrence à laquelle Lise pouvait rattacher les synchronicités suivantes. L'intention donne un sens, une direction. Pour « programmer » vous pouvez vous reporter à l'exercice d'intention page 188.

L'AVENIR EST DANS LE PRÉ

Le bonheur aussi, si l'on tient compte de quelques messages de prévention. Nous allons explorer trois *prés* successivement : les *pre*ssentiments, les *pré*cognitions et les *pré*monitions. Ces *prés* sont considérés comme faisant partie du champ des perceptions extrasensorielles, à vous de les cultiver !

Voici maintenant quelques définitions pour que vous puissiez avoir une vision claire des termes que nous emploierons. Les différences sont subtiles et les auteurs ne sont pas toujours d'accord entre eux. Comme d'habitude nous nous en tiendrons à la construction étymologique du mot qui donne les nuances que nous adopterons pour plus de clarté. Dans les textes d'autres auteurs vous constaterez certainement que, pour eux, certains de ces termes sont interchangeables.

Pressentiment

Il s'agit d'un **sentiment** perçu avant. Un sentiment est une émotion teintée d'une pensée. Il s'agit de la perception d'un malaise ou un inconfort indéfinissable (que l'on ne peut définir avec un mot). C'est un sentiment, non raisonné, qui fait craindre (ou espérer) un événement émotionnel futur. Le pressentiment est un sentiment perçu préalablement.

Précognition

Du latin *prae* = avant et *cognitio* = prendre connaissance. Il s'agit d'une **connaissance**, une pensée, un savoir, une image mentale préalable, avant que l'événement qu'elle décrit se produise ou soit connu. C'est la précision de ce terme qui nous fait le préférer à celui de prémonition, plus flou. Nous parlerons donc plutôt de précognitions dans la suite de ce chapitre. La précognition et la prémonition diffèrent par la cible de la perception : la pensée pour la précognition, les émotions pour les prémonitions.

Prémonition

La monition est un mot français qui a perdu son emploi. Il s'agit d'un avertissement par l'autorité d'un évêque avant une excommunication. Issue du latin *prae* = avant et *monitio* = avertissement, la prémonition est donc un **avertissement** préalable. Plusieurs notions se sont ajoutées à cette définition. Tout d'abord, la prémonition a souvent besoin qu'elle s'avère vraie pour qu'elle soit reconnue. L'avertissement est un message, c'est du domaine de la pensée ou d'une image. Les rêves peuvent être prémonitoires, c'est d'ailleurs dans ce cadre qu'ils sont le plus souvent rencontrés. Par convention, nous réserverons le terme de prémonition aux rêves prémonitoires.

PRESSENTIMENTS

La prémonition est le fait de **ressentir** qu'un danger est imminent. Le pressentiment est la vague sensation d'un danger imminent, l'impression que quelque chose ne va pas. Si je reprends la définition d'un sentiment comme étant une émotion teintée d'une pensée, il s'agit d'une émotion qui a été interprétée par le cerveau limbique comme dangereuse. Le pressentiment est donc un sentiment perçu à l'avance.

Avons-nous la capacité à sentir le futur et ses dangers ? Il semble que ce soit le cas. Vous avez certainement ressenti cette impression d'inconfort quelques secondes avant un événement ou une nouvelle. Les pressentiments surviennent à l'improviste, comme le danger qu'ils annoncent. La seule manière de s'entraîner à développer les pressentiments c'est de développer nos perceptions. Tous les exercices de ce livre y conduisent.

Les pressentiments sont exploités au cinéma, au cirque et dans le spectacle en général. Le héros de votre film marche calmement dans un environnement paisible, quelques notes de piano lugubres ou la plainte d'un violoncelle annoncent que quelque chose se prépare, le réalisateur vous informe d'un danger imminent et vous demande votre pleine attention, vous pressentez. Ce n'est pas une image ou une pensée, c'est un sentiment, une émotion. La bande-son est un appel à l'attention, une mise en garde et une anticipation, une *anticipaction* dans le cas du spectacle. Alfred Hitchcock était le maître du pressentiment.

Le fond sonore de notre corps est constitué par les émotions et les sentiments qui véhiculent en permanence une information accompagnant chacun des moments de notre vie, comme la bande son d'un film. Nous pouvons apprendre à l'entendre et reconnaître les changements dans le rythme et dans le ton. C'est l'objet de l'entraînement présenté plus loin dans ce chapitre (voir exercice page 146).

Il n'est pas nécessaire de démontrer les pressentiments, nous en avons tous expérimenté à un moment de notre vie. En général le message nous dit « Stop ! Arrête ! » C'est un ordre d'interruption d'une action ou d'une décision qui pourraient nous nuire. Il est plus difficile de les mettre en évidence sur le plan scientifique. Si les pressentiments sont perçus par la majorité des personnes, cela devrait se constater sur les chiffres des accidents de transport.

Pressentiments collectifs

C'est ce que William Cox voulut démontrer en 1956. Mr Cox reprit tous les accidents de train survenus aux États-Unis entre 1950 et 1955. Pour chacun des accidents examinés, il a comparé le nombre de passagers à bord avec le nombre de passagers à bord du même train pendant les 7 jours précédant l'accident ainsi que 7 jours, 14 jours, 21 jours et 28 jours avant l'accident.

À chaque fois, le nombre de passagers à bord du train accidenté était inférieur au nombre moyen de passagers présents en temps habituel. Par exemple, le 15 juin 1952, le « Georgian » ne transportait que neuf passagers alors qu'il en comportait habituellement une soixantaine. Il est évident que les passagers qui n'ont pas pris le train ne l'ont pas fait en se disant « il va y avoir un accident, je ne prends pas le train ! », ce sont de multiples raisons mystérieuses qui ont poussé les voyageurs potentiels à ne pas le prendre. Ce ne sont que des histoires personnelles me direz-vous, en effet, mais ces histoires ont peuplé l'histoire de tous les accidents impliquant un grand nombre de personnes. Les calculs de probabilité dans le cas des accidents de train de William Cox ont montré qu'il y avait, à chaque fois moins d'une chance sur cent pour que le nombre de personnes soit aussi faible le jour de l'accident.

Un autre exemple concerne les avions impliqués dans les attentats du 11 septembre 2001. Au total sur les quatre avions concernés, l'occupation n'était que de 21 % ce jour-là, un taux très largement inférieur au taux de remplissage habituel.

Nous ne sommes pas fans de la théorie des complots ou des explications ésotériques et polémiques, nous désirons simplement évoquer avec vous la possibilité de l'existence de signaux d'alerte collectifs et de notre certitude de l'existence d'un système d'alerte inconscient basé sur l'intuition et les émotions. Ce sont ces signaux que nous vous proposons de percevoir, d'interpréter, de voir, d'entendre ou de sentir.

Pressentiment personnel

PAR DAVID O'HARE

Il y a trois ans, en juillet, je terminais le manuscrit de mon premier livre à Montréal. Mes enfants habitent en France. Mon petit-fils était né quelques mois auparavant et je prenais régulièrement des nouvelles. Ma fille me disait qu'il dormait mal, qu'il pleurait beaucoup, et j'avais le pressentiment qu'elle ne me disait pas tout, que quelque chose de plus sérieux était en train de se passer. Le pressentiment indéfinissable se précisait à chaque appel malgré les paroles que ma fille voulait rassurantes.

Je venais d'envoyer un lot de corrections de mon manuscrit, je pouvais disposer d'une semaine avant de partir pour un voyage prévu de longue date aux États-Unis. J'ai pris un billet d'avion Montréal-Marseille, poussé par ce pressentiment. Mon petit-fils ne dormait pas, il pleurait, j'étais rassuré mais mon pressentiment persistait. Trois jours après mon arrivée, ma belle-sœur m'a appelé pour me dire que mon frère avait eu un malaise et qu'elle attendait le médecin. J'ai pris la voiture de ma fille, j'ai roulé aussi vite que j'ai pu. Lorsque je suis arrivé, le SAMU repartait, mon jeune frère était décédé brutalement sans aucun signe avant-coureur Le pressentiment avait été vague, je l'avais rattaché à une cause possible, plausible, le résultat état là : il fallait que je sois en France, dans le Sud, près de ma famille !

Comment dire par quelle voie ce pressentiment m'avait poussé, je ne le sais pas. Je commence à percevoir les messages qu'il est préférable de respecter. C'est dans les tripes, dans le cœur, une pression douce mais persistante à changer de cap.

S'exercer à pressentir

Nous avons beaucoup réfléchi à l'exercice prévu pour s'exercer à pressentir. Cela passe par s'exercer régulièrement à ressentir. Il s'agit d'un exercice d'attention, au corps, aux messages émotionnels, aux pressions douces mais persistantes à agir parfois de façon irrationnelle.

Les pressentiments sont souvent confondus avec l'intuition : « Je savais qu'il ne fallait pas que je fasse ceci. J'avais le sentiment que ce n'était pas la bonne personne, etc. ». Comme pour les intuitions en général, il est clairement constaté que les personnes ayant une pratique de pleine conscience quelle qu'elle soit, obtiennent davantage de pressentiments que les autres.

La pratique de la cohérence cardiaque régulièrement, par l'exercice respiratoire F-6, tous les jours, trois fois par jour pendant 5 minutes est la pratique où la simplicité, le temps d'apprentissage et la durée des exercices sont, de loin, supérieurs à ceux de toutes les autres pratiques connues à ce jour. Nous renouvelons nos conseils d'adopter cette pratique si vous n'en avez aucune.

Pour s'exercer à pressentir : pratiquez la cohérence cardiaque tous les jours ou adoptez une pratique de pleine conscience (méditation, yoga, *mindfulness*, Tai-chi.).

Lors d'un pressentiment

Si vous avez un sentiment qui ne « cadre » pas avec votre actualité, l'impression d'une menace inconnue ou un inconfort qui n'est pas justifié, prenez le temps de pratiquer l'exercice suivant.

Exercice pratique n°12 : tester un pressentiment

OBJECTIF : apprendre à reconnaître les pressentiments comme tels.
IMPORTANCE : recommandé.
DIFFICULTÉ : ★★★
TYPE : entraînement.
QUAND : lorsque vous aurez l'impression d'avoir un pressentiment.
FRÉQUENCE : à la demande.
DURÉE : quelques minutes.

L'EXERCICE :

• Localisez l'émotion au niveau corporel **[explication 1]**.

• Posez-vous les questions suivantes :

• Avez-vous déjà ressenti ce genre d'émotion ? À quelles occasions ?

• Avez-vous peur ? Êtes-vous triste ? Êtes-vous en colère ? Nommez votre émotion.

• Est-ce que cet inconfort peut être lié à une situation actuelle, en cours ?

• Qu'est-ce qui a changé pour vous ces derniers jours ? **[explication 2]**.

• Si vous n'avez aucune explication ou réponse ouvrez toute votre attention pour les heures et les jours suivants : attendez d'autres pressentiments et d'autres orientations (synchronicités ou d'autres formes de messages intuitifs). Soyez prêt à accepter n'importe quel message.

COMPÉTENCES VISÉES : reconnaître un pressentiment.

[explication 1]

Localisez l'emplacement de l'émotion : pour cela vous pouvez pratiquer un autoscanner rapide. Les pressentiments ont tendance à adopter le même mode d'information pour une même personne. L'objectif de cet exercice, justement, est de connaître et de reconnaître ce mode de communication.

[explication 2]

Qu'est-ce qui a changé pour vous ces derniers jours ? : un pressentiment est souvent lié à une situation en cours ou survient à la suite d'un changement perçu comme une menace. Il est aussi possible que des messages vous aient déjà prévenu d'un danger. Surveillez les synchronicités en rapport avec le pressentiment que vous avez.

Comme nous l'indiquions en début de livre, les émotions du passé, du présent et du futur auront tendance à se manifester de façon similaire pour vous selon votre mode de perception ou un nœud émotionnel préférentiel. Petit à petit, vous apprendrez à reconnaître ces messages subtils par la pratique systématique des dialogues entre vous, vos sens et vos intuitions.

STOP !

Les pressentiments sont souvent aussi des messages d'arrêt. Le gros bouton rouge d'urgence auprès de tout appareil, le signal d'alarme des trains, le bouton STOP des ascenseurs.

La nature et son évolution nous ont dotés de freins puissants. Les émotions de base dites négatives ou désagréables (la peur, la honte, la colère, la tristesse et la surprise, selon Paul Ekman) sont en nombre très supérieur aux émotions dites positives ou agréables (la joie par exemple). Ces émotions sont destinées à nous intimer l'ordre d'arrêter immédiatement.

Le feu rouge est un ordre impératif. Le feu vert ne présente pas la même impériosité, vous pouvez démarrer à votre gré, le seul risque à ne pas obtempérer immédiatement réside dans le *klaxon*[1] au volant derrière vous. Nous sommes devenus des daltoniens des émotions, confondant le rouge et le vert. Nous fonçons au travers des carrefours de la vie à tombeau souvent ouvert.

Lorsque vous êtes sur le point de faire quelque chose (action), que cette action soit le résultat d'une délibération (choix) ou d'un automatisme de la vie quotidienne (programmation) et que vous sentez (émotion) un empêchement, un blocage ou une gêne inhabituelle en rapport avec l'action, arrêtez-vous. C'est le message essentiel des pressentiments : stop.

Nous vous proposons la méthode STOP.

[1] Klaxon : se prononce claque ce con.

S • Soupirez profondément : une expiration volontaire et profonde stimule le système parasympathique et entraîne un état de relaxation automatique. Il s'agit d'une remise à zéro des émotions et du système nerveux autonome.
T • Testez votre corps : c'est un autoscanner que vous pourrez réaliser de plus en plus rapidement avec l'entraînement. Concentrez-vous sur les régions préférentielles de votre corps. Focalisez toute votre attention sur l'emplacement d'un blocage car les modifications du pressentiment seront perçues à cet endroit. Tester le corps, c'est poser des jalons pour les découvertes futures.
O • Observez l'emplacement des blocages : c'est repérer le nœud et l'émotion associée à votre gêne.
P • Prudence : prêtez attention à tout ce qui se présente, il y a de fortes chances d'avoir confirmation, infirmation ou d'autres informations.

Reconnaître l'échappée belle

Lorsque vous aurez l'impression de l'avoir échappé belle, prenez le temps de dire merci. C'est à nouveau de reconnaissance dont il est question dans ce court exercice à répéter à chaque fois que vous auriez pu dire *Ouf !* Le mot « ouf » est d'ailleurs la retranscription phonétique du soupir de soulagement parasympathique. N'oubliez pas cette étape, qu'elle devienne un automatisme. Le corps a besoin de la validation de nos expériences pour les stocker en mémoire à long terme, pour les intégrer à notre patrimoine intuitif et les restituer aux moments opportuns.

Exercice pratique n°13 : la reconnaissance du cœur

OBJECTIF : renforcer la reconnaissance et la validation d'un pressentiment ou de tout autre message préventif.
IMPORTANCE : recommandé.
DIFFICULTÉ : ★

TYPE : validation.
QUAND : le plus tôt possible après avoir eu connaissance d'un pressentiment qui vous a préservé.
FRÉQUENCE : à la demande.
DURÉE : 3 minutes.

L'EXERCICE :
- Expirez profondément.
- Pratiquez une minute de respiration en F-6 (6 respirations)
- Focalisez toute votre attention sur la région du cœur, comme si vous « respiriez par le cœur ».
- Ajoutez un sourire à votre visage.
- Laissez-vous envahir par l'émotion de la reconnaissance, la gratitude.
- Imaginez que vous envoyez un grand merci à la force qui vous a préservé.
- Revenez à l'instant présent en douceur avec au moins 6 respirations en F-6 (une minute).

ENSUITE :
- vous appliquerez cet exercice à toutes les situations où vos intuitions vous auront protégé, prévenu, aidé. Automatisez cet exercice, il ne prend que 3 minutes. 3 minutes d'une très grande puissance.

COMPÉTENCES VISÉES : la pratique régulière de la reconnaissance.

Quelques explications

La reconnaissance du cœur est une notion qui peut paraître abstraite. Lorsqu'on évoque, avec sincérité (avec le cœur) un sentiment de compassion, de gratitude et de reconnaissance, le cœur amplifie le niveau de cohérence de la variabilité de sa fréquence. Il s'ensuit une sécrétion d'ocytocine, neurotransmetteur qui a été appelé hormone de l'attachement et de l'amour. L'ocytocine participe à l'inhibition de la peur, de l'anxiété par le biais d'une action favorable sur la sécrétion du cortisol. Elle augmente la confiance et favorise la mémorisation, en particulier des événements agréables.

Pour atteindre cette reconnaissance du cœur (sincérité), il est aussi possible de focaliser toute son attention sur la région du cœur et d'imaginer que l'on envoie de la reconnaissance et de la gratitude à partir de celui-ci. La reconnaissance du cœur avec focalisation sur cette région a été utilisée par la religion orthodoxe en tant que prière du cœur méditative associée avec la respiration. Entraînez-vous à déplacer votre reconnaissance vers le cœur comme si vous « ouvriez le cœur ». Dites merci avec votre cœur à l'énergie que vous voulez, pour rester neutre vous savez que nous l'avons appelée « infosphère » (lire page 197) mais vous pouvez l'appeler Univers, Dieu, Providence, Nature, Destin… le nom est un mot qui désigne la même énergie dans ce cas.

Souriez. L'association du sourire à la cohérence cardiaque augmente l'amplitude de la variabilité cardiaque et ses effets, en particulier sur l'ocytocine. Lorsque vous affichez un sourire volontairement, vous informez vos émotions de votre état de reconnaissance.

La reconnaissance et la validation de chaque échappée belle peuvent paraître longues (3 minutes). Rassurez-vous, vous aurez vite fait d'automatiser et de ritualiser ce processus. Il s'agit, dans ce cas, d'un entraînement. Depuis que je pratique la méditation et la cohérence cardiaque (plus de 10 ans) et depuis que Jean-Marie pratique la parapsychologie activement (plus de 20 ans) nous percevons des pressentiments pratiquement tous les jours. Certains nous ont évité de gros ennuis, et cela vaut largement le « merci » qu'ils ont suscité, c'est la moindre des choses.

Si vous tenez un journal, notez vos pressentiments.

PRÉCOGNITIONS

Nous avons séparé les précognitions des prémonitions que nous réservons pour les rêves prémonitoires. La précognition est la connaissance d'une situation ou d'un événement avant qu'ils ne surviennent. Les précognitions surviennent brutalement, elles ont parfois un rapport avec un événement en cours, une situation actuelle ou un déclencheur.

Bizarre Ibiza

PAR JEAN-MARIE PHILD

J'ai l'habitude des images et des précognitions pour mes clients, je vois des événements et des situations comme sur un écran de cinéma, je peux les décrire et les associer aux émotions que je ressens, sérénité ou malaise, je peux transmettre l'information et dire garde à vous. J'ai bénéficié de nombreuses précognitions pour moi, à chaque fois j'ai été prévenu par une émotion de malaise que je devais prêter une attention plus importante à mon environnement. La plus récente en date est l'une des plus désagréables à ce jour.

J'étais à Ibiza avec des amis pour quelques jours de repos, de plage, de baignade et de soleil. Nous étions en train de prévoir notre journée du lendemain lorsque j'eus un malaise très désagréable, une boule dans la gorge, un mauvais goût dans la bouche, une envie de vomir. Une image fugace m'était apparue : je voyais la plage, la nôtre et un corps étendu inerte à la lisière de la marée, j'étais marqué par l'image de l'écume qui le recouvrait et le découvrait à chaque ressac. L'image revenait en vagues, inconfortable, de plus en plus précise. Je participais moins à la décision collective pour le lendemain. Nous irions à la plage fut-il décidé.

Le lendemain, nous marchions donc dans le sable, en direction du coin de plage que nous nous attribuions tous les matins. Nous approchions. Au loin, notre emplacement semblait occupé par de trop nombreuses personnes. Les personnes entouraient une forme gisant sur la plage, la forme était recouverte d'une serviette, les secours arrivaient, c'était un homme, il était mort, assassiné.

Exercice pratique n°14 : valider une précognition

OBJECTIF : il est vraisemblable que vous recevrez des précognitions en pratique les exercices en cours. Si c'est le cas, vous aurez besoin de la valider pour avoir plus de probabilités d'en recevoir d'autres.
IMPORTANCE : recommandé.
DIFFICULTÉ : ★
TYPE : validation.
QUAND : le plus tôt possible après la survenue de ce qui semble être une précognition.
FRÉQUENCE : à la demande.
DURÉE : quelques minutes.

L'EXERCICE :
- Expirez profondément.
- Respirez en F-6 pendant 6 respirations (une minute).
- Faites réapparaître l'image ou la scène qui s'est présentée à vous **[explication 1]**.
- Observez l'image attentivement **[explication 2]**.
- Maintenez la respiration en F-6 **[explication 3]**.
- Revenez doucement à la réalité.

ENSUITE :
- soyez attentif si, dans les heures ou les jours qui suivent, une situation, un lieu ou un événement que vous avez vu dans la précognition n'est pas en train de se mettre en place. Installant un « déjà-vu » ou plutôt un « déjà-su ».

COMPÉTENCES VISÉES : développer la reconnaissance.

[explication 1]
Faites réapparaître l'image : les précognitions sont des images ou des scènes de type vidéo. Elles peuvent être d'un surprenant réalisme. Souvent fugaces, comme les rêves, elles peuvent disparaître si elles n'ont pas été fixées. Reprenez l'image ou la séquence que vous venez de recevoir, affichez-la dans votre imagerie mentale.
[explication 2]
Observez l'image attentivement : il s'agit de graver cette image dans votre mémoire pour pouvoir la retenir. L'observation de tous les détails est capitale car il y a de fortes chances que cette image ne revienne pas (si jamais elle revenait, c'est un véritable message de haute importance pour vous). Prenez votre temps dans les détails comme si vous deviez les décrire le lendemain.
[explication 3]
Maintenez la respiration en F-6 : il s'agit de d'ancrer l'image en mémoire. L'objectif étant d'être attentif lorsque la situation se présente dans votre vie et que vous puissiez la reconnaître pour y faire face.

Les exercices de validation sont très importants pour augmenter vos capacités à reconnaître les signaux préventifs. N'oubliez pas la reconnaissance, encore et toujours.

LES RÊVES PRÉMONITOIRES (PRÉMONITIONS)

De rêves, il sera question de ceux qui sont prémonitoires (lire page 163). Lorsque nous avons étudié la littérature concernant les prémonitions, nous avons constaté que la grande majorité des anecdotes, des histoires et des textes écrits concernait les rêves prémonitoires. Cette constatation nous a confortés dans la décision de séparer les **précognitions** (la connaissance préalable d'un événement futur reçue en état de veille) et les **prémonitions** (la connaissance préalable d'un événement futur reçu en état de sommeil). C'est une convention entre nous qui durera le temps de votre lecture si vous le permettez.

La littérature abonde de rêves prémonitoires, le cinéma en regorge, les textes sacrés en font état. Vos rêves sont peuplés de prémonitions, mais les rêves accèdent peu à la mémoire. On s'en souvient si cela survient. La survenue marque d'une étiquette émotionnelle les songes inconscients pour les restituer à la mémoire. Comme la synchronicité, les rêves abolissent le temps et souvent l'espace. Dans le rêve, tout se mélange et nous retrouvons pêle-mêle nos souvenirs d'enfant et notre actualité d'adulte en des lieux bâtis de matériaux disparates issus des châteaux éphémères des plages de notre enfance, de cabanes dans les arbres, de tentes canadiennes, de maisons d'architecte des oncles d'Amérique… Passé, présent, futur, réalité, désirs et songes sont remixés tous les soirs dans notre boîte de nuit crânienne. Le matin, les tubes qui lancinent encore et ceux sur lesquels la vie nous fait danser sont ceux qui nous ont émus, ce sont eux dont on se souvient.

Les statisticiens vous diront que sur 6 milliards de personnes qui rêvent en moyenne 4 fois par nuit, 365 fois par an cela fait 8760 milliards de rêves par année et que, forcément, dans le lot quelques rêves prémonitoires se réalisent. Ils ont raison ! Oui mais. Malgré les nombres astronomiques avancés et leur logique implacable, la notion de rêve prémonitoire existe et la précision avec laquelle de nombreuses prémonitions marquantes se réalisent font que l'analyse purement probabiliste est improbable. Pour s'en rendre compte, il suffit *googliser* les mots « prémonition » et « 911 » pour avoir plus de 3 millions de pages Internet concernant les rêves prémonitoires précédant l'attaque du 11 septembre 2001.

Un rêve irréfutable

Voici l'un des rêves prémonitoires les mieux documentés de l'Histoire. Monseigneur Joseph Lanyi, évêque à Grosswardein en Hongrie, avait été le précepteur de l'archiduc François-Ferdinand d'Autriche. Des années plus tard, l'évêque fit un rêve.

Mgr. Lanyi se dirigeait vers son bureau pour lire son courrier. Il fut surpris de voir une lettre bordée de noir portant le sceau de l'archiduc. Lanyi reconnut l'écriture comme étant celle de l'archiduc, il ouvrit la lettre. Sur la partie supérieure de l'unique feuille de papier était une image bleue comme une carte postale de l'époque, elle représentait une rue et un étroit passage. L'archiduc et son épouse étaient assis côte à côte dans une voiture face à un général en uniforme. Un autre officier était assis à côté du chauffeur. Une foule se tenait sur les deux côtés de la rue. Deux hommes étaient représentés, surgissant de la foule et tirant au pistolet sur l'archiduc et sa femme. Le texte suivant accompagnait l'image :

Cher Dr Lanyi,

Par la présente, je vous informe qu'aujourd'hui, mon épouse et moi-même serons victimes d'un assassinat. Nous nous confions à vos prières pieuses.

Bien cordialement vôtre.

L'archiduc François.

Sarajevo, le 28 Juin 03h45

Lanyi sauta du lit les yeux en larmes. L'horloge près de son lit indiquait 3h45. Il se rendit immédiatement à son bureau pour écrire tout ce qu'il avait vu et lu dans son rêve. Environ deux heures plus tard, un domestique entra et le trouva en prière. L'évêque insista pour organiser, le matin même, à la chapelle, une messe.

L'évêque dessina ce qu'il avait vu sur la lettre car il était persuadé qu'il s'agissait de quelque chose d'important. Il fit certifier son dessin par deux témoins, il envoya un courrier à son frère Edward, prêtre jésuite, il y joignit le dessin descriptif explicite. Plus tard, dans le courant de cette journée même, l'archiduc François-Ferdinand fut abattu avec sa femme, par un nationaliste serbe à Sarajevo. La scène du crime était telle que l'évêque l'avait dessinée au détail près qu'il n'y avait qu'un assassin d'après les témoins au lieu de deux dans son rêve.

Des questions ont été rapidement posées pour savoir si l'évêque avait effectivement scrupuleusement enregistré tous ces détails immédiatement le 28 juin. Un journaliste de la Reichspost Wiener a examiné le dessin et parlé aux deux témoins qui ont confirmé l'histoire ; l'écrivain Bruno Grabinsky a interrogé Edward, le frère de l'évêque, qui a également confirmé qu'il avait reçu la lettre et l'esquisse.

Ce rêve présente toutes les caractéristiques d'un rêve prémonitoire, il est aussi certifié et attesté. Il s'agit d'un message (une lettre) émotionnellement chargée (les larmes de l'évêque) car il était lié à l'archiduc. Le rêve est très précis, de qualité photographique.

Changer le cours de l'Histoire

Reste à savoir si l'évêque aurait pu influencer le cours de l'Histoire en informant l'archiduc ; c'est le débat éternel de la destinée. En 2005, Feather Rhine étudia un grand nombre d'histoires aussi précises et documentées que celle de l'archiduc pour étudier si une action entreprise par le rêveur pouvait influencer le dénouement vu dans le rêve. Sur une centaine de rêves prémonitoires étudiés pour lesquels une action avait été prise, cette action, dans un grand nombre de cas avait été positive. Au temps de l'archiduc, et encore aujourd'hui, selon les croyances et les cultures, la destinée et l'avenir paraissent inéluctables.

Les rêves prémonitoires sont incontrôlables, ils nous surprennent par leur survenue, leur contenu, leur précision et leur charge émotionnelle. La pratique de tous les exercices dans ce livre augmentera de façon quasi certaine la fréquence de la perception de vos rêves prémonitoires. Les artistes, les hommes d'Église, les écrivains, les pratiquants de yoga, de méditation et de cohérence cardiaque, nous, vous, sommes des récipiendaires privilégiés de rêves prémonitoires. Il est possible de les utiliser pour dévier quelques fois la boule noire du destin sur une autre trajectoire.

Deux Présidents et moi

PAR JEAN-MARIE PHILD

Abraham Lincoln était Président des États-Unis. Au début du mois d'avril 1885, quelques jours avant sa mort, il relata un rêve à sa femme et à son secrétaire qui l'écrivit immédiatement. Le Président se promenait dans la Maison Blanche vide, il entendait un bruit, comme des personnes pleurant dans toutes les chambres qu'il visitait. Lorsqu'il entra dans la chambre de l'Est il trouva un corps enveloppé d'un drap reposant entre des soldats montant la garde. Il leur demanda : « Mais qui donc est mort ? « Le Président » lui répondirent-ils. Le 14 avril, le président Lincoln fut assassiné. Son secrétaire et Mary lui avaient demandé de faire attention car le Président avait eu des rêves prémonitoires à plusieurs occasions, en particulier à propos de Willy et Eddie, deux de ses garçons décédés prématurément. Un jour, le Président avait écrit à Mary en écrivant ces simples mots : « Tu ferais bien de ranger le pistolet de Tad, j'ai eu un mauvais rêve à son sujet ». Tad était un autre fils du couple présidentiel, Mary fit ce qui était recommandé sans aucune question. Dans le cas de son propre décès, le Président n'écouta pas ses propres mises en gardes, la suite est dans l'Histoire dont le cours aurait pu être différent si le Président avait entendu la mise en garde qui lui avait été adressée.

En janvier 1995, je participais à une émission de radio à Radio Nostalgie[1]. C'était une année électorale, le duel semblait inévitable entre Édouard Baladur, favori des sondages avec 38 % d'intentions de vote, et Lionel Jospin (18 %) ; Jacques Chirac était en troisième position avec 17 % des intentions au moment de l'émission. Thierry, l'animateur, me demanda si j'avais un pronostic. Je lui répondis à l'antenne que j'avais mieux car cette nuit-là j'avais fait un rêve, je voyais Jacques Chirac ceint d'un drapeau français. C'était contraire aux sondages mais je n'ai pas l'habitude de me fier au vraisemblable. Cinq mois plus tard, le 9 mai 1995, Jacques Chirac fut élu président de la République française pour son premier mandat. Je sais qu'il est possible de changer le cours des choses, mais je ne pense pas, à ce jour, que 10 millions d'électeurs aient changé leur opinion après m'avoir écouté.

Ma vie est jalonnée de rêves qui deviennent prémonitoires le jour de leur réalisation. J'ai préféré n'en citer qu'un car il a été rendu public à la radio. Je me vois dans mes rêves, je rêve pour la famille ou pour des personnes médiatisées, je ne rêve pas pour des clients en général car j'arrive à mettre un mur émotionnel entre eux et moi lorsque la porte de mon cabinet se referme.

La difficulté des rêves prémonitoires c'est qu'ils ne le deviennent que le jour de leur réalisation. Le principe général du traitement des rêves prémonitoires relève d'un traitement des rêves avec un pressentiment puisque c'est tout ce que l'on sait faire. Si un rêve est dérangeant, particulièrement précis (les rêves prémonitoires sont souvent très précis, de type photo ou cinématographique), s'il concerne une mise en garde, l'annonce d'un danger ou d'un malheur, s'il concerne un sujet actuel, une personne proche ou vous-même, portez une attention à ce rêve.

[1] Station de radio populaire en France.

Exercice pratique n°15 : un rêve dérangeant

OBJECTIF : repérer un rêve qui pourrait être prémonitoire.
IMPORTANCE : recommandé.
DIFFICULTÉ : ★★★
TYPE : validation.
QUAND : le plus tôt possible après un rêve dérangeant ou comportant une mise en garde.
FRÉQUENCE : à la demande.
DURÉE : quelques minutes.

L'EXERCICE :

- Si vous recevez un rêve non ordinaire, dérangeant ou comportant une mise en garde ou un avertissement notez-le dans votre journal et ouvrez votre attention.
- Dans les jours qui suivent, prêtez une attention particulière à tout ce qui pourrait être une synchronicité, un message, une parole ou un autre rêve s'y rapportant.
- Notez les similitudes et les concordances.
- Prévenez avec tact et/ou prenez des mesures de mise en sécurité.
- N'oubliez-pas la reconnaissance, dites merci.

ENSUITE :

- il est fort probable qu'avec l'augmentation de votre attention et de votre conscience, vous ayez davantage de rêves prémonitoires, pas toujours sous forme de mises en garde. C'est juste votre seuil émotionnel qui évolue avec l'entraînement. Vous pourrez commencer à utiliser vos rêves comme guides dans votre propre vie.

COMPÉTENCES VISÉES : la reconnaissance des rêves prémonitoires.

P.S.[1] LINCOLN, KENNEDY PRÉMONITIONS & SYNCHRONICITÉS

Certaines personnes reçoivent des prémonitions, tout en étant l'objet d'autres manifestations extrasensorielles.

Le président Lincoln fut lié à un autre président célèbre à titre posthume, les synchronicités les concernant sont célèbres.

Abraham Lincoln et John Kennedy furent élus Président en 60 (1860 et 1960), ils furent élus député en 46, (1846 et 1946), nominés pour être vice-Président en 56, leurs deux successeurs se sont appelés Johnson, tous les deux nés en 08 (1808 et 1908). Les deux Présidents furent très engagés dans la défense des Afro-Américains. Tous les deux furent assassinés par une arme à feu visant la tête par l'arrière, assis à côté de leurs épouses, un vendredi, en présence d'un autre couple. Le président Lincoln fut assassiné au théâtre Ford, le président Kennedy dans une automobile de marque Lincoln construite par Ford. La secrétaire de Lincoln s'appelait Kennedy, celle de Kennedy s'appelait Lincoln, elle était née exactement 100 ans après Lincoln et son mari s'appelait Abraham. Les assassins Booth et Oswald furent tous les deux assassinés à leur tour avant leur procès. Les mots Lincoln et Kennedy comportent 7 lettres, leurs noms complets 5 syllabes, Les noms de leurs assassins comportent 15 lettres et 3 mots. Après le coup de feu mortel, l'assassin de Lincoln quitta le théâtre pour se cacher dans un entrepôt, celui de Kennedy quitta un entrepôt pour se cacher dans un théâtre…

La veille de partir à Dallas, Jackie Kennedy posa cette question à son mari : « Et si quelqu'un s'avisait de te tirer dessus à Dallas ? ». Le président répondit : « Jackie, si quelqu'un veut tirer sur moi à partir d'une fenêtre, comment veux-tu que nous l'en empêchions ? Alors pourquoi se faire du souci ? ».

[1] P. S. : petits secrets.

RÊVES INTUITIFS

Eurêka de nuit. Il est possible d'induire un rêve intuitif et d'accéder ainsi à l'inconscient par une voie détournée du conscient. À la différence des rêves prémonitoires étudiés au chapitre précédent, nous allons ici programmer le mode rêve pour le rendre intuitif et nous aider dans la prise de décision. Il s'agit d'une exploitation des rêves a priori par l'entraînement et les exercices. Si vous désirez utiliser vos rêves comme outil d'aide à la prise de décision je vous recommande de mettre en place une préparation dans un premier temps.

Le secret de l'aiguille percée

Elias Howe était un inventeur qui cherchait depuis des années à améliorer les premières machines à coudre rudimentaires à un fil déjà proposées par Thimonnier quelques années plus tôt. Il butait sur l'aiguille de ses machines, cela devenait obsessionnel. Une nuit il rêva qu'il était entouré d'Indiens qui tiraient des flèches, certaines de ces flèches traversaient les tissus des tentes emportant un fil avec eux. Dans son rêve, il remarqua que les flèches étaient trouées mais que le trou était du mauvais côté de l'aiguille, du côté de la pointe.

Ce fut le moment d'*insight*[1], l'Eurêka dont il avait besoin. Tous les inventeurs qui s'étaient essayé à développer la machine à coudre n'avaient jamais pensé à utiliser des aiguilles trouées à la pointe, ils utilisaient les aiguilles traditionnelles. Howe se précipita à son atelier et essaya son rêve, ce fut le succès et le premier brevet des machines à coudre modernes à deux fils en 1846. Le reste c'est de l'Histoire, ou une bonne histoire pour le tribunal car Elias Howe dut défendre son brevet contre un certain Isaac Singer qui l'avait copié. Pour la petite histoire, c'est Elias Howe qui gagna le procès.

[1] *Insight* : moment d'illumination souvent attribué à une découverte impromptue. C'est l'objet du prochain paragraphe (voir page 164).

De très nombreuses inventions célèbres ont été révélées à leurs auteurs pendant la nuit au cours d'un rêve intuitif. Albert Einstein est lui-même troublé par plusieurs rêves intuitifs alors qu'il travaille sur la théorie de la relativité.

Paul McCartney rêva la musique de « Yesterday » en 1965 dans sa chambre mansardée de Wimpole Street. Il entendit un orchestre à cordes jouer une suite d'accords totalement inhabituelle. Paul se leva, se mit au piano immédiatement et fut submergé par la beauté de la suite. À ce jour, il a encore de la difficulté à se reconnaître comme l'auteur de ce morceau de musique qui est à ce jour, l'un des morceaux les plus repris dans le monde.

Le point commun de toutes ces révélations, c'est que ces rêves surviennent sur un terrain préparé. Le rêveur travaille sur un sujet, parfois depuis très longtemps, il a une intention de trouver la solution, il a programmé son subconscient pour faire les associations nécessaires.

Exercice pratique n°16 : préparer les rêves intuitifs

OBJECTIF : créer un environnement favorable à la survenue d'un rêve intuitif.
IMPORTANCE : recommandé.
DIFFICULTÉ : ★★
TYPE : préparation.
QUAND : le soir au coucher, si possible la dernière pensée.
FRÉQUENCE : tous les soirs, si nécessaire.
DURÉE : quelques secondes.

L'EXERCICE :

- **Le soir au lit avant de dormir.**
- **Essayez de repérer le moment qui précède immédiatement l'endormissement.**

• Pratiquez une série de respirations en F-6.

• Formulez intérieurement un souhait ayant trait à une question en cours.

• Si d'autres pensées surviennent ensuite, renouvelez la formulation.

• Laissez venir le sommeil.

• Notez, le plus rapidement possible tout rêve utile au dénouement [explication 1].

• Dites merci.

ENSUITE :

• vous pouvez étendre le principe à des sujets plus complexes ou à des décisions difficiles, ceci sera abordé au chapitre concernant les décisions.

COMPÉTENCES VISÉES : la programmation des rêves prémonitoires.

[explication 1]

Notez le plus rapidement possible : la plupart des inventeurs, des écrivains et des chercheurs tiennent un carnet et un stylo près de leur lit.

INSIGHT

Eurêka de jour ! C'est par l'insight que nous poursuivons notre étude des moyens qu'ont les intuitions de communiquer avec nous. Nous avons souhaité que les exercices pratiques soient progressifs, celui qui concerne l'insight est simplissime. En psychologie, le terme *insight* désigne la découverte soudaine de la solution à un problème sans passer par une série d'essais et d'échecs progressifs. Ce phénomène a été mis en évidence, pour la première fois, chez le chimpanzé par Wolfgang Köhler lors d'expériences menées à Tenerife entre 1913 et 1920.

« ... Sultan essaie d'atteindre le fruit avec le plus petit des deux bâtons, il n'y arrive pas. Il arrache un bout de fil de fer qui pend du grillage de sa cage, il échoue encore ... Soudain il reprend le petit bâton, va du côté des barreaux le plus proche du grand bâton, le rapproche de lui grâce au petit bâton «auxiliaire», s'en empare, puis le ramène du côté près de son objectif (le fruit), dont il se saisit. »

Le singe Sultan a bénéficié d'un moment d'insight. Curieusement, ce mot n'a pas été traduit en français[1].

L'apparition brutale d'une solution survient en tant qu'insight souvent à la suite d'un changement de perspective ou de la modification d'un des éléments du problème, c'est comme si la solution était là, sous nos yeux mais masquée.

Archimède aurait prononcé le mot *Eurêka*[2] en pénétrant dans son bain et en comprenant soudain la solution d'un problème sur lequel il planchait depuis longtemps. Le changement de perspective et d'environnement et la quantité d'eau débordant de son bain lui ont donnée la réponse à la façon dont il pouvait évaluer le volume d'un objet irrégulier.

Insight c'est l'Eurêka d'Archimède, le « Bon Dieu ! Mais c'est bien sûr ! » du commissaire Bourrel[3], c'est l'ampoule qui s'éclaire dans la bulle de Géo Trouvetou[4], c'est l'éclair de génie.

L'exercice que nous proposons permet de simuler un changement de perspective face à un problème auquel vous pourriez être confronté sans possibilité de trouver une solution. Les résultats peuvent souvent confiner au petit miracle. Amusez-vous avec cet exercice, qu'il devienne une habitude.

[1] Köhler utilise le mot anglais *insight* comme traduction de l'allemand *Einsicht*. C'est pourtant le mot anglais qui est utilisé en français. *Sicht* : « vue d'ensemble », *Einsicht* : « vue d'ensemble de l'intérieur ».

[2] Qui signifie « j'ai trouvé » en grec ancien.

[3] Commissaire de police d'un feuilleton policier français diffusé de 1958 à 1973.

[4] Géo Trouvetou, personnage inventif prolifique des bandes dessinées de Walt Disney.

Lorsque vous êtes face à un problème insoluble, une situation embarrassante où vous avez besoin de trouver rapidement une solution, la perte d'un objet, un numéro de code, une panne mécanique faites appel à l'insight. Lorsque vous avez besoin d'aide, l'insight *peut* répondre au SOS.

Exercice pratique n°17 : S.O.S.-Insight

OBJECTIF : susciter un changement de point de vue, de prise de distance et de recul favorisant l'apparition d'un moment d'insight, un Eurêka.
IMPORTANCE : recommandé.
DIFFICULTÉ : ★★
QUAND : lorsque vous êtes bloqué, perdu, perplexe ou à la recherche de quelque chose ou d'une information masquée.
FRÉQUENCE : à la demande.
DURÉE : de quelques secondes à quelques minutes.

L'EXERCICE :

- faites un STOP (voir page 149), prenez de la distance par une dizaine de respirations en F-6.
- Conservez une respiration ample, lente, la plus proche possible de la F-6.
- Visualisez le problème, comme si vous le découvriez avec un œil neuf.
- Visualisez l'objet perdu, la solution que vous cherchez.
- Ne contemplez plus le problème mais attendez la visualisation de la solution.
- C'est une image que vous attendez. Laissez venir toutes les images, toutes les pensées, tous les clips vidéo dans votre imaginaire. La réponse peut être dans l'une d'entre elles.

• Si vous l'obtenez, dites merci.
ENSUITE :
• ne croyez pas que cela fonctionne à chaque fois. Vous aurez de nombreux échecs, mais vous n'aurez jamais de réponses si vous n'essayez pas. Ce sont des expériences qui feront votre expertise et de l'objet retrouvé, une ex-perte.

COMPÉTENCES VISÉES : l'ouverture à l'insight.

Les clés sous le tapis

PAR DAVID O'HARE

Nous partions en vacances, nous ne voulions pas emporter la clé du coffre alors je l'ai cachée méthodiquement. Je ne me suis pas souvenu de la méthode, pas de la cachette. Je ne l'ai pas retrouvée à notre retour. Mon S.O.S.-Insight s'appelle parfois Jean-Marie par facilité. Je l'ai appelé au téléphone : « Bonjour Jean-Marie, je cherche la clé du coffre ». Jean-Marie me dit qu'il allait regarder. Quelques secondes plus tard il me dit : « Elle est dans une boîte sous un tapis rouge, il fait sombre, c'est tout ce que je peux te dire ». C'est bien une image qu'il avait, un insight salvateur. Restait à trouver le tapis. Je l'ai découvert dans une remise que nous avons dans le jardin, il s'agissait d'un grand tapis marocain élimé rouge que nous utilisions dehors pour les pique-niques sous les arbres du jardin. Le tapis était plié sur un tas de boîtes… parmi lesquelles une délivra son précieux contenu : ma clé.

Je dois préciser que Jean-Marie n'était jamais venu à la maison, je ne la lui avais jamais décrite, il ne pouvait donc avoir connaissance de notre remise ou de son contenu. Sa perception du tapis était bien extracognitive, elle était une image à distance en réponse à ma quête.

La madone des parkings

Annabelle est psychologue, fantasque mais intéressante, elle a toujours de drôles d'idées qui sont pourtant souvent pertinentes malgré leur côté farfelu. Un jour où nous nous rendions à une réunion, nous étions en retard, je cherchais une place de stationnement, elle me demanda si je connaissais Petite Martha. Rien ne me surprend plus chez Annabelle et j'attendais ses explications : « Lorsque je cherche une place de stationnement je dis ces mots : Petite Martha, Petite Martha, s'il te plaît. ». Elle se mit à répéter à voix basse sa petite demande à une Martha que je ne connaissais pas.

J'ai depuis appliqué, en secret, ce petit stratagème. Jusqu'au jour où Jean-Marie et moi nous nous rendions à St-Rémy-de-Provence chez le photographe pour la couverture de ce livre. C'était jour de marché, nous avons fait le tour de St-Rémy au moins trois fois sans succès pour le stationnement de notre voiture. Jean-Marie ne clairvoyait rien, la voiture et la montre tournaient inéluctablement. Je lui ai parlé de Martha comme d'une plaisanterie. Qu'avions-nous à perdre de lui demander son assistance ? « Petite Martha, Petite Martha, s'il te plaît ».

Je ne sais toujours pas qui est Martha, pourquoi elle serait petite et comment elle peut intervenir à Montréal et à St-Rémy-de-Provence, en tous cas (je pense que vous voulez le savoir), dans les cas cités ici et dans une très grande majorité de ceux où je l'ai invoquée, une place en or s'est libérée devant nos yeux incrédules mais amusés. Est-ce qu'il s'agit d'une augmentation de notre perception des places libres, une prise de distance et une certaine acception du report de la responsabilité, une intervention extérieure, le hasard total, le fait qu'on ne se rappelle que des trains en retard ? Les psychologues, les théologiens et autres *logues* et *logiens* pourront vous donner leurs hypothèses, je constate avec tous les amis de Martha qu'elle est, pour nous, la madone des parkings.

Merci Annabelle de nous avoir présentés.

Eurêka

Eurêka s'est donc écrié le savant de Syracuse *archimouillé* et *archinu* : « j'ai trouvé ! ». Ce mot a donné le mot moderne « heuristique » qui signifie l'art d'inventer et de faire des découvertes. Une heuristique est une méthode qui englobe la raison, l'intuition et la reconnaissance des schémas répétitifs. Il s'agit d'une méthode pour arriver rapidement à une découverte ou à la solution d'un problème, c'est celle qu'emploient les joueurs d'échecs face aux ordinateurs supercalculateurs, la reconnaissance de schémas par l'expérience et l'expérimentation. Si nous vous proposons des exercices répétitifs d'apprentissage, c'est pour vous donner des méthodes heuristiques. Eurêka de nuit, Eurêka de jour il n'y a pas d'heure pour en bénéficier.

VOTRE GPS INTÉGRÉ

PAR DAVID O'HARE

Cette section découle de la précédente et se manifeste comme l'insight à la différence que l'insight est une pensée, une image qui surviennent brutalement à l'esprit. Ce que je nomme ludiquement le GPS (Guidage Par les Sens) est un guidage par les sensations physiques.

Le GPS de Louis

Mon ami Louis est artiste peintre à Nantucket, il est aussi professeur d'aïkido et pratique la méditation. Ces mentions sont importantes car Louis est un récepteur d'informations dites extrasensorielles à ces trois titres. Il est reconnu que les artistes ont davantage d'intuitions que des non artistes, c'est aussi vrai pour les pratiquants de méditation, de *mindfulness* ou de yoga (aussi de cohérence cardiaque, vous le savez). L'aïkido est un art martial qui a réuni des concepts religieux, philosophiques et d'autres arts anciens pour devenir cette pratique de « la voie de l'harmonisation de l'énergie » si on détaille les trois *kanji*[1] : AÏ – KI – DO. La perception extrasensorielle se développe, elle peut être innée (Louis peint depuis qu'il a neuf ans) pour une petite part et acquise pour une très grande part (l'aïkido et la méditation sont des pratiques qui demandent du travail).

Jerry, le chien, avait Louis pour maître. Jamais de Louis sans Jerry ni de Jerry sans Louis dans les parages. Aussi inséparables que si Louis s'était appelé Tom. Nantucket est une île et Jerry partait souvent en balade pour la journée mais il revenait toujours le soir. Un soir Jerry ne rentra pas. Louis se douta qu'un événement fâcheux était arrivé. Il prit sa voiture et parcourut les routes de Nantucket, la vitre ouverte, en criant le nom de son chien. Rien. Les heures ont passé et Louis s'inquiétait vraiment. Il me raconta qu'il a fait quelque chose qu'il ne faisait jamais auparavant : prier. Pas une prière religieuse à un Dieu ou à une puissance supérieure, mais une requête envoyée en désespoir à l'Univers. Il reprit sa recherche en voiture.

À un moment il sentit comme une brise tiède sur le visage, c'était l'été, il faisait chaud mais la tiédeur venait du côté droit où la vitre était fermée. Louis se dirigea vers la droite, la tiédeur était de face. Intuitivement Louis dirigea sa voiture selon l'orientation de la chaleur sur son visage, plusieurs fois la chaleur se déplaça indiquant un croisement ou un chemin que Louis prenait. La chaleur augmentait, à un moment Louis savait qu'il fallait qu'il s'arrête, il sortit. La chaleur était à son maximum sur tout le visage. Il avança près d'un chantier et repéra un trou destiné à recevoir une fosse septique. Jerry dormait au fond, confiant.

Louis raconte encore cette aventure avec la chair de poule, je n'ai aucune raison de douter de son expérience car depuis que je m'intéresse à l'intuition j'ai reçu des dizaines et des dizaines d'histoires de ce type, certaines de personnes ultra-cartésiennes qui n'en avaient jamais parlé auparavant. J'ai donc appelé ce type de guidage le GPS, le Guidage Par les Sensations.

[1] *Kanji* : un idéogramme au japon, issu de la langue chinoise (sinogramme).

Notre GPS

Les enfants n'ont-ils pas inventé le jeu du « tu brûles » ? Un objet est caché et un joueur doit le trouver. Pendant sa recherche, les autres enfants lui crient des instructions en fonction de sa proximité de l'objet. « FROID », tu es loin, « CHAUD », beaucoup plus près, tu « BRÛLES », tu y es presque. Les jeux des enfants sont souvent basés sur des constatations de faits réels qui sont développées intuitivement pour en accroître l'apprentissage.

Pour avoir pratiqué le GPS intuitif lors de la perte d'objets, je peux en confirmer l'efficacité assez fidèle. Je ne sens pas de chaleur au visage mais je reçois une sensation me poussant vers un endroit à explorer. Il existe une différence entre le GPS intuitif détaillé ici et la vision à distance ou *remote viewing* qui a fait l'objet de nombreuses recherches.

Vous avez un GPS intuitif installé d'origine dans le véhicule qui vous transporte : votre corps. Ce véhicule corporel comporte des milliers de petits capteurs et un ordinateur embarqué qui vous renseigne en permanence sur votre position dans l'espace, votre orientation et l'emplacement de chacun de vos membres. Si vous fermez les yeux, vous savez exactement où se trouve votre main droite par rapport au reste de votre corps, si vous assis ou debout, si votre tête est tournée à droite ou à gauche. Ces perceptions sont involontaires et automatiques.

Chercher est une action qui combine le regard et le mouvement. Vous dirigez votre regard, vous orientez vos pas vers cet endroit, vous focalisez sur une boîte, vous soulevez le couvercle avec les doigts, les clés ne sont pas là, ensuite vient souvent le mot « merde ! ». Vous regardez ailleurs et nouveau déplacement conjoint d'une multitude de muscles dirigés par la perception visuelle. Jusqu'à ce qu'un moment d'insight, la providence ou la persévérance, vous dirigent vers la cachette évidente et que le trousseau timide se dévoile enfin, c'est la place ici du mot « merci ».

Les émotions jouent double jeu lors de toute recherche elles sont parfois traîtres. Lorsque vous portez votre main à la poche et que vous ne sentez plus votre portefeuille ou votre téléphone portable, le stress est à son comble. Tous les scénarios catastrophes surgissent dans votre imagerie mentale et inondent vos neurones d'adrénaline et de cortisol. Alerte ! Alerte ! Alerte ! À ce moment, vous passez en mode réflexe et perdez votre réflexion, votre cortex est éliminé du processus. « Le corps t'isole sous l'influence du cortisol ». Lors des émotions violentes et menaçantes nous nous immobilisons, nous battons ou nous enfuyons, c'est évolutionnaire mais absolument pas approprié pour reprendre calmement les 5 dernières minutes précédant le crime, appeler la banque ou demander à son ami de faire sonner l'appareil cachottier. Les émotions peuvent aussi vous aider dans la recherche. Il semble que le GPS intuitif ne fonctionne bien que s'il existe une charge émotionnelle attachée à l'objet ou à l'être recherché. Jerry était le chien de Louis, mon téléphone portable m'appartient et sa perte m'est importante, mon portefeuille contient des effets personnels, etc.

L'étude des multiples exemples de vision ou de recherche à distance implique des liens affectifs. Il faut que cela ait une importance pour vous, que la recherche ait un sens. À ce sujet nous constatons que les professionnels de la vision à distance ou de la recherche d'objets ou de personnes peuvent, par empathie, investir les émotions de leurs clients. L'empathie, cette capacité à comprendre les émotions d'une autre personne, est la condition *sine qua none* pour un bon médecin ou un bon parapsychologue.

L'intuition personnelle a besoin du support émotionnel car elle emprunte les mêmes voies neurologiques. Mais il faut déjà débarrasser la route du chaos de la peur et de l'affolement, cet embouteillage émotionnel qui empêche l'information cohérente de circuler. Ce sera la première tâche de l'exercice de cohérence cardiaque : apaiser la route.

Je me souviens de mon enfance, d'un temps que les moins de quarante ans ne peuvent pas connaître, du temps où les vacances commençaient avec la nationale 7, de la quatre-chevaux grise, de l'ombre des platanes, des bornes kilométriques en pierre blanche capuchonnées de rouge, où les gendarmes s'appelaient encore « les anges de la route ». La première partie de l'exercice sera celui d'un ange de la route des émotions. Nous pourrons ensuite rétablir la circulation vers la destination.

Les clés du GPS

L'apprentissage du guidage par les sensations se fera progressivement, par étapes successives. Commencez par l'utiliser pour la recherche d'objets simples. Il vous faudra du temps pour sentir de quelle façon votre intuition cherche à vous orienter vers telle ou telle direction. La sensation peut être une chaleur comme pour Louis, une poussée vers la droite ou vers la gauche, une image mentale d'un lieu vers lequel se rendre ou le flash précis de la destination. C'est différent et subjectif, il semble aussi qu'un mode de révélation soit attribué à chacun, c'est donc personnel aussi.

Pour commencer, il faut allumer le GPS, c'est l'intention d'utiliser les sens. Pas de GPS sans intention, le GPS de votre auto ne fonctionnera jamais s'il n'est pas allumé. « Je vais utiliser mon intuition pour trouver ces clés ». L'intuition démarre toujours par la décision de l'utiliser. À aucun moment n'est-il nécessaire de croire, il suffit de décider, la croyance pourra venir plus tard après de multiples confirmations, mais elle n'est pas nécessaire.

Ensuite il suffit de prêter attention aux messages des perceptions. Les messages seront très subtils au début, il faudra apprendre à les déceler.

Toujours la même séquence : intention ➜ attention ➜ intuition

Exercice pratique n°18 : utiliser mon GPS

OBJECTIF : développer votre guidage par les sensations.
IMPORTANCE : recommandé.
DIFFICULTÉ : ★★
TYPE : entraînement aux perceptions sensorielles.
QUAND : lorsque vous avez besoin d'être guidé vers quelque chose.
DURÉE : quelques minutes.
FRÉQUENCE : à la demande.

L'EXERCICE :
- Commencez par une profonde expiration.
- Pratiquez une série de 6 respirations en F-6 (une minute) **[explication 1]**.
- Déplacez votre attention sur votre corps. **[explication 2]**.
- Si vous sentez quelque chose, suivez cette sensation **[explication 3]**.
- Dites merci **[explication 4]**.

ENSUITE :
- lorsque vous aurez pris l'habitude de ce mode de fonctionnement de vos sensations, vous pourrez l'appliquer à de nombreuses démarches de la vie de tous les jours. Faites-en un jeu.

COMPÉTENCES VISÉES : l'ouverture à l'insight.

[explication 1]
Six respirations en F-6 : c'est le recentrage émotionnel. Revenir à une émotion neutre pour que l'information devienne cohérente et ne soit plus bloquée par les embouteillages. Commencez par une expiration profonde pour stimuler le système nerveux parasympathique, puis pratiquez comme d'habitude.

[explication 2]
Déplacez votre attention vers votre corps : soyez à l'écoute de votre corps, pratiquez un scanner rapide à la recherche d'une poussée, d'une image, d'une sensation qui pourrait vous orienter. Ce ne sera pas du tout évident au début. Attendez-vous à n'importe quoi, le langage des signes possède un alphabet énorme.
[explication 3]
Suivez cette intuition : vous pensez avoir repéré une sensation, allez-y, vous ne risquez rien, de toutes façons vous étiez paralysé avant cet exercice. C'est par tâtonnements successifs que vous trouverez la voie intérieure.
[explication 4]
Dites merci : il n'est pas nécessaire de dire « merde » à chaque échec car cela ne fait que renforcer les émotions négatives et vous paralyser davantage. Les émotions sont autant d'étiquettes qui marquent les événements et les actions, il est inutile de confirmer l'échec par une étiquette scatologique. Par contre le « merci » est le bienvenu, c'est la confirmation validante de la reconnaissance, pour votre réseau routier mais aussi pour l'origine de l'assistance routière dont vous avez bénéficié.

QUELQUES AUTRES INTUITIONS EXTRACOGNITIVES

Vous ne saurez jamais par quel média sensoriel l'information intuitive pourra vous être communiquée. Vous pouvez vous attendre à tout, c'est la raison pour laquelle vous devez aiguiser votre sens de l'attention. Décider de faire attention.

Nous avons passé en revue des moyens importants avec des exercices pour les développer, nous présentons, plus succinctement quelques autres médias qui pourront vous servir, volontairement ou non. Nous ne proposons pas d'exercice car le simple fait d'accroître votre niveau d'attention, de pratiquer une méthode d'introspection comme la cohérence cardiaque, augmentera de façon quasi-automatique la fréquence des intuitions extracognitives (en dehors de la connaissance) que nous vous présentons dans les pages suivantes.

Nous évoquerons la télépathie, la vision à distance, la rétrocognition, l'impression de déjà-vu et les flash-backs.

LA TÉLÉPATHIE

PAR DAVID O'HARE

La télépathie correspond à un échange d'informations entre deux personnes n'impliquant aucune interaction sensorielle ou énergétique connue. Autrefois appelée transmission de pensées, la télépathie fait partie des *perceptions extrasensorielles* avec *la clairvoyance* et la *télékinésie*.

La télépathie semble emprunter les mêmes voies de communication que l'intuition, la clairvoyance et ses corollaires intemporels que sont la *précognition* et la *rétrocognition*. Nous avons aussi inséré ce chapitre car la pratique des exercices qui sont détaillés dans ce livre semble développer certaines capacités télépathiques. Nous ne proposons pas d'exercices spécifiques pour la télépathie mais vous observerez vraisemblablement des occurrences étranges et souvent surprenantes, en particulier en interaction avec les personnes avec qui vous avez un lien affectif.

Voici donc plus de dix ans que je m'intéresse de très près à la cohérence cardiaque que je pratique quotidiennement. Il est évident pour moi que la coïncidence de pensées s'est largement développée, sans l'avoir jamais soupçonnée ni cherchée. Il est rare qu'une journée se passe sans qu'un événement de ce type ne survienne ; c'est même devenu, avec mon épouse un sujet de plaisanterie. C'est par la survenue de plus en plus fréquente de coïncidences de pensées que je suis venu à me demander ce qui se passait du côté de mes perceptions, d'où ma rencontre de Jean-Marie, d'où ce livre. Il était donc impossible de ne pas consacrer de chapitre à la coïncidence de pensée.

La science de la télépathie

Le terme de télépathie a été inventé en 1930 par Wolfgang Metzger. Son étude s'est poursuivie pendant des années et s'est amplifiée dans les années 1980 en même temps que la *vision à distance* (voir page 181) qui fut l'objet de programmes gouvernementaux dans plusieurs pays au moment de la guerre froide.

Un protocole rigoureux

La télépathie est la forme de perception extrasensorielle qui a été la plus étudiée, dans des conditions scientifiques rigoureuses, par de très nombreux chercheurs de milieux universitaires reconnus. Selon notre propre classification il s'agit d'une extracognition car la connaissance vient de l'extérieur de nous, d'un tiers en l'occurrence. Ce sont, en particulier, les études dites de ganzfeld[1] qui proposent un protocole rigoureux, reproductible et analysable, où un sujet « récepteur » est totalement isolé sur le plan sensoriel d'un sujet « émetteur ». Les expériences ont été poussées jusqu'à placer les sujets récepteurs dans des pièces isolées des rayonnements électromagnétiques (cages de Faraday) ou à des milliers de kilomètres pour éliminer la possibilité de transmission par des ondes de type radio ou magnétiques.

Le protocole le plus souvent utilisé comporte quatre images. L'une d'entre elles est choisie aléatoirement pour être la cible, les trois autres sont appelées leurres. Le récepteur est confortablement installé dans une pièce isolée, un casque sur les oreilles émettant un bruit blanc et les yeux masqués. Il décrit alors ce qu'il perçoit tandis

[1] Ganzfeld, nom issu de l'allemand signifiant « champ total », il s'agit d'un protocole pour étudier les perceptions extrasensorielles.

que l'émetteur, situé dans une autre pièce, regarde la cible qui a été sélectionnée aléatoirement. Les images sont alors montrées au récepteur qui doit les classer selon ce qu'il a perçu pendant l'expérience. Si l'image cible est classée première, l'expérience est positive, sinon elle est négative. Les lois de distribution du hasard voudraient qu'un taux de 25 % soit attendu comme étant normal (une chance sur quatre de deviner la bonne image).

Entre 1974 et 1981, 10 laboratoires indépendants ont regroupé leurs résultats. 28 études comportant le même protocole ont été analysées et publiées. Le taux moyen de réussite, sur les 28 études était de 35 % (au lieu des 25 % attendus).

Après 1983, les tests ont été entièrement automatisés pour supprimer un éventuel biais du à l'expérimentateur et son influence sur le choix, la présentation de l'étude ou l'installation du receveur. Il s'agit de l'autoganzfeld avec un taux moyen de réussite de 32 % (et 1 chance sur 10 000 d'obtenir ces résultats par le seul hasard).

C'est parce que le résultat n'est pas 100 % et que toutes les études n'étaient pas systématiquement positives que les « scientifiques » libellent la télépathie de « pseudoscience ». Dès le départ, nous vous disions que si vous avez la possibilité d'avoir un peu plus souvent raison que tort vous aurez gagné beaucoup en efficacité. Rappelez-vous que les casinos n'ont qu'un avantage de 2,7 % sur vous, et ils ont gagné beaucoup grâce à ce minuscule avantage. C'est un fait reconnu, accepté et « scientifique ». Ici il est question d'une différence entre 25 % et 33 % !

Des découvertes surprenantes

Les chercheurs ont cherché à savoir si certaines personnes obtenaient des résultats positifs plus souvent et en plus grand nombre, voici quelques exemples :

- Les étudiants de l'école d'art Julliard de New York atteignent un taux de réussite de 50 % (75 % pour les musiciens).

• Si le receveur et l'émetteur sont amis, le pourcentage de réussite est de 44 %.
• Si on utilise plusieurs images-cibles ayant un rapport entre elles, le taux de réussite est de 50 %.
• L'utilisation de vidéos animées au lieu d'images fixes fait grimper la réussite de 33 % à 37 %.
• Les états hypnotiques favorisent la réception.

Les nombres parlent d'eux-mêmes. Nous y trouvons aussi la confirmation d'une meilleure transmission pour les artistes et les personnes ayant une relation affective. Comme l'hypnose et l'autohypnose, la cohérence cardiaque augmente le nombre d'ondes alpha cérébrales et la capacité à obtenir des informations de l'inconscient. De nombreuses controverses ont suivi les publications, elles ont définitivement cessé en 2001 avec la publication d'une nouvelle étude regroupant toutes les études antérieures et en ajoutant dix nouvelles, elle confirme les résultats avec un taux moyen de réussite de 37 % pour les personnes entraînées alors que celui attendu par le simple hasard serait de 25 %.

La télépathie n'est qu'une des formes de la transmission d'une information par des canaux encore mystérieux à ce jour. L'entraînement à la télépathie permet d'étendre ses compétences aux autres formes de perceptions extracognitives (perceptions extrasensorielles).

Ma conscience de la télépathie

Lorsque j'ai rencontré Jean-Marie, je n'étais déjà plus sceptique mais très curieux. Je l'ai rencontré de nombreuses fois pour comprendre son expérience de la parapsychologie, dans le domaine de la précognition. J'étais un dur à convaincre, je savais que la télépathie existait pour la fréquence de ses intrusions chez moi, j'ai longtemps été persuadé que la précognition était une forme de télépathie : « Je sais ce que mon avenir pourrait être en termes de probabilités et, inconsciemment, je lui transmets ce savoir ». Jean-Marie me soutenait que son aptitude à voir les événements passés, présents ou futurs n'avaient rien de télépathique et que la source n'était pas le client émetteur, mais qu'elle était ailleurs et qu'il ne savait pas où, c'est ce que nous avons nommé l'infosphère (lire page 197). C'est un événement banal qui me fit changer d'opinion.

Un Noël en Provence

Il y a quelques années, j'habitais encore en France. L'un de mes neveux qui habite au Québec avait prévu de venir passer Noël et le jour de l'An avec nous. Nous nous faisions une joie de le recevoir. Tout était prêt de notre côté. Mon neveu avait tout simplement oublié de demander un congé à son employeur chez qui il venait de commencer, pensant que ce serait évident.

Quelques jours avant la date prévue, coup de téléphone du Québec : « Je ne peux pas venir, je n'ai pas de congés, ni Noël, ni jour de l'An, je suis désolé, le billet d'avion est perdu ! ». Patatras. Avant d'annoncer la nouvelle à mon fils, j'ai appelé Jean-Marie pour lui poser une seule question : « Est-ce que mon neveu va venir ? », je n'ai rien dit d'autre, j'ai juste cité le prénom. Jean-Marie me répond assez brièvement car il était en consultation « C'est irréversible, c'est un non définitif ! », j'allais raccrocher lorsque Jean-Marie me dit « Attends, attends ! Je vois une dame qui lui dit qu'il pourra venir plus tard », cela me paraissait impossible car le billet était pour des dates précises en haute saison nécessitant une réservation plusieurs semaines à l'avance. Au moment où je raccroche, le téléphone sonne, c'était mon neveu tout excité : « David, je sors du bureau de la responsable des ressources humaines, elle m'accorde le jour de l'An, je pourrai venir si je peux changer mon billet ! ». La décision avait changé pendant mon appel à Jean-Marie, il avait perçu cette évolution et me l'avait transmise en temps réel comme s'il assistait à l'entretien. Je n'étais pas au courant à ce moment-là, je ne pouvais pas savoir que l'employeur était une femme, que mon neveu était avec elle dans son bureau et qu'elle lui accorderait cette grâce exceptionnelle. Bien entendu, vous l'aurez deviné, le billet a pu être changé, mon neveu a pu venir, etc.

Par la suite, j'ai bénéficié d'autres moments de clairvoyance bénéfiques pour moi. Mon opinion a changé, ce livre a pu naître. Je sais maintenant que la clairvoyance n'est pas de la télépathie déguisée. C'est aussi pour cette raison que cette anecdote est incluse dans ce livre.

Attendez-vous à émettre ou à recevoir des bouquets de pensées ou de soucis avec votre entourage proche. Avec l'expérience et la pratique de la pleine conscience émotionnelle, nous devenons des Interflora™[1] des émotions.

LA VISION À DISTANCE

La vision à distance est un moyen d'obtenir des informations à propos d'une cible éloignée, inaccessibles par la perception directe des cinq sens de base. Il s'agit d'une forme de *clairvoyance* plutôt orientée vers la recherche d'objets ou de lieux. Le chercheur cible un objet ou une localisation distante pour l'explorer et en tirer une information.

Le gouvernement américain utilisa le nom de code *Stargate Project* pour le projet ultraconfidentiel qui employa jusqu'à 22 militaires à plein temps formés à la vision à distance dont l'objectif était d'espionner l'Union Soviétique depuis les États-Unis. Le projet a ensuite été transféré à la CIA ; un budget d'un demi-million de dollars annuels était encore dévolu à la vision à distance en 1995 selon *Time Magazine*.

La vision à distance a sa place ici à titre d'information car il s'agit d'une capacité que vous aurez l'occasion de développer avec les techniques présentées dans les exercices de ce livre. Peut-être un

[1] Interflora : marque mondialement connue pour la transmission de pensées et autres fleurs messagères.

jour, nous vous en dirons plus car il y a largement de la matière pour écrire un feuilleton haletant digne des romans d'espionnage, d'aventure et de science fiction. Peut-être inaugurerons-nous avec elle une série de psience-fiction !

LES FLASH-BACK

Les flash-back sont des expériences personnelles émotionnelles qui surgissent de façon involontaire, provenant de la mémoire à long terme et d'événements du passé. La physiologie des flash-back n'est pas connue à ce jour, il s'agit vraisemblablement de perturbations dans la récupération des données en mémoire. Les flash-back peuvent être des reliquats d'un stress post-traumatique et peuvent devenir incapacitants s'ils se reproduisent trop souvent à envahir le présent de la victime.

Nous citons les flash-back car ils peuvent agir comme une manifestation de synchronicité surgissant du passé pour confirmer ou infirmer une recherche particulière. Nous ne proposons pas d'exercices pour les flash-back car ils sont totalement en dehors du champ de la volonté.

Par contre, si des flash-back récurrents ou envahissants deviennent problématiques, nous conseillons de consulter un spécialiste car ils peuvent être les révélateurs d'un stress post-traumatique dont la prise en charge pourrait relever de l'*EMDR*[1] ou d'une autre approche thérapeutique.

LES RÉTROCOGNITIONS

La rétrocognition ne relève pas du champ d'application de ce livre. Il s'agit avec la précognition d'un épisode de clairvoyance relative à un événement du passé qui n'a pas été porté à la connaissance par les

[1] EMDR : *Eye Mouvement Desensitization and Reprocessing*, méthode de traitement du syndrome de stress post-traumatique par la stimulation oculaire.

sens habituels. La rétrocognition peut être associée à la télépathie car la connaissance d'une information du passé peut être la connaissance de l'événement lui-même ou la transmission de cette connaissance par une personne interposée. Il n'y a aucun moyen scientifique de faire la différence entre les deux. En raison de cette difficulté protocolaire, la recherche ne s'est pas intéressée à ce sujet.

L'IMPRESSION DE DÉJÀ-VU

Le déjà-vu, ou paramnésie, est la sensation d'avoir déjà été témoin ou d'avoir déjà vécu une situation présente, accompagné d'une sensation d'irréalité, d'étrangeté. Cette impression, qui peut être déplaisante, touche à peu près 7 personnes sur 10. Selon le psychologue suisse Arthur Funkhouser, on peut en distinguer trois types différents : le *déjà vécu*, le *déjà senti* et le *déjà visité.* Ce terme a été créé en 1876 par Émile Boirac.

Il existe une quarantaine de théories qui tentent de comprendre cette confusion de la mémoire et de sa restitution. Il ne semble pas que le déjà-vu et ses équivalents puissent faire partie des perceptions extrasensorielles ou qu'ils soient liés à l'intuition. Cependant, le déjà-vu peut survenir en réponse à une requête ou une recherche de solution comme mode de manifestation sensorielle. Le déjà-vu est donc présent dans ce livre car il est l'un des modes de perception de l'information possible qui pourrait vous être donné en réponse à une demande.

DE L'APTITUDE À L'ATTITUDE

L'OBJECTIF ET L'INTENTION DE CE LIVRE SONT DE VOUS AIDER à développer vos **compétences intuitives** pour les appliquer aux prises de décisions et à toutes les actions de votre vie. La compétence est un ensemble de trois facteurs essentiels à un bon équilibre quel que soit le domaine dans lequel elle est impliquée :

- **Le savoir**

C'est la somme des connaissances théoriques et techniques et, dans le cadre de notre propos, scientifiques. Le savoir c'est aussi une certaine compréhension de ces connaissances pour les rendre applicables. Pour chacune des perceptions et des intuitions que nous avons développées, nous avons cherché à vous donner la quantité suffisante d'informations initiales pour commencer à accroître vos compétences intuitives. Libre à vous de poursuivre vos recherches dans ce domaine.

- **Le savoir-faire**

Ce sont les habiletés, les capacités innées et celles acquises par l'apprentissage et l'expérience. C'est le rôle des exercices pratiques que nous avons proposé tout au long de votre parcours. C'est en pratiquant l'intuition que vous deviendrez un meilleur intuitif.

- **Le savoir-être**

Il s'agit de vos qualités personnelles et surtout de votre attitude générale à tout moment. Le savoir-être peut se développer, il vous donnera une disposition générale pour affronter les décisions, une prise de distance par rapport aux problèmes, le recul pour voir toutes les options.

La compétence c'est l'équilibre entre les trois savoirs. Poursuivez votre compétence en renforçant les trois savoirs continuellement. La compétence est au centre des trois savoirs. Ne devenez pas simplement un connaissant, un exécutant ou un performant mais devenez compétent.

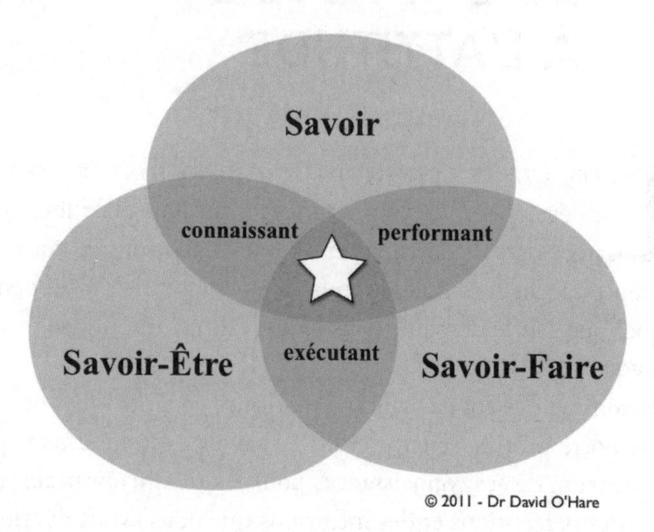

À chaque étape de votre progression et pour tous les exercices, nous avons déjà présenté quelques notions de savoir-être tellement elles sont indispensables à la compétence équilibrée. Vous avez déjà une idée de nos prochains sujets.

Nous allons maintenant reprendre pour les renforcer, les notions d'intention, d'attention, de reconnaissance et de cohérence cardiaque.

L'INTENTION

Vous avez acheté ce livre avec une intention. Pouvez-vous la déceler ? Mais que voulez-vous à la fin ? Quelle est la raison qui vous a poussé à le prendre et à le choisir ? La curiosité, l'intérêt ou la renommée des auteurs ont initié le processus, mais à la base il y a une intention, ce que vous en attendez : divertissement, information, développement personnel ou réponse à un besoin précis.

L'intention que vous attribuez à une action la marque dans votre cerveau de la même manière qu'une émotion marque un souvenir. Il s'agit d'une petite annotation, un signet que le cerveau utilise pour désigner un objet, une pensée ou une action. Toute action résulte d'un mouvement réflexe ou réfléchi. Tout ce qui est réfléchi comporte une intention à son initiation.

La majorité de nos actions sont réflexes ou préprogrammées. Nous pouvons, par l'intention, prendre aussi le contrôle de ces décisions et orienter ainsi notre vie vers une destination choisie et non prédestinée. Ce contrôle passe par la définition générale d'une intention, d'un sens directeur. L'intention c'est déjà une décision, celle de s'orienter vers un objectif et de tout mettre en œuvre pour l'atteindre. L'intention est donc un but ou un objectif associé à la détermination de produire le résultat désiré.

La grande majorité des décisions de tous les jours sont prises en dehors du champ de notre conscience, il peut s'agir d'automatismes réflexes innés, d'apprentissages acquis, de schémas intuitifs ou de hasards. Nous traversons nos journées en pilotage automatique pour une grande partie Aucune intention précise si ce n'est de marcher, manger, survivre ou conduire, et là, encore ce n'est même pas sûr que nous ayons décidé de marcher, mais simplement d'aller d'ici à là, ou de survivre car c'est l'intention inconsciente même de la vie.

L'intention c'est d'exécuter une action avec une raison de le faire ou un objectif à atteindre. Le fait qu'un acte réussit ou qu'il échoue dépend de si l'intention a été atteinte. Pour savoir si une action a été intentionnelle il faudrait pourvoir répondre à la question « pourquoi as-tu fait cela ? » et que cette réponse ne soit ni « je ne sais pas », ni « pour aucune raison ». Il est donc possible d'agir de façon réfléchie sans aucune intention.

Pratiquez l'intention

Vous pouvez orienter vos décisions réflexes et réfléchies en connaissant et en affirmant vos buts et objectifs. Cette affirmation doit être renouvelée pour être un fil rouge invisible qui accompagne toutes vos perceptions, vos délibérations et vos actions. Voici quelques exemples d'une intention directrice :

• Avant de vous lever vous pouvez avoir l'intention d'**avoir une bonne journée.**

• Avant de quitter la maison, vous pouvez avoir l'intention de **passer des moments agréables.**

• Avant de démarrer la voiture, vous pouvez avoir l'intention de **rouler en sécurité.**

• Avant d'entrer dans votre bureau, vous pouvez avoir l'intention **d'apprendre quelque chose** ou d'**être utile à quelqu'un.**

• Avant le début d'une réunion vous pouvez avoir l'intuition d'**être calme et efficace.**

Il s'agit d'une programmation mentale qui ne prend que quelques instants, d'une prise de conscience et d'un exercice très bref de pleine conscience.

Les premiers pas

• Soyez clair avec un but ou un objectif, écrivez-le ou enregistrez-le.

• Partagez votre intention avec quelqu'un à qui vous pourrez rendre des comptes des actions entreprises, sans jugement, en observateur bienveillant.

• Faites quelque chose de précis pour démontrer votre capacité à vous engager dans votre intention.

• Reconnaissez que vous avez agi vers cette intention comme vous vous y étiez engagé et procédez à l'étape suivante.

Pour continuer

• À plusieurs moments dans la journée, posez-vous la question : « Pourquoi ai-je fait ceci ? Pourquoi ai-je dit cela ? »

• Il s'agit d'une prise de conscience de toutes les décisions réflexes et automatiques sur lesquelles vous pensiez ne pas avoir de prise.
• Soyez pro-actif et non réactif, soyez responsable de vos actions et de vos décisions. Ne laissez pas les événements ou les autres vous dicter, en réaction, vos actions.
• Commencez toute action avec la fin en vue. Connaissez votre destination.

En posant une intention, vous devenez clair avec vous-même et avec les autres sur votre destination. Vous imprimez aussi une marque dans votre mémoire procédurale qui étiquettera d'un bon point toutes les étapes réussies.

Pour décider, il faut faire appel à l'intention, la perception (l'intuition) et l'élaboration (la délibération), pour faire appel à l'intention, il faut aussi faire appel à une décision. Compliqué tout cela, oui, en théorie. En pratique, le plus souvent possible, prenez conscience de ce que vous faites et posez des jalons d'intention.

Le livre de Suzy Welch, dont le titre est *10-10-10*, est une approche intéressante pour les décisions à prendre. Il s'agit de fixer des jalons en fonction de l'urgence et du temps de la réalisation des objectifs. Décider différemment selon les objectifs de 10 minutes, 10 semaines ou 10 ans. Les perspectives ne sont pas les mêmes. Selon le même principe, il est intéressant de fixer une intention pour la journée, pour le mois, pour l'année ou la décennie à venir. Qu'est-ce que je veux dans la période considérée. De temps en temps ramener cette intention à la conscience et pratiquer des modifications de trajectoire pour redresser le cap d'incontournables diversions.

L'intention est une pensée projetée vers l'avant, comme la pensée, personne ne sait exactement comment la définir. L'intention c'est donc cette chose impalpable que nous pouvons faire apparaître sur demande : quelle est mon intention pour l'heure qui vient, pour l'année qui vient.

La mémoire est une pensée du passé mélangée aux émotions. Passé est fixé et immuable, vous ne pouvez plus y revenir. **L'intention est une pensée du futur**, vous pouvez l'orienter et regarder dans la direction de votre choix. Le souvenir c'est la pensée du passé ; le survenir, c'est la pensée du futur.

Lynne MacTaggart a rassemblé des dizaines d'expériences sur la méditation, la pleine conscience et l'intentionnalité. La plupart des expériences, souvent étonnantes, ont montré que les méditants et les personnes ayant des pratiques similaires, loin de limiter leurs capacités mentales ou de les mettre au repos par la méditation, multipliaient de façon très importante leurs capacités de réflexion mais aussi de perception et d'intuition.

Chacun des exercices que vous pratiquerez et développerez auront une intention, une destination finale, un but. Prenez-en conscience, reconnaissez l'intention à chaque fois que vous pratiquez. *Intention* et *Intuition* seront intimement liées dans votre pratique. J'ai beaucoup appris en lisant le livre de Wayne Dyer, *Le Pouvoir de l'Intention*. M. Dyer a lu des centaines d'ouvrages sur le sujet et en a retenu une définition commune : « l'intention est une raison et un but accompagnés par la détermination d'obtenir le résultat désiré ». Le fait d'associer une pratique à son intention lui confère à la fois l'objectif et la détermination d'y arriver. Chacune de vos actions peut devenir un désir réalisé et une force créatrice, un dessein animé. L'intention, aucune machine à décider ne pourra jamais l'avoir.

Les résolutions

Traditionnellement, le jour de l'An est celui des résolutions (grandes ou petites). Nous vous proposons un état d'esprit simple à adopter tous les premiers matins, tous les premiers matins du reste de votre vie. Rien d'extraordinaire, rien de révolutionnaire, juste *résolutionnaire*.

Tous les matins donnez une orientation à votre journée, cette orientation peut-être pratico-pratique, morale, philosophique, comme vous l'entendez : « que sera pour moi une bonne journée aujourd'hui ? ».

Tous les lundis, donnez une orientation à votre semaine.

Tous les premiers du mois, donnez une orientation au mois qui commence.

Tous les premiers de l'An, donnez une orientation à l'année nouvelle. Vous pourrez ajouter les décennies et, avec un peu de chance et de bonnes décisions, les siècles.

Ne vous inquiétez pas si les résolutions sont répétitives, elles marqueront davantage le sens que vous donnez à votre vie. Ne négligez pas cet exercice de perfectionnement et d'orientation. N'hésitez pas à inclure des intentions morales, des valeurs et des buts philosophiques. Que désirez-vous de la vie dans les immédiats proches ? Si vous avez un but, vos intuitions trouveront un moyen pour vous mettre sur son chemin par tous leurs messages et votre pratique quotidienne. Par la précision de votre destination affirmée, elle deviendra votre destinée. Le journal est une quasi nécessité pour fixer l'intention sur le papier, lui donner la force de ses mots et le rendre consultable, vérifiable par la suite, car il ne faut pas oublier la reconnaissance d'une bonne journée.

Avancer avec un but est un état d'esprit, une attitude.

L'ATTENTION

Le mot « attention » est l'un de ceux que nous avons le plus souvent écrit ici (nous avons compté 111 fois ce mot dans ce livre !). C'est la perception renforcée par mon intention, la pleine conscience. Mes sens, mes sensations et mes émotions seront la seule façon d'avoir accès à mon inconscient. D'abord d'intention, puis, tout au long de la journée attirer l'attention sur les sensations corporelles. C'est un acte délibéré, intentionnel.

Lorsque je pilote, que mon décollage est réussi et l'avion stable, je peux regarder au dehors le paysage fascinant qui se déroule sous mes ailes. Je dois, intentionnellement, détacher mon regard régulièrement sur les instruments pour m'assurer que l'altitude est telle que je l'ai annoncée au contrôle, que mon cap est constant et que toutes les constantes du moteur sont stables. Ce n'est pas une attention permanente, c'est un état de veille avec des moments d'attention soutenue et de passage en revue de tous les sens. Il en est de même avec l'attention corporelle, l'attention aux perceptions.

N'attendez pas qu'une alarme se déclenche pour vous attirer en catastrophe votre attention. Détournez votre attention vers vos perceptions de temps en temps. Je suis présent. Je sens. Je vois. J'entends. Faites un rapide tour de toutes vos émotions et de vos centres névralgiques. Tous les matins vous préparez le plan de vol pour la journée.. Faites une check-list et partez, n'oubliez pas un rapide coup d'œil circulaire à votre environnement et à vos instruments régulièrement.

Tous les exercices présentés sont des exercices de pleine conscience. Prêtez attention régulièrement par un petit tour de toutes vos perceptions. Immergez-vous dans votre environnement, ouvrez tous vos sens. Le lieu et l'instant présent ne reviendrons jamais ensemble, ne manquez rien avant de passer à l'instant suivant et à une autre destination. La pleine conscience par l'éveil des sens est une attitude générale enrichissante que les artistes reprennent à leur compte. La vie est un art, faites-en un chef-d'œuvre. Vous serez peintre, musicien ou sculpteur de vie, selon vos orientations sensorielles, laissez libre cours à vos émotions, *Intuition* sera votre muse.

LA RECONNAISSANCE

C'est un outil très puissant à développer. Il est aussi très simple à pratiquer. Le mot reconnaissance est pris au sens de gratitude mais aussi de validation « je reconnais que ». Prenez l'habitude de parapher mentalement chacun des petits actes de la vie qui ont tourné en votre faveur, surtout s'ils sont issus d'un choix intuitif, d'un éclair de génie ou d'un coup de pouce du destin.

Quand prendre cet outil

À chaque fois que vous aurez constaté un coup de pouce, la réalisation d'une requête, un événement favorable inexpliqué.

Mode d'emploi simplifié

Dites tout simplement « merci ». Un merci sincère, venant du cœur. Vous pouvez le dire à qui ou à quoi vous voulez, nous vous disons d'envoyer ce message de gratitude à l'Univers (ou à toute énergie supérieure dont vous avez l'habitude), qui fera le tri et le fera parvenir au destinataire. Vous allez vite prendre l'habitude de ce petit dialogue entre vous et l'ailleurs. Ne vous inquiétez pas, personne n'a besoin de savoir ce que vous faites.

Si vous voulez accentuer encore ce petit signe de reconnaissance, inspirez profondément et poussez un soupir de soulagement, vous informez votre cerveau que tout va bien, que vous êtes satisfait et heureux.

Le manuel technique

L'outil « reconnaissance » est simple dans son application, plus complexe dans son explication, c'est comme l'outil « perceuse électrique », j'appuie sur le bouton, elle perce ; je la démonte et je serais incapable de percer le secret de son fonctionnement intime.

L'Institut de Recherche Heartmath a rassemblé dans un livre les recherches faites sur la gratitude (*appreciation* en anglais) et sa relation avec le système nerveux autonome, les émotions et la variabilité cardiaque. Les auteurs ont montré que l'évocation d'un sentiment de gratitude fréquente et répétée entraîne des effets bénéfiques dont :

• Un meilleur équilibre hormonal et une augmentation de la production de DHEA (hormone antivieillissement).
• Une augmentation des émotions positives.
• Une augmentation du système immunitaire.
• Un effet cumulatif de la pratique des exercices de gratitude. Il est de plus en plus facile de ressentir la gratitude parce que les émotions renforcent les liaisons neuronales impliquées dans ces émotions.

La pratique de la reconnaissance peut vous sembler impalpable et floue, vous avez raison. C'est comme un petit signe d'un acheteur lors d'une vente aux enchères, le commissaire-priseur sait que vous avez dit oui c'est imperceptible pour les autres. Ici le commissaire-priseur universel sait que vous avez dit « merci ». Un petit merci dans votre tête ou à voix basse, essayez, vous verrez !

LA COHÉRENCE CARDIAQUE

15 000 articles scientifiques mentionnent la variabilité cardiaque. Vous aurez certainement remarqué que la cohérence cardiaque est au cœur de ce livre, elle est ce qui le rend cohérent et qui, surtout, vous permet d'obtenir des résultats beaucoup plus rapidement qu'avec un entraînement à la méditation, au yoga, à la prière fervente ou à la musique à un niveau professionnel. Toutes ces aptitudes requièrent des années de pratique. La cohérence cardiaque et sa respiration résonante à la fréquence F-6 (6 respirations par minute) est un raccourci extrêmement commode pour vous.

Tout ce que vous devez retenir de la cohérence cardiaque tient en un nombre : 365 !

3 FOIS PAR JOUR
6 RESPIRATIONS PAR MINUTE
5 MINUTES DURANT
365 jours par an.

UNE INFO VENUE D'AILLEURS

L'information c'est la connaissance. Notre patrimoine cognitif personnel, ce que nous avons appelé intracognition[1], vient de savoirs innés et d'autres acquis par l'apprentissage, l'entraînement et l'expérience. Bien que personne ne sache comment une pensée est stockée, nous admettons que l'information connue de nous est mémorisée à l'intérieur de notre corps, quelque part.

Nous avons fait appel à un autre type d'information, l'extracognition. Où cette extracognition est-elle mémorisée ? Comme pour l'information personnelle, personne ne le sait, à ce jour.

LA MÉMOIRE PARTAGÉE

Une information existe, elle semble écraser le temps et l'espace. Cette information est celle avec laquelle je vis depuis mon enfance et que je pratique depuis plus de vingt ans. C'est celle qui depuis la nuit des temps a inspiré les prophètes, les sages, les visionnaires, les inventeurs et les explorateurs. Cette information est celle qui nous étonne et renverse nos croyances, il n'est possible que de constater, difficile d'expliquer. Où est cette information et comment la nommer ?

[1] Connaissance interne à nous.

Nous avons eu beaucoup de difficulté à donner un titre à ce chapitre. La décision fut difficile car nous voulions parler d'un sujet déjà décrit mais tellement polémique, débattu, mal compris et inexplicable que nous désirions trouver un terme neutre pour ne dérouter personne. Nous cherchions aussi une métaphore pour expliquer simplement ce qui déchire depuis un siècle les scientifiques, les *zététiciens*[1], les *newagiens*[2], les philosophes, les psychanalystes, les religieux, les savants fous et autres *quadricapilosécateurs*[3] en nous adressant à des gens comme vous et nous, ayant tout simplement constaté des événements sans chercher à comprendre mais à appliquer le fruit des constatations et qui allons mieux depuis que nous le faisons. La métaphore sera informatique et *informapproximative.*

L'infonuage, l'informatique sur un nuage

Le « cloud computing[4] », « informatique en nuage ou *infonuagique*[5] » est un concept qui consiste à déporter sur des serveurs distants des traitements informatiques traditionnellement localisés sur des serveurs locaux ou sur le poste client de l'utilisateur[6]. L'information et les ressources sont « ailleurs », sur un *cloud*, un nuage. Vous verrez ce mot partout, on commence à voir des clouds de tags sur les blogs, les emails, les photos, les vidéos et les *voustubes* sont partagés sur des nuages quelque part. Microsoft a ouvert son cloud, Apple vient de lancer son iCloud. Nous baignons donc dans un infonuage omniprésent, omniscient, un « big brother » mollement assis sur un pouf en coton bleu entre Jupiter et Cupidon quelque part au-dessus de nos têtes. L'information est partout et ailleurs, elle est délocalisée.

[1] Zététicien : adepte de la zététique, avec ça vous irez loin.
[2] Newagien : adepte du New Age, c'est comme les soixante-huitards, sympathiques, un peu *old aging* maintenant.
[3] En français dans le texte (quadri=quatre ; capilo=cheveux ; sécateurs=couper).
[4] Prononcer « claoud com piou tinngue ».
[5] Terme officiel !
[6] *Cloud Computing* (Wikipedia France, article 66058699, consulté le 6 juin 2011).

La mémoire aussi se délocalise ; sur les premiers ordinateurs c'était une mémoire de masse, interne, minime, on y a ajouté les magnétophones à cassette et la mémoire magnétique, puis les disques winchesters, énormes galettes de 30 mégas, ensuite les mini-disques, puis les CD à mémoire optique, ensuite les DVD, puis les clés USB à mémoire flash, maintenant la mémoire est partie dans les nuages avec toute la science humaine.

La métaphore nous convient et nous l'adoptons à l'unanimité Jean-Marie et moi. Nous aurions aimé appeler cette information le *cloud d'information* mais les anglicismes qui se lisent « clou » ne correspondent pas, infonuage nous semblait nébuleux, nous avons donc adopté le concept d'infosphère.

L'infosphère

L'information collective existe, une mémoire de l'espèce, des espèces en général, cette mémoire semble aussi ne pas s'intéresser qu'au passé ; elle pourrait stocker le présent et certaines informations futures. Le temps ne semble pas exister lorsqu'il est question d'information. Je pense que la physique quantique apportera des éclaircissements à cette notion d'un temps à géométrie variable.

Qu'est-ce qui peut expliquer mon pressentiment d'un danger imminent mais non encore matérialisé, comment comprendre que certaines personnes puissent voir à distance ou que d'autres puissent faire une découverte en même temps autre qu'un chercheur de l'autre côté de la Terre ? Je pense qu'une information existe quelque part, sur ce nuage, cet infonuage et que nous pouvons parfois y avoir accès.

La notion « d'infosphère » a été introduite par Luciano Floridi[1] vers le milieu des années 1990 pour étudier l'ensemble de la transmission de l'information. C'est ce terme que nous avons décidé

[1] Luciano Floridi philosophe et universitaire italien contemporain, reconnu comme l'un des plus importants théoriciens de la philosophie de l'information, et autorité dans le domaine de la philosophie sur Internet.

d'emprunter car il semble le plus neutre de toute implication ésotérique, philosophique ou religieuse, véhiculant plus l'information (info) que la pensée (noos). Notre notion d'infosphère se joint aux notions publiées et débattues telles que les notions d'éther, d'inconscient collectif, de noosphère, de conscience collective, de l'hypothèse Gaïa, de l'infosphère et aujourd'hui d'Internet.

L'éther

Pour les plus anciens auteurs, l'éther désigne le ciel, puis la substance qui remplit l'espace. Le nom vient du dieu Éther qui personnifie les parties supérieures du ciel. Pour Aristote, l'âme tire son origine de l'Éther. C'est en 1905 que la notion d'éther fut abandonnée définitivement après une *éthernité* de croyance à cet ailleurs.

L'inconscient collectif

Il s'agit d'un concept élaboré par Carl Gustav Jung pour désigner les fonctionnements humains liés à l'imaginaire commun et partagés en dehors du temps et de l'espace. Ce serait un inconscient transpersonnel, dépôt de toute l'expérience humaine ancestrale. Il peut contribuer à expliquer certains phénomènes paranormaux comme la télépathie.

La noosphère

Concept élaboré par Vladimir Vernadsky et repris par Teilhard de Chardin dans les années 1920, la noosphère[1] est une pellicule de pensée enveloppant la Terre, formée des communications humaines.

La conscience collective

Il s'agit de croyances et de comportements partagés dans une collectivité fonctionnant comme une force séparée et généralement dominante par rapport à la conscience individuelle. Selon cette

[1] Noosphère : noos = pensée : sphère de pensée.

théorie, une société, une nation, un groupe constituerait une entité se comportant comme un individu global. C'est le sociologue Émile Durkheim qui émit cette notion reprise par d'autres ensuite.

L'hypothèse Gaïa

Cette hypothèse a été initialement avancée par l'écologiste James Lovelock en 1970, également évoquée par d'autres scientifiques avant lui. Selon elle la Terre serait « un système physiologique dynamique qui inclut la biosphère et maintient notre planète depuis plus de trois milliards d'années, en harmonie avec la vie ».

L'ensemble des êtres vivants sur Terre serait comme un vaste organisme – appelé « Gaïa », d'après le nom de la déesse de la mythologie grecque personnifiant la Terre – réalisant l'autorégulation de ses composants pour favoriser la vie. L'hypothèse Gaïa se fonde sur plusieurs constatations écologiques, climatologiques, géologiques ou biologiques. Il en résulte un pronostic alarmiste quant à l'avenir de la biosphère, face au défi du changement climatique notamment.

Projet Conscience Globale

Le « Global Consciousness Project » est une expérience débutée en 1998 à l'université de Princeton aux États-Unis sous la direction de Roger Nelson. 70 ordinateurs disséminés dans le monde génèrent en temps réel des suites de 0 et de 1 de façon aléatoire au rythme de 200 chiffres par seconde. Il s'agit d'examiner scientifiquement les faits qui indiqueraient l'influence d'une conscience mondiale (c'est-à-dire les effets d'une même émotion ressentie par des millions de personnes en même temps). Statistiquement, selon les lois du hasard, le tirage devrait être réparti à 50/50 pour les deux chiffres et c'est ce qui est observé pour la plupart des jours « normaux ».

L'expérience en cours depuis treize ans montre que les événements mondiaux chargés d'émotion, modifient la répartition des tirages aléatoires selon des proportions qui n'ont qu'une probabilité de un sur un milliard de se produire. Des événements comme l'attaque du 11 septembre, le décès de Diana et, plus récemment le tsunami au Japon ont entraîné une très grande déviation, par rapport à ce qui était attendu. Ce qui est d'autant plus intrigant c'est que les écarts par rapport à la ligne de base étaient parfois visibles plusieurs heures avant l'événement : l'émotion collective pressentait une menace imminente.

L'Internet

Pierre Teilhard de Chardin est considéré, comme l'un des penseurs précurseurs d'Internet. En effet, la toile est parfois considérée comme le nouveau système nerveux de la noosphère : une grande quantité d'informations accessibles à l'humanité tout entière et qui peuvent être partagées à double sens par tous. Pour montrer à quel point les révolutions tournent en rond, il est drôle de constater qu'en matière de réseaux câblés on parle d'Ethernet, le retour à l'éther et la boucle est bouclée...

Nous ne sommes pas seuls sur notre nuage

Vous voyez, la notion de partage de l'information et de l'expérience humaine est ruminée depuis des siècles, la digestion n'est pas terminée. Nous n'avons ni la formation ni la qualité pour affirmer ou infirmer les hypothèses rebattues, débattues et combattues. Cependant, vous nous permettrez de mettre en place la nôtre : l'information est partagée, elle réside quelque part, elle est indépendante du temps et de l'espace et tous peuvent y avoir accès. Nous désirons nous tenir à l'écart de tout concept religieux, sectaire, psychanalytique ou philosophique. Nous ferons référence à notre infosphère par souci de simplicité et de neutralité, nommez-la comme vous voulez : l'Univers, la Nature, Dieu, les Anges, les Guides, l'Absolu, c'est tout cela l'infosphère. Les moteurs de recherche tels que Google ou Yahoo sont des moteurs de requêtes du cyberespace, les exercices proposés dans ce livre ne sont qu'une autre forme de moteur de recherche et d'obtention de l'information.

LE MYSTÈRE DU GÉNOME HUMAIN

En mai 2008, le prestigieux journal « Nature » publia ce que les scientifiques du monde entier attendaient avec impatience depuis presque vingt ans : la carte du génome humain ! Ce projet gigantesque avait pour but de comprendre, une fois pour toutes, le codage génétique de l'homme. Les généticiens et tous les spécialistes pensaient pouvoir trouver la clé de la transmission des caractéristiques physiques, biologiques et comportementales des êtres humains. Les gènes étaient sensés représenter le mode de codage de ce que nous sommes à la naissance, ce que nos parents et leurs parents nous avaient transmis, comportement compris. Les premières estimations étaient que 2 à 3 millions de gènes seraient ainsi découverts et permettraient, enfin, d'expliquer notre patrimoine personnel.

La dernière phase de décodage du gène humain publiée ce 1er mai 2008 révéla que le génome humain comportait environ 20 000 gènes de codage c'est-à-dire cent fois moins que ce qui était prévu. Pour faire une comparaison avec des espèces animales de laboratoire qui avaient fait l'objet d'une précédente cartographie du génome, la mouche à fruit (*Drosophila melanogaster*) possède 14 000 gènes et le ver rond de un millimètre de long (*Caenorhabditis elegans*) possède 16 000 gènes ! Il a aussi été découvert que seulement 1,23 % des gènes humains nous différencient du chimpanzé.

Toutes les théories des gènes comme support de l'information s'écroulaient d'un seul coup. Comment des enfants peuvent-ils imiter des comportements de grands-parents qu'ils n'ont jamais connus ? Comment des jumeaux séparés depuis la naissance peuvent-ils, dans des pays différents avoir les mêmes gestes, les mêmes tics, les mêmes choix ? Il n'y a pas assez de gènes pour supporter toutes ces informations. Et la vraisemblance d'une mémoire universelle, l'infosphère, devient de plus en plus à l'ordre du jour.

POURQUOI CE QUESTIONNEMENT ?

PAR DAVID O'HARE

Vous pouvez être sceptique et c'est parfaitement compréhensible, j'ai été sceptique pendant beaucoup plus d'années qu'*antisceptique,* le terme « acceptant » étant vraisemblablement plus adapté à l'oreille. Je suis devenu acceptant, ni militant ni extrémiste : je constate des faits, j'observe une augmentation de mes capacités intuitives, je remarque que c'est systématique si on a l'intention de les observer, l'attention pour les déceler. Il vous manque peut-être l'acceptation. Que craignez-vous de simplement accepter qu'il existe une forme de mémoire externe à nous, appelez-la comme vous le désirez mais servez-vous en, je suis de plus en plus persuadé qu'elle est bienveillante.

La Mère Nature, la Terre Nourricière, le Bon Dieu, l'Univers Infini, l'Ange Gardien, l'Énergie Créatrice, les hommes ne savent pas nommer la mémoire collective, l'infosphère. Ce qu'ils savent c'est qu'elle est bonne et favorable à la vie. Lorsque vous aurez perçu quelques messages de l'infosphère, qu'ils vous auront été utiles, vous constaterez qu'ils sont toujours des messages de mise en garde, de protection, favorables à une vie plus sûre et meilleure.

Le seul principe de base de la vie, c'est de rester en vie et de la prolonger par la procréation. Toute l'évolution, nos réflexes, notre codage génétique, notre physiologie n'ont pour seul but de maintenir la vie. L'infosphère est un moyen, extérieur à notre corps, pour maintenir l'homme en vie.

C'est pour cela que vous ne gagnerez probablement pas au loto, que vous n'aurez pas raison à chaque fois, que vous vous tromperez souvent. La nature a aussi besoin de chaos, de complexité et de métissage pour rendre l'homme plus fort et plus adaptatif – un homme qui ne s'adapte plus est mort. Vous recevrez de l'infosphère juste ce qu'il vous faut, au moment où vous en aurez besoin (et pas envie), sans défavoriser personne. L'infosphère est bienveillante avec vous et avec les autres, nous la partageons.

La bienveillance, ce mot est superbe. La « Bien-Veillance », elle devrait être une maladie contagieuse textuellement transmissible pour que je puisse, par ces mots, vous infecter aussi.

TROISIÈME PARTIE

LES DÉCISIONS

PRÉSENTATION DE LA DÉCISION

DÉCIDER C'EST COUPER, TRANCHER ET ÔTER. LE MOT DÉCISION a la même origine que le mot ciseaux. La décision peut être difficile car c'est aussi une séparation bien souvent, très douloureuse parfois, à tel point qu'on pourrait croire que « à choisir » a la même origine étymologique que « hachoir ». Les ciseaux ont deux lames, essayez donc de couper une feuille de papier avec une seule lame. C'est impossible, en tout cas mal commode. Les décisions ont aussi deux lames qui servent à trancher. La raison et le cœur, la pensée et les émotions, le rationnel et l'irrationnel, expérience et intuition. Essayez donc de décider avec une seule de ces lames. C'est pourtant ce que propose la quasi totalité des méthodes et techniques de prise de décision disponibles à ce jour. La décision rationnelle, raisonnée, réfléchie et calculée. Une lame seulement, il manque l'âme.

PRENDRE UNE DÉCISION

PAR DAVID O'HARE

J'ai toujours été intrigué par la différence de culture entre les anglophones et les francophones. La langue véhicule beaucoup plus qu'une simple communication de personne à personne, elle révèle aussi des traits fondamentaux de notre fonctionnement cognitif collectif.

Les anglophones « fabriquent » une décision (*to make a decision*), nous la « prenons » (*prendre une décision*). Ce qui m'amuse, c'est que j'aimerais bien qu'on me dise où je dois « prendre » cette décision qui semble attendre qu'on la cueille. Le modèle anglais n'est-il pas plus concret et adapté à la réalité ? La décision n'est-elle pas une lente construction qui demande un effort et une méthode, ou est-elle une solution clé-en-mains dont il suffit de trouver la localisation ? Les uns seraient-ils des constructeurs et les autres des explorateurs ?

Je viens de vérifier le nombre d'ouvrages en anglais ayant pour objet la construction d'une décision (*decision making*) : 27 569 livres ce matin[2]. La majorité de ces livres traite de la décision en entreprise, ce sont des méthodes, des structures, des plans à suivre pas à pas. La même démarche est adoptée dans les ouvrages destinés au développement personnel et à la vie de tous les jours.

Je viens aussi de vérifier le nombre d'ouvrages ayant le même objet dans la langue de chez nous : 25 345 livres ce matin[3]. Il ne faut pas comparer le nombre de volumes pour deux raisons : la production en langue anglaise n'est pas comparable, une majorité des livres en langue française sur le sujet sont des traductions depuis l'anglais. Mais où je veux en venir c'est que deux constatations s'imposent :

- c'est un vaste sujet, largement débattu ;
- la quasi totalité des livres en langue française traite de la construction logique d'une décision en adoptant l'attitude du constructeur (*decision making*). Avec schémas, méthodes et procédures. Je n'ai pas trouvé l'allusion à la décision toute prête qu'il faut aller chercher.

Je suis sûr que vous avez l'un de ces livres chez vous, que vous l'avez lu et que vous en avez appliqué les stratégies astucieuses. Rassurez-vous, je suis prêt à parier que j'en ai lu plus que vous.

[2] Source www.amazon.com (USA) mot-clé decision making, le 6 juin 2011.
[3] Source www.amazon.fr (France) mot clé prise de décision, le 6 juin 2011.

Pouvez-vous me dire pourquoi vous avez acheté ou emprunté celui-ci ? Vous manque-t-il une information ? Êtes-vous un constructeur de décisions (*decision maker*) ou un preneur de décisions ? La langue française aurait-elle mal interprété le processus qui mène d'un problème à sa solution ? Notre fonctionnement cartésien aurait-il une préférence pour le modèle anglais ?

Donnons une chance à la prise de décision au sens littéral, laissez-moi vous guider dans ce livre. Découvrez comment une décision, ou une bonne partie de celle-ci peut bénéficier de ressources toutes prêtes disponibles quelque part, souvent pas très loin. Il suffit d'aller les chercher. Et surtout, de savoir où aller les chercher.

Pourquoi ne pas créer le terme d'entrepreneur de décisions, celui qui prend et qui construit ? C'est jouer sur les mots, mais en tout cas, cela illustre mon propos à merveille.

Renault est un constructeur automobile (*automobile maker*) parmi les dix premiers constructeurs mondiaux. En 1999, Renault reprend Dacia, constructeur roumain, pour la création d'un véhicule à mois de 5000 euros. Le lancement de la Logan par Dacia en 2004 fut un succès commercial très important et inattendu.

Quel est le secret de Dacia ? Construire des automobiles de qualité en « empruntant » des éléments tout prêts, tout près (chez Renault sa maison-mère). Ainsi les automobiles Dacia sont des puzzles astucieux assemblant des modules qui ont déjà été pensés, testés et validés. Astucieux. En tout cas, ça marche.

C'est ce que nous vous proposons ici, des modules, des processus, des schémas de fonctionnement préexistants que vous pourrez inclure à la construction de votre décision, plus rapidement, plus efficacement avec un coût émotionnel réduit. Entrepreneur de décisions ? Construire et Prendre une Décision, telle est notre mission, la vôtre si vous l'acceptez. C'est ainsi que vous pourrez apprendre une décision.

LES DUELS DE LA DÉCISION

Trop longtemps les duos impliqués dans les décisions ont été assimilés à des duels et opposés l'un à l'autre. Cerveau rationnel contre cerveau intuitif, nous avons réglé ce compte, mais ce n'est pas fini, au sein de chacun de ces protagonistes d'autres rivalités se sont organisées, elles aussi ont été opposées comme s'il s'agissait de demi-finales avant l'affrontement final.

Le duel du cerveau rationnel

C'est la première demi-finale qui a longtemps fait référence, nous cataloguant tous en cerveaux gauche ou cerveaux droits. Les connaissances actuelles confirment peu à peu que cette répartition n'est pas aussi tranchée et que nous fonctionnons en meilleure harmonie avec nos deux hémisphères.

L'asymétrie du fonctionnement cérébral a été mise en évidence à la fois par l'étude des conséquences de lésions cérébrales accidentelles sur les facultés cognitives mais aussi, plus récemment, grâce aux techniques d'imagerie cérébrale qui montrent des activations asymétriques suivant les opérations mentales qu'effectue la personne dont on enregistre des indices de l'activité cérébrale. Malgré d'importants progrès sur cette question, il reste de nombreux points de débats.

Bien que dans la communauté scientifique, la question de l'asymétrie cérébrale fasse l'objet de nombreuses controverses, ce thème connaît une grande célébrité auprès du grand public. De nombreux auteurs et journalistes ont ainsi popularisé une dichotomie entre « cerveau gauche » (associé au langage, au raisonnement...) et « cerveau droit » (émotions, intuition ...) caricaturant les travaux scientifiques qui se contentaient de montrer une différence de degré entre les implications de chaque hémisphère. La répartition « psychique » ne peut pas être aussi formelle, d'autant qu'il s'agit de fonctions dominantes et qu'il existe toujours une « coopération » entre les deux côtés. Nous évoquons dans l'encadré ci-dessous les spécialisations qui ont été attribuées à chacun

CHACUN SES SPÉCIALITÉS

• **Le cerveau gauche**

- On le dit analytique, logique, mathématique, séquentiel.

Il fonctionne de préférence à partir du détail, il s'en sert pour aller vers la complexité.

- C'est le siège préférentiel du langage, mais pas exclusivement.

L'intelligence analytique est exacte par nature et s'exprime pleinement dans le détail, dans l'abstraction, dans l'indexation. C'est la base des sciences, qui permet d'affirmer que 1 + 1 = 2. En théorie, elle ne peut être prise en défaut, et permet d'atteindre tous les niveaux de complexité par addition. La tentation est forte de l'assimiler aux mathématiques, mais c'est aussi la base du langage.

• **Le cerveau droit**

- On le dit analogique, empirique, intuitif.

Il fonctionne plutôt sur la globalité, l'expérience et l'erreur, la déduction.

- C'est le siège préférentiel du traitement de l'image et de la communication non verbale.

L'intelligence empirique est intuitive et s'exprime mieux dans le recoupement, l'expérience et donc la globalité. Elle intervient plus dans l'adresse physique, dans les mathématiques complexes, ou quand le langage devient poétique. Elle permet de résoudre un problème sans en avoir toutes les bases, mais s'accommode mal de l'abstraction, car tout apport doit s'intégrer à l'ensemble. On l'assimilerait à l'intelligence artistique, ou l'intelligence de l'image.

des hémisphères, nous savons aujourd'hui que les deux communiquent et se complètent. Disons qu'ils ont chacun leur point de vue. L'approche intuitive se situe en dehors des hémisphères mais plutôt dans les arcanes du cerveau limbique avec lequel les hémisphères communiquent aussi en continu.

Le duel du cerveau intuitif

• L'émotion forte court-circuite la décision

La menace est une alerte immédiate, un gel des fonctions cognitives pour réagir de façon réflexe. Lorsque la menace est passée, le cerveau intuitif rend la main et débranche le pilote automatique. La gestion est passée au cerveau reptilien archaïque mais efficace car riche des réflexes de millions d'années d'évolution des espèces dont nous descendons.

• L'émotion assiste la décision

Le cerveau intuitif fait profiter le cerveau rationnel de sa mémoire émotionnelle encyclopédique, il peut retrouver avec quelques mots-clés toutes les situations précédentes où ils ont été employés, il restituera les schémas et les stratégies qui avaient été mises en place par l'expérience. Ici encore, point de duel mais de dualité.

QU'EST-CE QU'UNE DÉCISION ?

Une décision est une procédure à la fois inconsciente et consciente. La part consciente et volontaire a été largement développée, théorisée et standardisée. Ce processus a souvent été appelé arbre décisionnel car la décision va cheminer progressivement en suivant plusieurs embranchements jusqu'à aboutir au fruit, le résultat. L'arbre est visible, nous avons appris à le tailler, le domestiquer, l'élaguer et l'orienter pour que la fructification soit la meilleure possible. Nous avons souvent oublié de cultiver les racines, la part invisible mais néanmoins indispensable à la fructification. Les racines d'une décision puisent dans l'invisible, l'expérience, les aptitudes, les décisions passées et leurs effets, l'accès à une information collective. L'arboriculture des décisions doit aussi s'occuper des racines pour les nourrir, les amender et favoriser leur développement optimal.

Une décision est un processus aux multiples facteurs. Il s'agit d'une succession de carrefours qui permet d'arriver au résultat.

La part visible d'une décision

Traditionnellement, les guides et ouvrages traitant de la bonne façon de prendre une décision suivent le processus raisonné suivant :

- Définir le problème,
- Collecter les informations,
- Chercher les solutions,
- Choisir une solution,
- Appliquer la solution choisie,
- Valider la justesse de la solution choisie.

Il s'agit d'un processus complexe, rationnel et raisonné. Nous passons toute notre scolarité à apprendre à décider de manière logique et raisonnable. Les fondements des apprentissages créent les bases de données théoriques, documentaires et les expériences pour nourrir notre bibliothèque de savoir et de savoir choisir. Nous ne nous attarderons pas plus longtemps à l'étude de ce type de processus largement documenté.

Il n'y a pas d'école pour l'intuition. La méditation, la pleine conscience et la philosophie de « l'ailleurs universel » ne sont plus aux programmes des cursus occidentaux.

Nous savons que le livre que nous écrivons ne sera ni complet ni exhaustif, nous avons dû faire des choix, celui de rester simple et pratique fut le premier. De la même façon qu'il aurait été impossible de présenter en un ouvrage, identique en volume à celui-ci, pour aborder tous les savoirs nécessaires aux décisions logiques, il serait également impossible d'exposer toutes les possibilités de votre cerveau irrationnel et de vos intuitions en un petit livre aussi condensé qu'il soit. C'est pourquoi nous avons choisi une méthode d'exploration qui commence à vous dire : « c'est possible » et qui continue en vous expliquant qu'il faut développer votre intention, votre attention et vos intuitions.

La part invisible d'une décision

C'est ici que commence notre arboriculture de la décision. Nous allons creuser jusqu'aux racines pour les reconnaître et apprendre comment améliorer leur développement. Les expériences viendront à chaque décision, les justes et celles qui ne le sont pas, les injustes et les équitables, c'est en apprenant de vos décisions que vous enrichirez votre bibliothèque des stratégies qui ont agi en votre faveur et celles dont vous avez rougi. L'intuition, c'est notre objectif : avoir accès à l'information décisive d'où qu'elle vienne.

AIDER À DÉCIDER

PAR JEAN-MARIE PHILD

J'ADORE MON MÉTIER. À AUCUN MOMENT À CE JOUR, N'AI-JE regretté le choix d'en faire une profession. Je me considère comme un assistant à la prise de décision. Parapsychologue, voyant ou clairvoyant sont des termes limitatifs car ils se bornent à définir la méthode et à l'outil employé et non le service rendu. Un menuisier n'est pas seulement un scieur de bois et un marteleur, un agriculteur n'est pas seulement un pilote de tracteur, un professeur n'est pas seulement un donneur de leçons. Le service, le produit, l'œuvre ou le savoir sont le résultat complexe de compétences, d'expériences, de réflexions et d'intuitions, des outils sont parfois nécessaires à leur réalisation.

J'aide mes clients à décider, j'ai des outils à ma disposition, qui relèvent de la perception d'une information et de sa transmission. J'ai appris à les utiliser, je les améliore, je m'entraîne tous les jours. La perception s'apprend, se travaille et se perfectionne.

Je réfléchis depuis des années à ce mélange subtil qu'est une décision, c'est un puzzle où tous les morceaux sont éparpillés et j'aimerais bien savoir parfois par quel bout commencer. Traditionnellement, les fanas de puzzles commencent par repérer les coins, c'est le plus facile, ce sont les seuls morceaux ayant un angle droit. Ensuite les bords pour faire le cadre puis c'est au tour de la patience, des essais, des déceptions et des réussites. Lorsque nous avons décidé d'écrire ce livre, David et moi, nous nous sommes retrouvés avec des centaines de pièces dont nous ne savions que faire, et nous devions vous remettre une œuvre : « Comment vous aider à décider mieux ».

Commençons par les bords, les quatre coins d'une décision.

LA RAISON

C'est le coin le plus facile à reconnaître, celui qui a été le plus décrit et qui semble faire l'unanimité. Pour décider, il faut réfléchir, calculer et penser. Nos diplômes et nos formations sont les garants d'une bonne capacité à raisonner. J'interviens très peu dans le domaine de la raison, j'aurais même tendance à demander à mes clients de lâcher prise et de prêter d'avantage attention aux autres points cardinaux d'une décision future.

L'EXPÉRIENCE

L'expérience au singulier c'est ce qu'on acquiert avec les expériences au pluriel. Toutes nos expériences passées sont enregistrées dans notre mémoire de façon consciente ou non. L'expérience résulte de l'exposition à des changements environnementaux et à l'adaptation à ceux-ci. Les expériences sont marquées des émotions qui les ont accompagnées lors de leur survenue. Une expérience sans émotion devient une ex-expérience et sera oubliée faute de marquage.

Nous avons besoin de nous tromper pour forger notre expérience, l'émotion désagréable associée à l'erreur va la marquer comme à éviter. Nous avons aussi besoin de prendre de mauvaises décisions pour améliorer le résultat des prochaines. Toutes les décisions sont bonnes pour l'expérience, pas toujours pour les émotions. J'interviens au niveau émotionnel, votre corps émet des émotions, je suis un récepteur et j'arrive à me syntoniser sur votre fréquence d'émission. Je peux vous aider à associer un événement passé à une émotion désagréable et vous éviter de renouveler l'expérience[1].

LA COMPÉTENCE

La compétence c'est ce que j'ai fait de mes expériences, l'apprentissage d'une méthode, le développement d'une expertise, le développement de capacités naturelles. La compétence résulte d'un travail personnel. J'interviens très peu sur la compétence, c'est votre travail personnel, ce que vous avez mis en place jusqu'à présent pour affronter de nouvelles expériences fort de celles passées et des stratégies construites.

Ce livre me permet, enfin, d'intervenir à ce niveau et vous donner des outils et leur mode d'emploi, cela me fait tellement plaisir.

L'INTUITION

L'intuition est complexe et multiple, on parle donc plutôt d'intuitions. Elles font appel à des facultés dont nous sommes tous dotés, la perception, l'émotion, les sentiments, ce fameux sixième sens. L'intuition n'est jamais mentionnée sur un curriculum vitae alors que les trois autres coins de notre cadre sont obligatoires. Oubliez l'intuition et vous aurez un CV triangulaire ; les employeurs contournent le problème en demandant une lettre d'*émotivation* manuscrite espérant ainsi trouver des pistes révélatrices d'une capacité intuitive. À quand le quotient d'intuitivité ? On pourrait l'appeler QI pour équilibrer intelligence et intuition.

[1] Je vous invite à lire attentivement la partie concernant la transmission des émotions désagréables pages 115 et 117 (expériences Heartmath et Radin).

Mon rôle de parapsychologue conseil, dans l'accompagnement de la prise de décision pour mes clients est celui de révélateur d'intuition. J'ai travaillé la mienne pour savoir de quelle façon elle se manifeste de façon subtilej'ai appris à faire confiance aux images, aux insignifiants chargés de sens, j'écoute, je regarde et je sens. Ma raison s'accorde parfaitement à cette cohabitation. Mes expériences et celles de mes clients ont forgé ma compétence, mon intuition est à leur disposition, j'aime parler d'extuition. Elle se manifeste de multiples façons, votre voix intérieure est audible, votre histoire lisible, votre vie visible. Je vous aide à réfléchir en réfléchissant ce que vous m'envoyez.

Tous les circuits de l'intuition sont identiques, je prête seulement mes émotions, mes sentiments et ma perception de l'information qui concerne la personne qui me consulte. Je vous aide à poser l'angle « intuition » au cadre de votre vie, et ensemble nous allons mettre en place les bords aux lignes droites qui relient les trois autres coins ; ce travail accompli, vous pourrez alors commencer votre œuvre centrale et placer, avec patience, tous les morceaux de vos futures décisions.

Le développement de vos capacités intuitives passe par le développement de vos aptitudes à percevoir. Je vous prête mes outils et je partage mon expérience, c'est à vous maintenant de développer vos propres procédures, vos propres méthodes pour prendre vos propres décisions à bras le corps et les intuitions.

QU'EST-CE QU'UNE BONNE DÉCISION ?

PAR DAVID O'HARE

Vol 1549

3h25, la tour de contrôle de l'aéroport LaGuardia donne l'autorisation de décoller à Jeffrey Skiles aux commandes d'un Airbus A 320 à destination de la Caroline du Nord. L'avion survole le pont George

Washington de Manhattan depuis 3 minutes quand lorsqu'il s'engouffre dans un énorme vol d'oies sauvages. Les oiseaux s'écrasent sur le pare-brise bloquant la vue, des dizaines d'autres sont happés par les réacteurs causant une panne totale immédiate en pleine ascension, phase du vol qui nécessite la poussée intégrale des deux réacteurs. Immédiatement le commandant de bord, Chesley Sullenberger reprend les commandes et le capitaine Skiles tente de faire redémarrer les moteurs.

Il faut réagir rapidement. Quelques contacts avec le sol confirment que la situation est désespérée. Teteboro étant l'aéroport le plus proche, la piste 1 est dégagée et l'approche préparée en catastrophe conformément à la procédure. À 3h29 le Commandant annonce qu'il tente de poser l'avion sur la rivière Hudson en plein centre de Manhattan ! À 3h31 l'avion se pose sur l'eau à 240 km/h le plus près possible des bateaux qui pourraient le secourir. Tous les passagers sont évacués sains et saufs. Ce fut une décision juste et bonne et « Sully » devient un héro national. Que ce serait-il passé si l'avion s'était écrasé sur la ville, tuant tous les passagers et semant l'horreur dans la ville ? La décision aurait été la même mais Sully aurait été voué à l'opprobre posthume.

Les chances étaient minimes, mais la chance a fait que Sully était un pro de chez pro avec 19 000 heures de vol. Ancien pilote de chasse, instructeur de sécurité aérienne pour sa compagnie, pilote de planeur, spécialiste à la NASA des évacuations d'urgence. La programmation de son vol, ce jour-là, est la preuve d'une étoile bienveillante quelque part dans l'infosphère !

Consultation 104322

Je pousse la porte de ma salle d'attente, Madame Martin se lève, elle tire Julien par le bras et l'entraîne à sa suite vers mon cabinet de consultation. Julien a de la fièvre, c'est évident, ses joues sont rouges et luisantes, il est trop sage, son front brille et la sueur perle à la racine de ses cheveux noirs. D'ordinaire enjoué et bavard, Julien se hisse péniblement sur ma table d'examen, il a l'habitude de venir, il ne craint rien ici, il le sait. L'examen est sans équivoque, c'est une rhino banale. Je connais sa façon de réagir aux traitements, je décide de lui prescrire un antibiotique, c'est ce qui marche le mieux chez lui habituellement. Je rassure Madame Martin, je lui tends la prescription, je la raccompagne, je dis au revoir à Julien, je pousse la porte de la salle d'attente... Trois jours plus tard, je rencontre Madame Martin, Julien va bien, il est retourné à l'école, l'antibiotique était une bonne décision.

Je pousse la porte de ma salle d'attente, Madame Martin se lève, elle tire Julien par le bras et l'entraîne à sa suite vers mon cabinet de consultation. Julien a de la fièvre, c'est évident, ses joues sont rouges et luisantes, il est trop sage, son front brille et la sueur perle à la racine de ses cheveux noirs. D'ordinaire enjoué et bavard, Julien se hisse péniblement sur ma table d'examen, il a l'habitude de venir, il ne craint rien ici, il le sait. L'examen est sans équivoque, c'est une rhino banale. Je connais sa façon de réagir aux traitements, je décide de lui prescrire un antibiotique, c'est ce qui marche le mieux chez lui habituellement. Je rassure Madame Martin, je lui tends l'ordonnance, je la raccompagne, je dis au revoir à Julien, je pousse la porte de la salle d'attente, ... Trois jours plus tard, j'apprends que Julien a été hospitalisé en urgence, une réaction d'intolérance à l'antibiotique, il va mieux, mais le pronostic avait été réservé pendant 24 h.

La situation était la même[1], ma connaissance et mon expérience identiques, la décision est-elle devenue une mauvaise décision ? En d'autres termes, faut-il attendre les conséquences d'une décision pour la juger bonne ou mauvaise ?

Pendant l'hospitalisation de Julien, une échographie de routine révéla une malformation rénale qui n'avait aucune chance d'être repérée auparavant. L'intervention chirurgicale pratiquée à temps

[1] Je ne pense pas que vous ayez remarqué que la prescription était devenue ordonnance. Juste une facétie de ma part.

permit d'éviter des complications graves dans l'avenir. Je change d'avis quant à ma décision : heureusement que l'antibiotique avait envoyé Julien à l'hôpital.

Une décision est prise au présent, elle doit être juste au moment où je la prends, les conséquences sont des probabilités, des risques, des incertitudes, des chances ou des malchances. Prenons l'habitude de dire une décision JUSTE et de réserver le terme de BONNE à la conséquence du résultat de la décision.

Une décision juste devient plus souvent bonne

Une décision **juste** a plus de **chances** de devenir **bonne**, une décision qui ne l'est pas ne peut devenir **bonne** que par **chance**.

Nous adoptons le mot « juste » hors de sa connotation de justice mais plutôt de celle d'ajustement à la situation. C'est pourquoi, dans ce cas nous parlons d'une décision juste, ajustée à la situation, et une décision qui ne l'est pas n'est pas injuste mais non ajustée.

Juste et équitable, une décision doit faire la part égale à la réflexion et à l'intuition, aux connaissances conscientes et aux notions subtiles que nos perceptions internes et externes cherchent à nous souffler. Toutes les décisions, surtout les plus importantes de votre vie, doivent se jouer équitables, cartes sur table, toutes les cartes : les cartes découvertes, les cartes cachées, et les jokers. C'est de cette façon que vos décisions deviendront justes et non juste des décisions.

À VOUS DE PROGRESSER

Après les exercices préparatoires par le développement des intuitions, nous vous proposons maintenant d'exercer directement vos décisions. Comme pour tout entraînement, la progressivité est préférable : maîtriser une notion avant de passer à la suivante.

Vous avez l'habitude des exercices, ceux que nous présentons ci-après sont des applications des exercices que vous avez déjà pratiqués.

Nous avons tenté de classer ces applications par ordre de complexité. Les délimitations entre les différents types de décisions sont difficiles à percevoir. Vous trouverez donc, accompagnés de leurs exercices, les décisions suivantes : l'autopilote, les petites décisions, les décisions simples, les décisions cruciales, les décisions complexes, les dilemmes, prenez soin de vous, les décisions financières, les décisions affectives.

EXERCEZ VOS DÉCISIONS 1 – L'AUTOPILOTE

PREMIÈRE MÉTHODE DE NAVIGATION, LE PILOTE AUTOMATIQUE, l'autopilote comme nous l'appellerons. Vous larguez les amarres, sautez à bord, bloquez la barre et vogue la galère. 90 % de nos actions de tous les jours se déroulent automatiquement, instinctivement, selon des apprentissages, en pilotage automatique réflexe. Lors de la première occurrence d'une situation, nous avons hésité, réfléchi, décidé avec plus ou moins de réussite, puis nous avons appris de nos réussites et de nos échecs. Tout ceci a été stocké dans notre mémoire à long terme dite procédurale, qui alimente le pilote automatique, le système nerveux autonome.

Dans la plupart des cas, nous maintenons le cap et arrivons à destination, le trajet est rarement rectiligne et le plus court chemin du point N au point M n'est pas toujours respecté, c'est la vie et ses aléas. Ballottés par les courants et déportés par les vents nous avons parfois l'impression d'être une bille de flipper cherchant la sortie. Inutile de flipper, je vous rassure, la bille trouve toujours la sortie, quel que soit le score.

Le flipper moderne avait pour ancêtre la planche à clous aussi appelée planche de Galton[1].

[1] Francis Galton (1822-1911) : scientifique britannique, anthropologue, explorateur, géographe, inventeur, météorologue, proto-généticien, psychométricien et statisticien.

Sir Galton montra qu'une bille lâchée du haut d'une planche à trous avait la plus grande probabilité de tomber au milieu. Il fut à l'origine des théories du calcul statistique sur les moyennes et les écarts-types encore utilisés de nos jours. À chaque clou, la bille a une chance sur deux de basculer à droite ou à gauche sous l'influence de la gravité. Lorsque de nombreuses billes sont lancées sur le parcours, la majorité d'entre elles sont réparties au centre, le cap a été maintenu pour elles, grâce au hasard, la chance ou la simple statistique.

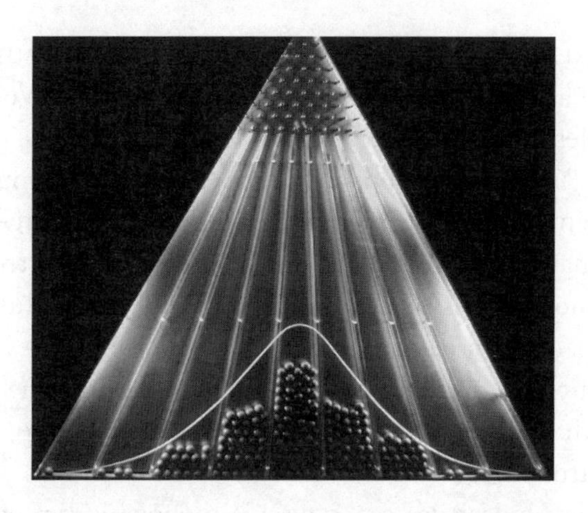

Vous pouvez parfaitement vivre en total autopilote et bien vous en sortir, la grande majorité des gens le font, la loi de Galton est respectée. C'est le « coucicouça » que ces personnes répondront lorsque vous leur demanderez comment ils vont un coup-ci, un coup-là, « avec des hauts et des bas », « moyen » diront-ils secouant leur main. Dans la plupart des cas, l'autopilote pourrait s'écrire *lotopilote* avec ses aléas, ses hasards heureux et ses malchances. Vous êtes une bille unique et vous pourriez bien vous retrouver dans une case que vous n'auriez pas choisie même si la grande majorité de vos *cobilles* sont regroupées au centre. C'est la loi fatidique des statistiques. Vous pouvez sortir du lot, il suffirait de pouvoir incliner légèrement la planche, modifier la trajectoire pour qu'elle tombe plus souvent du bon côté. C'est ce que nous évoquions dans la section « casse au casino » (lire page 126).

Il ne s'agit pas de tricher, mais de *tilter*, incliner un objet légèrement se dit en anglais « to tilt ». TILT !

Le TILT physiologique existe, l'autopilote de notre vie se nomme système nerveux autonome, c'est lui qui maintient le cap de notre homéostasie, c'est par lui qu'il est possible de faire pencher la balance plus souvent du bon côté sans dérégler l'appareil. La pratique de la cohérence cardiaque est l'un de ces moyens physiologiques de *tilter*.

GALTON ET LA CONSCIENCE COLLECTIVE

Nous vous annoncions et introduction de ce livre que tous les sujets abordés sont intimement intriqués. Nos chapitres sont arbitraires et les découpages que nous avons eus de la difficulté à mettre en place ne sont pas le reflet de la réalité. Tout est imbriqué et interdépendant. Sir Galton s'intéressait aux décisions et à l'aléa, il s'est forcément heurté à l'infosphère, en voici la preuve.

Sir Francis Galton, l'inventeur de la planche à clous, s'intéressait également aux nombres et aux statistiques. Un jour, en 1906, il visitait une foire aux bestiaux et fut intéressé par un concours agricole organisé sur place. Un bœuf était exposé et il fut demandé aux villageois d'estimer son poids, si quelqu'un trouvait le poids à la livre près, il gagnait le prix. 800 personnes participèrent mais aucune ne trouva le poids exact de 1198 livres bien que plusieurs négociants et experts en bestiaux aient voté. Galton récupéra les données pour les analyser. La moyenne de tous les poids estimés par les villageois était de 1197 livres, soit un écart inférieur à 0,1 %. Comme si la conscience collective connaissait ce poids et l'avait réparti aléatoirement entre tous les participants. Cette découverte fut à l'origine de la théorie de

« La sagesse des foules », vérifiée et validée de nombreuses fois depuis. Nous faisons appel à cette sagesse collective, cette connaissance universelle et nébuleuse et tout ce livre voudrait en témoigner pour que vous puissiez, avec nous, en bénéficier.

EXERCER L'AUTOPILOTE

Notre corps confie à son autopilote de nombreuses régulations qu'il serait impossible d'entreprendre en mode conscient, car elles prendraient la totalité de nos capacités de réflexion. Cela nous laisse du temps et de l'attention pour les choses importantes de la vie. L'adaptation à l'environnement passe par tous les capteurs de changement dont le corps dispose. Les messages sont transmis par les émotions et les sens.

La meilleure façon d'exercer notre autopilote c'est d'en augmenter la capacité d'adaptation, son amplitude, de lui permettre de redresser la barre dans des conditions de plus en plus extrêmes – c'est le rôle fondamental des exercices de cohérence cardiaque abordés en début de livre. L'autre façon d'exercer son autopilote, c'est l'observation, la pleine conscience. Prêter attention, et le terme « prêter » prend ici tout son sens : vous portez votre attention sur la partie inconsciente de votre fonctionnement et vous reprenez cette attention, vous la prêtez. L'objectif n'est pas d'être en pleine conscience en permanence mais de soulever le couvercle de la boîte noire de votre autopilote de temps en temps et de regarder, d'observer.

Exercice pratique n°19 : exercer l'autopilote

OBJECTIF : parfaire ses compétences de pleine conscience.
IMPORTANCE : indispensable.
DIFFICULTÉ : ★
TYPE : état d'esprit.

QUAND : indéfini.
FRÉQUENCE : le plus souvent possible.
DURÉE : deux minutes.

L'EXERCICE :

- Chaque fois que vous le pouvez.
- Chaque fois que vous y pensez.
- Faites un petit tour d'horizon de tous vos instruments de mesure **[explication 1]**.
- Revenez à la réalité.

ENSUITE :

- c'est tout et c'est énorme.

COMPÉTENCES VISÉES : la pleine conscience, état d'esprit.

[explication 1]
Faites un petit tour d'horizon de tous vos instruments : c'est un rapide scanner du corps, un tour par chacun de vos sens, c'est l'observation et la prise de conscience. La pleine conscience le plus souvent possible.

Ce petit exercice a l'air de rien comme cela en quelques lignes. Mais si de ce livre nous n'en gardiez que deux, la cohérence cardiaque et l'autopilote pratiqués régulièrement tous les jours, vous auriez déjà un avantage très significativement supérieur à toutes les billes de votre sac !

PREMIÈRE DÉCISION, PREMIÈRE RÉSOLUTION

Prenez la décision de pratiquer la cohérence cardiaque pendant cinq minutes et l'autopilote à la suite pendant deux minutes, trois fois par jour, ce sont **21 minutes par jour** d'expertise décisionnelle que vous accumulez. Ces 21 minutes d'expertise quotidienne, aucune université de la décision ne pourrait vous la garantir même si vous alliez jusqu'au doctorat ès-décisions en dix années !

VOL 447

Le 31 mai 2009, à 2h10 du matin, le vol 447 entre dans une zone de turbulence au-dessus de l'océan Atlantique. Les sondes de vitesse givrent privant les pilotes de l'autopilote et d'un accès aux paramètres de vol. Il s'ensuit des moments émotionnels très forts entre les trois pilotes et des manœuvres de correction semble-t-il inappropriées. L'avion plonge dans l'océan, après 3 minutes 30 secondes de chute emportant avec lui ses 228 passagers et membres d'équipage. D'après la presse, la compagnie aérienne a déclaré que l'entraînement ne prenait pas en compte un tel type d'accident car il n'était pas « en théorie » possible.

Même type d'avion, même durée de chute, environ le même nombre de passagers, l'amerrissage sur l'Hudson et dans l'Atlantique n'ont pas eu les mêmes conséquences suite à une participation de facteurs humains. Entraînez-vous à votre autopilote et à prendre de la distance émotionnelle par rapport aux événements nouveaux et turbulents. Vous affronterez des événements improbables ou impossibles dans votre vie.

EXERCEZ VOS DÉCISIONS 2 – LES PETITES DÉCISIONS ET LES DÉCISIONS SIMPLES

Difficile de répartir les décisions en classes ou en catégories. Selon notre classification arbitraire, les petites décisions sont les décisions **conscientes qui n'ont pas besoin de délibération**. Ce sont celles que l'on prend rapidement, celles pour lesquelles les choix sont peu nombreux, les options évidentes et claires, les enjeux mineurs et surtout pour lesquelles le niveau d'incertitude est faible voire nul. Il s'agit de choisir entre deux ou plusieurs certitudes. Dans le cas des petites décisions, où deux certitudes s'affrontent, l'intuition a peu de place, la réflexion, la raison et les préférences en sont les arbitres.

Choisir un vêtement, le menu du restaurant, marcher ou prendre la voiture sont de simples hésitations, la suspension d'une action en cours, le temps d'une décision prise rapidement. C'est l'hésitation qui va attirer votre attention et vous détourner de la routine, le coup de marteau du juge qui suspend la séance et tire l'assistance de sa léthargie. L'hésitation est mouvement corporel il peut donc être considéré comme une émotion. Il est donc possible de la traiter avec les outils dont nous disposons.

S'EXERCER AUX PETITES DÉCISIONS

PAR JEAN-MARIE PHILD

En vous exerçant dans ce domaine, souvent en dehors du champ de l'intuition, vous allez surtout vous entraîner à l'observation et à la validation. C'est très utile pour affronter ensuite les grandes décisions, les décisions complexes et les décisions douloureuses (les dilemmes). Le programme est assez simple, la grande difficulté sera d'y penser assez souvent pour le rendre routinier. Vous percevez une hésitation face à un menu ou des options, c'est le moment de mettre en place l'exercice suivant.

Exercice pratique n°20 : les petites décisions

OBJECTIF : utiliser les hésitations.
IMPORTANCE : recommandé.
DIFFICULTÉ : ★★
TYPE : entraînement.
QUAND : lorsque vous hésitez.
FRÉQUENCE : selon la demande.
DURÉE : deux à trois minutes.

L'EXERCICE :

- Lorsque vous observez une hésitation **[explication 1]**.
- Expirez profondément.
- Respirez 6 fois en F-6 (une minute).
- Maintenez la respiration et observez le problème ou la question **[explication 2]**.
- Prenez la décision **[explication 3]**.

ENSUITE :

- c'est tout et c'est énorme.

COMPÉTENCES VISÉES : réduire les hésitations.

[explication 1]

Lorsque vous observez une hésitation : si vous hésitez c'est que votre raison s'est déconnectée ou que votre autopilote vous appelle à arbitrer. Prenez les hésitations comme un tremplin pour réaliser le premier des exercices d'aide intuitive à la décision.

[explication 2]

Maintenez la respiration et observez le problème ou la question : en associant l'observation de la question ou du problème avec le recul que vous donne la cohérence cardiaque, vous mettez les émotions paralysantes en arrière et vous avez un meilleur accès au subconscient.

[explication 3]

Prenez la décision : les décisions simples fonctionnent souvent sur l'autopilote, les enjeux ne sont pas importants ou les risques majeurs. Prenez donc l'habitude de marquer le temps d'arrêt de l'hésitation, de pratiquer votre cohérence cardiaque instantanée et de faire confiance à vos intuitions pour procéder et décider. Vous prendrez de l'assurance petit à petit. La ritualisation et l'automatisation des exercices favoriseront l'automatisation des réponses, votre autopilote enrichira sa mémoire de travail à chaque décision.

LES DÉCISIONS SIMPLES

PAR DAVID O'HARE

Je ne voulais pas quelque chose de compliqué en commençant ce livre, je pensais proposer mes réflexions et mes découvertes dans le domaine de ces petites décisions de tous les jours et l'apport qu'a représenté l'introduction de la cohérence cardiaque dans mon style de vie. C'était bien, c'était chouette et, chez lurette, il y a longtemps que ce projet s'est développé avec tout ce que je découvrais au fur et à mesure de mes recherches. Une décision, ce n'est pas si simple que ça au fond, son étude s'est avérée tellement passionnante que j'ai voulu la livrer. J'ai demandé à Jean-Marie de m'aider à faire la part des choses que je ne comprenais pas et nous voici à parler de décisions, des plus simples aux plus complexes, des plus conscientes aux plus automatiques.

Décider c'est couper et retrancher. La décision implique la séparation d'un tout en deux parties : l'une que l'on veut et que l'on garde, l'autre qu'on ne veut pas et dont on se sépare. Cette section sera consacrée à ces simples décisions pas toujours faciles, ces séparations successives, les options que je garde et celles que je regarde s'éloigner. Pour les dilemmes et les choix difficiles, c'est une autre question, un autre chapitre, le suivant. Le dilemme implique la séparation d'un tout en deux parties : l'une qu'on ne veut pas et l'autre qu'on ne veut pas. Voyons ces petites décisions conscientes et quotidiennes. Nous avons tout intérêt à automatiser le processus pour laisser notre cortex décortiquer les questions plus importantes.

Faire confiance à Papi

Pour poser mon petit avion, c'est très simple, à l'approche du terrain j'impose un angle d'approche d'environ 3°. « Très simple » me disait Christian, mon instructeur. Et comment je fais pour estimer un angle de trois petits degrés ? Simplissime fut la réponse : « il suffit de multiplier la vitesse au sol (en nœuds) par cinq pour obtenir le taux de descente à respecter (en pieds par minute) ! ». Multiplier des pieds par des nœuds ! Combien de fois me suis-je pris les pieds dans des nœuds avec ses calculs, d'autant plus que l'atterrissage est pour moi la période la plus stressante qui me prive de toute capacité de calcul mental. Un mille-pattes débile dans un bol de spaghettis essayant de poser un avion. Un pilote en pelote. Regarder le tachymètre, l'altimètre, le variomètre, mon trouillomètre et … viser le terrain. Au milieu de tout cela, Christian me rappelle « ton tachymètre donne la vitesse par rapport à l'air, pour connaître la vitesse par rapport au sol, il faut connaître la vitesse du vent et son orientation … », je tachycarde.

Christian ne m'avait pas parlé du papi. C'est un secret de famille réservé aux pilotes semble-t-il.

PAPI[1] (*Precision Approach Path Indicator*), c'est en général une ligne de quatre lampes à gauche du début de la piste d'atterrissage. Chaque lampe est orientée pour être vue rouge ou blanche selon l'angle d'approche. Quatre lumières blanches : trop haut. Quatre lumières rouges : trop bas. Deux blanches, deux rouges : pile trois degrés, je me pose et me repose sur la confiance en Papi.

« *Four RED, you'r dead ; four WHITE, too much height* » (quatre rouge, t'es mort, quatre blanc t'es trop haut).

[1] C'est le terme officiel d'un des systèmes automatisés d'approche avec le VASI (*Visual Approach Slope Indicator*).

Nous avons tous un Papi dans notre cockpit. Une « Perception Automatisée des Petites Intuitions ». Vous le savez maintenant, commencez à l'utiliser. Vous avez appris à décider en pesant le pour et le contre, en évaluant les conséquences, les risques et le prix, vous prenant les pieds très souvent. Vous savez poser méthodiquement votre aéronef décisionnel, passez à l'automatisation. Trop haut, trop bas, votre inconscient a enregistré tous vos tours de pistes et tous vos atterrissages, votre carnet de vol regorge des atterrissages en douceur, des rebonds, des secousses et des sorties de piste. Votre bureau d'enquête et analyse a classé vos expériences dans son dossier secret, ce dossier est accessible à chaque nouvel atterrissage, à chaque nouvelle décision. Interrogez Papi.

Emmenez Papi avec vous

Lors des premières leçons, les élèves pilote font des tours de piste. Des « Touch-and-Go », des toucher-décoller. Ceci permet d'automatiser les deux phases les plus délicates d'un vol, le décollage et l'atterrissage. Pour le décollage, on fait confiance à l'avion qui ne demande qu'à voler dès que la vitesse est atteinte. L'atterrissage n'est pas la décision de l'avion, c'est celle du pilote. Le brevet de pilote c'est surtout apprendre à poser l'avion en toutes circonstances, pour cela, il y a l'entraînement, l'expérience et Papi.

Commencez votre apprentissage des décisions de façon progressive, faites des *Touch-and-Go* sans conséquences. Pilotez d'abord des petites décisions, puis enhardissez-vous petit à petit en faisant confiance à votre papi.

L'intuition

Avec l'expérience et l'entraînement vous commencerez à reconnaître des petites lueurs de rouge ou de blanc, quelque part dans votre corps. Rouge, non ne le fais pas. Blanc, tu peux y aller. C'est subtil au début et demande une parfaite connaissance de votre façon de réagir aux petits coups de pouce. Si l'intention d'y prêter attention a été déclarée, vous les observerez. Observez, notez vos pressentiments, vos émotions, les changements qui s'opèrent en vous lorsque vous êtes face à une petite décision à prendre et agissez, c'est un *Touch-and-Go*. C'est de l'instruction sans passager.

L'action

C'est la décision. Lumière blanche, c'est le feu vert. Lumière rouge quelque part, habituez-vous à renoncer, à faire confiance. Avec l'entraînement, le rouge sera de plus en plus visible, il pourra vous éviter bien des sorties de piste. Remettez les gaz, refaites un tour de piste et représentez vous à l'atterrissage.

La reconnaissance

Une fois posé, quelle que soit la décision, dites merci. Au contrôle aérien, à l'inspiration, à votre nuage, ce n'est jamais une parole en l'air.

Un simple exemple

Si vous aimez les livres et la lecture voici un terrain de prédilection pour vos *Touch-and-Go* d'instruction en matière de petites décisions : les librairies. Livrez-vous à cette expérience. Vous décidez de choisir un livre, mieux, vous décidez d'apprendre à choisir un livre avec le *Touch-and-Go*. Emmenez Papi dans une librairie, une grande où vous pouvez rayonner dans les allées, relire les reliures, survoler les volumes, repérer les tomes crochus et vos affinités réciproques. Choisissez un thème ou choisissez de ne pas en avoir, c'est un choix aussi.

Prenez le temps et défilez devant les rayons lentement avec intention (celle de trouver le livre) avec attention (ouvrez tous vos sens vos perceptions), touchez, prenez, parcourez, lisez quelques passages, posez, avancez. *Touch-and-Go*. Soudain ou avec discrétion, un livre vous appellera et attirera votre pas, votre vue et votre désir. Achetez-le, empruntez-le ou asseyez-vous quelque part pour le lire. Vous comprendrez. C'est magique, je vous assure.

Les livres me parlent et m'appellent. C'est par les livres que j'ai appris la synchronicité. C'est à se demander si le patron des auteurs et des libraires n'est pas justement St-Chrone[1]. J'ai une question en suspens, j'ai une décision importante à prendre, je suis assailli de synchronicités dont j'ignore le sens, je vais dans une librairie ou chez un bouquiniste ; il est rare que je ne reçoive pas de St-Chrone un message souvent rempli d'humour. Soyez attentif aux mots, aux titres, aux images, à l'ouverture d'une page au hasard. Et puis l'achat d'un livre par erreur n'est pas une sortie de piste, il n'y a aucun risque. Le dernier exemple en date, je vous l'ai conté concernant le livre de Byron Janis, il me touche encore un mois après.

J'ai vécu des expériences similaires par dizaines depuis des années, pour moi, c'est plutôt le texte écrit et imprimé qui m'impressionne. Soyez attentif, observez les synchronicités, les événements surprenants, notez-les, tenez le journal si vous l'avez commencé. Faites l'expérience, si ce n'est pas les librairies ou les bouquinistes, vous trouverez, en tâtonnant, le moyen de prédilection de communication de votre Papi. Lorsque vous aurez pris le coup et le goût de cette aventure, élargissez votre champ d'exploration, appliquez la méthode à des décisions plus significatives ou plus cruciales.

L'entraînement aux simples décisions

La pratique régulière de la respiration en F-6 (voir page 104) est la règle de base, comme d'habitude. C'est elle qui permet d'affirmer l'intention, affermir l'aptitude à percevoir et à déceler les mouvements émotionnels internes. Il n'y a pas d'exercice à proprement parler à réaliser au moment de la simple décision si ce n'est un petit scanner du corps à la recherche d'un indice signalant un penchant intuitif.

[1] Totalement faux bien entendu, St-Chrone n'existe pas je vous ai déjà présenté. Le patron des libraires est St-Laurent, St-Jean, St-Georges, St-Jordi ou St-Thomas selon des sources divergentes, je ne me prononcerai pas craignant de me fâcher avec celui qui a la bonne idée de hanter l'un de mes lieux préférés.

Reprenez l'explication ci-dessus ainsi que l'exemple pour le reproduire à votre façon et détecter ainsi, dans un environnement choisi, les modes de communication de votre propre intuition.

Il est toujours utile, en fin de journée, lorsque vous avez vécu une expérience de manifestation intuitive, de pratiquer un exercice de validation tel que celui proposé ci-dessous.

Exercice pratique n°21 : valider un Papi

OBJECTIF : valider les intuitions positives.
IMPORTANCE : indispensable.
DIFFICULTÉ : ★
TYPE : validation.
QUAND : après avoir eu connaissance d'une aide intuitive pour une décision simple.
FRÉQUENCE : à la demande.
DURÉE : environ 10 minutes.

L'EXERCICE :

- Prévoir une pause pendant laquelle vous ne serez pas dérangé.
- Le soir, au calme est une bonne idée.
- Pratiquer une respiration F-6 pendant 5 minutes environ (30 respirations).
- Repassez l'expérience vécue en imagerie mentale **[explication 1]**.
- Respirez par le cœur.
- Associez la reconnaissance du cœur.
- Revenez doucement à l'instant présent.
- Respirez en F-6 pendant 6 respirations (1 minute).

COMPÉTENCES VISÉES :

- **Augmenter la probabilité de nouvelles intrusions intuitives favorables.**

• **Ancrage par la reconnaissance factuelle et la reconnaissance émotionnelle [explication 2].**

[explication 1]

Visualisation : il s'agit de pratiquer les « cinq dernières minutes ». Remontez le temps en imagination pour revivre, au ralenti, les minutes qui ont précédé l'événement intuitif. Devenez spectateur de votre expérience en précisant, si possible, les sensations, les émotions et les pensées que vous avez eues. Imaginez que vous racontez la scène d'un événement extraordinaire, avec tous les détails, à un ami proche. Laissez-le bouche-bée par les détails.

[explication 2]

Ancrage : il s'agit d'associer la reconnaissance (prise de connaissance) du fait d'avoir été guidé par les intuitions à la reconnaissance (gratitude). Cette association mentale et émotionnelle renforcera régulièrement la confiance subconsciente aux signaux émotionnels issus des intuitions.

Cet exercice renforce la probabilité de vivre de nouvelles expériences du même type. Vous mettrez du temps à trouver votre Papi, ce discret signal que vos intuitions vous envoient pour vous faire modifier légèrement une trajectoire vers un choix plus en rapport avec votre destination intentionnelle.

EXERCEZ VOS DÉCISIONS 3 – LES DÉCISIONS CRUCIALES

Les décisions cruciales sont celles qui se prennent aux carrefours importants, lorsque la croisée des chemins nous oblige à choisir à droite ou à gauche (le mot a la même origine que le mot croix). Ces choix sont délibérés, ils demandent une délibération intérieure. Au cours des chapitres précédents, nous avons évoqué les choix en autopilote et les simples décisions qui pouvaient se satisfaire d'un cheminement intuitif ou empirique car les conséquences d'une erreur d'appréciation n'étaient pas majeures. Nous progressons d'un cran dans l'importance des décisions pour proposer l'apprentissage du niveau suivant. La caractéristique de ces décisions c'est leur impact majeur sur la suite. Elles marquent souvent un tournant dans la vie, un changement de cap et une nouvelle orientation.

LA DÉCISION CRUCIALE EN CINQ LIGNES

- Consciente et volontaire
- Deux options
- Incertitude et/ou risque pour l'option du changement
- Certitude et/ou risque pour l'option du statu quo
- Délibération recommandée

DÉCISIONS CRUCIALES ET DILEMMES

Nous traiterons plus loin des dilemmes. Nous nous arrêtons dès à présent pour donner notre représentation de la différence entre une décision cruciale et un dilemme.

La décision cruciale fait face à deux **incertitudes**, deux (ou plusieurs) questionnements sur le résultat. Il s'agit d'une gestion de risque et de probabilité. La décision choisira le niveau de préférence.

Le dilemme fait face à deux **certitudes**, celle de souffrir dans les deux cas, deux menaces perçues comme certaines. Il s'agit d'une gestion de la douleur physique ou morale dans la plupart des cas. La décision choisira le niveau de tolérance (ou l'évitement).

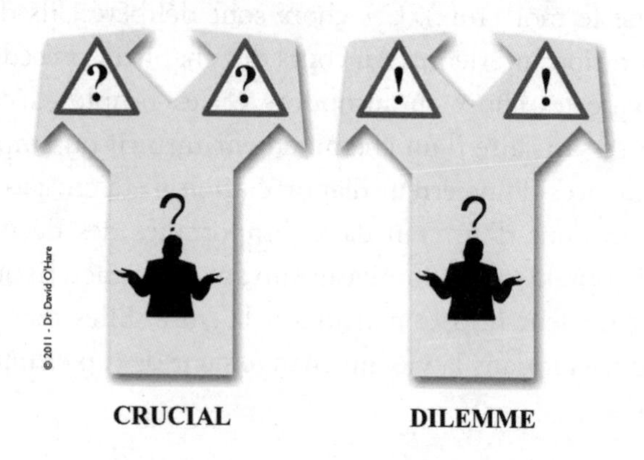

Il s'agit souvent d'une décision entre une certitude (ce que j'ai maintenant, mon poste, ma vie, mon ennui, etc.) et une incertitude que procurerait la décision. Statu quo du statut connu ou un statut inconnu.

Par principe, l'être humain hésite à dévier du statu quo par aversion de l'incertitude. En psychologie, l'aversion à l'incertitude est une forme d'aversion au risque, c'est la crainte assez répandue qu'en cas d'incertitude il y ait plus à perdre qu'à gagner, d'où les tentatives de maintenir le statu quo. C'est dans ce domaine que l'implication de l'intuition par tous les moyens à notre disposition sera nécessaire. L'objet des exercices de ce chapitre sera double :

- Diminuer ou supprimer l'aversion.
- Réduire l'incertitude.

AVANT DE PRENDRE UNE DÉCISION CRUCIALE

Les décisions cruciales sont délibérées, elles seront donc soumises à plusieurs séances de délibération en cohérence cardiaque pour donner le plus de chances possibles à l'intuition de participer à leur élaboration. Quelques principes de base avant d'appliquer l'exercice et l'entraînement.

1 : pratiquer le F-6 depuis un certain temps

L'exercice qui suivra les principes est un exercice de désensibilisation par l'imagerie mentale. Vous risquez d'être dérouté si vous n'avez pas une pratique régulière depuis plusieurs semaines. En général, on estime à 6 à 8 semaines de pratique comme étant un minimum. L'automatisation est nécessaire et la respiration en F-6 est un préalable incontournable pour la réussite de votre projet. Vous pourriez aussi pratiquer la méditation ou le *mindfulness*, même si les délais d'apprentissage sont beaucoup plus longs.

2 : prendre le temps

Il en sera de même pour les dilemmes. La délibération peut être plus longue que prévue. Vous aurez besoin de plusieurs séances spécifiques pour rendre votre décision. Laissez du temps au temps, le plus que vous pouvez dans la situation où vous vous trouvez. Plus vous aurez du temps, plus grandes seront vos chances de confirmer votre intuition. Chaque projet a une date limite, une date d'expiration, conservez l'inspiration jusqu'à son expiration. Il ne s'agit pas de procrastination mais de la décision de prendre le temps.

3 : décider de la date d'expiration

Lorsque vous aurez une vision d'ensemble de la décision à prendre vous pourrez décider d'une date à laquelle vous pourrez rendre votre décision, que ce soit à vous-même ou au public. Décider dès le départ de la pratique des décisions cruciales de ne pas arrêter une décision avant la date décidée au préalable. Ce sera la seule décision initiale « je donnerai ma décision le jj/mm/aaaa à hh : mm ». Cela n'a rien d'irrévocable bien sûr, mais c'est un bon principe qui évite les changements d'avis à chaque délibération, les idées préconçues et de fermer trop tôt certaines possibilités.

4 : pratiquer l'exercice spécifique tous les jours

Le soir de préférence, tout en maintenant la respiration F-6 trois fois par jour. Mettez du temps à part pour la pratique. Pratiquez jusqu'à la date limite que vous vous êtes fixé. À moins qu'une réponse évidente soit survenue avant, assurez-vous qu'elle soit évidente dans ce cas.

PHASE 1 : PRÉPARER LA DÉCISION CRUCIALE

Vous avez déjà réfléchi à la question et vous l'avez tournée et retournée dans tous les sens. Après avoir décidé de la date de délivrance, mettez en place une à deux séances spécifiques par jour exclusivement consacrées à la décision à prendre. Pendant ce temps, il est préférable de ne pratiquer aucun autre exercice de ce livre, à part les respirations en F-6. Au moins une séance spécifique doit se dérouler le soir et il est nécessaire d'y consacrer au moins une demi-heure. Ritualisez le moment, prévoyez de ne pas être dérangé, pratiquez cet exercice avec l'intention unique de prendre une décision à une date donnée.

Exercice pratique n°22 : préparer une décision cruciale

OBJECTIF : préparer la mobilisation des intuitions face à une décision importante.
IMPORTANCE : indispensable.
DIFFICULTÉ : ★★
QUAND : lorsque vous avez une décision importante à prendre.
FRÉQUENCE : à la demande.
DURÉE : 10 à 20 minutes en général, tous les soirs jusqu'à la date butoir.

L'EXERCICE :

• Prévoir une pause pendant laquelle vous ne serez pas dérangé. Le soir, au calme, est une bonne idée.
• Commencer par une respiration F-6 pendant 5 minutes environ (30 respirations).
• Évoquez le scénario de chaque option en imagerie mentale séparément **[explication 1]**.
• Laissez défiler l'option sans jugement, sans analyse **[explication 2]**.
• Entre chaque option respirez 1 minute en F-6 (6 respirations).
• Revenez doucement à l'instant présent.
• Respirez en F-6 pendant 1 à 3 minutes (6 à 18 respirations).

COMPÉTENCES VISÉES :

• Prendre de la distance par rapport aux décisions importantes.
• Équilibrer les options au niveau émotionnel pour permettre une prise de décision claire.
• S'attendre à une décision par insight, rêve, précognition ou simple sentiment de justesse.

[explication 1]

Évocation des scénarios : la décision que vous devez prendre dans l'incertitude comporte une multitude d'images et de pensées, toutes représentant des possibilités, des probabilités et des risques. Ce sont ces incertitudes qui vous paralysent et bloquent votre décision. Vous allez laisser venir à votre imaginaire toutes ces situations, les étapes résultant de la décision et les conséquences que vous imaginez.

C'est un peu comme créer la bande-annonce d'un film catastrophe. Laissez défiler le film des images dans l'ordre où elles arrivent, si l'image affichée ne correspond pas à l'objet de la décision, c'est une pensée intrusive, raccompagnez-la doucement vers la sortie et revenez à votre visualiseur et la question que vous explorez. Laissez venir toutes les possibilités même, et surtout, les plus absurdes.

Imaginez votre écran comme un grand ciel bleu dans lequel vous regardez passer les nuages. Chaque nuage est une pensée. Vous y trouvez des formes, vous l'examinez doucement se former et se déformer au gré du vent, le nuage passe, il est alors remplacé par un autre. Si un objet volant non identifié, étranger à votre réflexion, envahit votre espace aérien de méditation, raccompagnez en douceur mais fermement vers le bord de votre espace visuel. Il n'a rien à y faire actuellement. C'est ainsi que vous pouvez examiner chaque hypothèse, conséquence. Certains nuages seront noirs de menaces d'orages, d'autres roses d'espoir, laissez-les tous vivre leur vie et défiler.

[explication 2]

Le non-jugement : le non-jugement est une approche indispensable, il s'agit simplement d'observer et de laisser filer. Envisagez toutes les solutions et les conséquences de la décision que vous préparez, vous vous y exposez en imagerie mentale. Ce faisant vous réduisez largement l'appréhension, vous augmentez le lâcher-prise et la distanciation permettant ainsi à votre intuition de montrer la voie à votre décision rationnelle. Ne cherchez ni à juger, ni à trancher, ni même à trouver une solution à ce point, observez sans juger.

PHASE 2 : TESTER UNE DÉCISION CRUCIALE

De temps en temps, lorsque vous aurez pratiqué plusieurs exercices de préparation aux décisions cruciales, vous pouvez tester la décision.

Exercice pratique n°23 : tester une décision cruciale

OBJECTIF : Évaluer la justesse perçue d'une hypothèse décisionnelle.
IMPORTANCE : indispensable.
DIFFICULTÉ : ★★★
TYPE : validation.
QUAND : lorsque vous aurez l'impression qu'un choix se dessine. Après plusieurs séances de préparation.
DURÉE : environ 20 minutes.
FRÉQUENCE : à la demande.

L'EXERCICE :

- Prévoir une pause pendant laquelle vous ne serez pas dérangé.
- Le soir, au calme est une bonne idée.
- Commencer par une respiration F-6 pendant 5 minutes environ (30 respirations).
- Évoquez une seule option par test **[explication 1]**.
- Imaginez que la décision a été prise, mettez-vous en situation.
- Observez-vous, faites un autoscanner à la recherche de nœuds ou de blocages.

- **Comment vous sentez-vous ?**
- **Laissez-les émotions, les sentiments et les pensées s'enfoncer doucement.**
- **Imaginez votre vie à partir de ce moment dans la nouvelle situation [explication 2].**
- **Pratiquez une respiration F-6 pendant 3 minutes environ (18 respirations) [explication 3].**

COMPÉTENCES VISÉES : devenir un bon décideur dans les situations difficiles.

[explication 1]

Une seule option : il est très fortement recommandé de ne pas mélanger les scénarios. Vous allez partir à l'exploration de votre corps et de vos émotions, le message doit être clair et non brouillé par des émotions mixtes. Si vous désirez tester plusieurs options, alternez les jours.

[explication 2]

Imaginez votre vie : il s'agit d'un très puissant exercice d'imagerie mentale. Partez du moment de la prise de décision, comme si le choix était fait, irrévocable. Projetez-vous dans les minutes, les heures, les jours et les semaines suivantes. Comment vous sentez-vous ? Soulagé ? Inquiet ? C'est ce que cet exercice cherche à déceler.

[explication 3]

Terminer en F-6 : la cohérence cardiaque obtenue par cette respiration va envoyer un message émotionnellement « neutre » au cerveau. Cette neutralité émotionnelle induite artificiellement va permettre un accès à l'inconscient, à la suppression de la menace perçue et à la clarté des décisions intuitives. Le « cœur » émotionnel sait choisir l'option qui lui convient d'un point de vue émotionnel, il suffit de ne pas lui faire peur.

PHASE 3 : PRENDRE UNE DÉCISION CRUCIALE

Lorsque la date sera arrivée ou si votre délibération s'est montrée positive avant celle-ci, vous pouvez prendre la décision en votre âme (les émotions) et conscience (la raison), vous avez donné suffisamment de chances pour que les deux protagonistes puissent s'entendre et s'accorder. Dans de très nombreux cas, après plusieurs jours, la décision semblera sortir des nuages et devenir évidente.

Prêtez une très grande attention aux synchronicités car au début c'est souvent la seule façon que votre intuition trouvera pour attirer votre attention. Pendant tous les jours de préparation à la prise de décision, gardez tous vos sens ouverts, il est très peu probable que vous ne receviez rien du tout. Ensuite ce sera à vous à faire confiance ou non à ces messages. Rappelez-vous que l'intuition et l'infosphère sont bienveillants à votre égard et que lorsqu'une information vous est donnée, elle l'est en général dans votre intérêt.

Exercice pratique n°24 : prendre une décision cruciale

OBJECTIF : Prendre une décision cruciale.
IMPORTANCE : indispensable.
DIFFICULTÉ : ★★
TYPE : décision.
QUAND : lorsque la date butoir est arrivée ou lorsque la décision devient évidente.
DURÉE : moins de 5 minutes.

L'EXERCICE :

- **Pratiquez une respiration en F-6 pendant une minute (6 respirations).**
- **Révisez tous les messages intuitifs que vous avez pu recevoir les derniers jours.**

• Prenez la décision **[explication 1]**.

• **Notez la décision dans votre journal, vous pouvez dater et signer.**

• **Pratiquez une respiration en F-6 pendant une minute (6 respirations).**

COMPÉTENCES VISÉES :

• **La rapidité d'une décision mûrement préparée.**

• **L'ancrage d'une décision qui devient une intention.**

[explication 1]

Prenez la décision : le temps n'est plus à la réflexion ou à la délibération, tout le travail préalable qui pouvait être fait a été fait. Décidez rapidement, laissez cette décision venir du cœur, automatiquement. Vous ne pourrez pas faire mieux par la pensée. Soignez vos préparations.

Ayez confiance et prenez le temps nécessaire. Par la suite, n'oubliez pas de suivre les résultats de cette décision. Vous vous tromperez encore, de moins en moins souvent lorsque vous aurez pris l'habitude de fonctionner conjointement avec votre raison et vos intuitions. N'oubliez pas la reconnaissance pour les succès !

EXERCEZ VOS DÉCISIONS 4 – LES DÉCISIONS COMPLEXES

PAR JEAN-MARIE PHILD

En économie, et plus généralement en gestion de décision, il est fait une différence entre le risque et l'incertitude. Les deux notions sont proches de l'aléa.

• Le risque est quantifiable par le calcul des probabilités de survenue d'un événement et de ses conséquences.
• L'incertitude n'est pas quantifiable. Rien n'est connu à l'avance.

Le comportement face au risque est paradoxal, il existe à la fois une aversion et une attirance pour celui-ci. Tout dépend de l'enjeu : en ce qui concerne les enjeux importants un individu est disposé à engager des ressources pour réduire son incertitude (achat de portes blindées, souscription de contrats d'assurance), en ce qui concerne les enjeux plus modestes, au contraire, il se montre prêt à en dépenser pour augmenter cette même incertitude (loto ou autres jeux de hasard). Nous ballottons en permanence entre risque et incertitude. La météo annonce un risque de 40 % d'ouragan demain, s'il se produit je n'ai aucune idée si ma maison résistera.

Il semblerait que plus le niveau d'incertitude est élevé que l'intuition est la plus utile. Demain, la météo prédit un risque de pluie de 40 % (4 chances sur 10 qu'il pleuvra), devrai-je prendre mon parapluie ? Ici l'intuition n'a aucune place, tout est question de préférence et de tolérance au risque : est-ce que j'accepte de me mouiller ou de porter un parapluie inutile toute la journée ? C'est la raison et les préférences qui vont peser dans la balance, si je vais chez le coiffeur pour une permanente demain matin, il est certain que je prendrai le parapluie même si le risque était de 10 %, si je suis accompagné d'une personne qui a un parapluie et que le mien est très lourd, il est possible que je n'en prenne pas. Tout est question de logique et de raisonnement. Considérons le choix de participer à un jeu où le joueur a une chance sur dix de gagner cent fois sa mise. L'espérance de gain est très positive et tout joueur serait prêt à miser 1 euro ; mais qui ferait le choix de jouer si la mise obligatoire était toute la fortune du joueur ? Dans le premier cas, on parlera de préférence pour le risque et dans le second cas, d'aversion pour le risque.

L'évaluation de l'enjeu est également une part très importante dans la gestion des décisions complexes. Tant que les options et la multiplication du résultat du risque par les conséquences et par l'enjeu ne comportent pas une trop grande difficulté, la raison prime. Mais dès que les calculs deviennent trop complexes, elle déprime. L'insuffisance de la raison est ce qui se passe le plus souvent dans la vie de tous les jours. Une décision complexe est donc une décision où il y a plusieurs critères interdépendants, où cette interdépendance est souvent connue en termes de probabilités mais que nos possibilités de calcul mental dépassent nos capacités.

LA DÉCISION COMPLEXE EN QUATRE LIGNES

- Consciente et volontaire
- De deux à de très nombreuses options
- Notion de risque et de probabilité pour chaque option
- Délibération recommandée

LA PLACE DE LA RAISON

C'est le comportement traditionnel, celui qui est recommandé par les livres d'économie et de gestion. Il s'agit de sortir ses règles à calculer, de peser les pour et les contre, d'estimer ses chances. Cette façon de procéder est toujours d'actualité lorsque les critères sont peu nombreux, les conséquences et les enjeux bien connus. Plusieurs méthodes simples sont traditionnelles et nous vous encourageons à les utiliser pour définir le problème et vous imprégner par avance à des solutions possibles :

- **Les pour et les contre**

Immortalisée par Benjamin Franklin, il s'agit de partager une feuille de papier en deux colonnes : celle des pour et celle des contre. Écrire alors chaque critère dans l'une ou l'autre des colonnes.

- **Le classement par priorité**

Mettre toutes les possibilités en vrac et les classer par ordre de priorité.

- **L'indice de satisfaction**

Classer les items selon la satisfaction espérée pour chaque possibilité, choisir ensuite celle dont la satisfaction pourrait être la plus élevée.

- **Prendre conseil auprès d'un expert**
- **Le tirage au sort**

LA PLACE DE L'INTUITION

C'est l'objet des exercices que nous vous proposerons plus loin.

L'EXPERTISE EN QUESTION

Jouer en bourse est une activité où les décisions et les aléas sont intimement liés. Chaque décision influe sur le résultat de la totalité et chaque aléa politique, climatique, géologique et tous les autres hics de la planète modifient, à chaque fraction de seconde les enjeux et les hors jeu.

En l'an 2000, aux États-Unis, le magazine *Capital* organisa un concours de sélection de portefeuille d'actions. 10 000 participants soumirent leurs propositions, rédacteur en chef du magazine inclus. Ce concours, d'une durée de six semaines, devait récompenser le meilleur portefeuille basé sur les résultats d'un choix de valeurs parmi une cinquantaine.

Certains participants amassèrent le maximum de renseignements sur les sociétés, d'autres utilisèrent des logiciels sophistiqués, tous se basèrent sur l'expertise et la connaissance des marchés. Un portefeuille s'avéra largement supérieur aux autres, il s'agissait de celui proposé par le chercheur Gerd Gigenrenzer.

Mr Gigenrenzer et ses collègues montrèrent la liste des cinquante sociétés à cent personnes prises au hasard dans la rue à Berlin en demandant, tout simplement, quelles étaient celles que les personnes reconnaissaient. Une liste des dix sociétés les plus reconnues par les passants non spécialistes fut donc dressée et soumise au concours sans aucune modification pendant les six semaines de celui-ci. Malgré un marché en très forte baisse au moment du concours, le portefeuille des passants fit un gain de 2,5 % alors que celui du rédacteur en chef perdit 18,5 %, les gains du portefeuille des passants furent supérieurs de 88 % à ceux de tous les participants et supérieurs à la plupart des indices habituels du magazine.

Une fois de plus l'inexpérience collective fut supérieure à l'expertise des professionnels. Mr Gigenrenzer montra que la connaissance d'une toute petite partie d'un problème (le nom d'une société) était suffisante pour battre le rédacteur en chef qui avait toutes les données à sa disposition mais ne pouvait rien en faire en raison du trop grand nombre de valeurs incertaines à analyser.

De nombreuses autres expériences de ce type ont été conduites depuis une cinquantaine d'années, toute confirmant que l'intuition est souvent inversement proportionnelle à la confiance dans ses capacités à décider dans un environnement incertain.

Trop d'informations nuisent à la décision car notre cerveau n'est pas capable de procéder à des calculs trop complexes. Néanmoins, nous avons les capacités intuitives d'évaluer un problème et de proposer une solution par d'autres voies. Il a ainsi fallu attendre 1997 pour qu'un ordinateur puisse battre un homme aux échecs. L'ordinateur Deep Blue évalue certes des milliards de possibilités et jusqu'à toutes les possibilités jusqu'à 14 tours de jeu à l'avance, tandis que Gary Kasparov déclare ne pouvoir évaluer que quatre à cinq tours à l'avance, mais ce dernier se fie davantage à son esprit du jeu, et à son intuition nourrie par son expérience de milliers de parties.

Notre objectif, vous l'aurez compris, ce n'est pas logique ou intuition mais logique et intuition et non logique et logique comme l'a longtemps enseigné la démarche purement cartésienne.

L'EXERCICE EN RÉPONSE

La réponse à une situation qui demande une décision complexe sera l'entraînement. Il s'agit bien d'un entraînement et de l'acquisition d'une méthodologie qui laissera une place à la logique et à l'intuition. L'intuition puisera son inspiration de vos expériences passées toutes stockées en mémoire et de l'expérience de la sagesse collective, notre infosphère.

Si vous avez lu le chapitre précédent consacré aux décisions cruciales, vous aurez vu qu'il y a des principes de base à observer avant la prise de décision. Ces principes seront les mêmes ici, nous ne les détaillerons pas. Les décisions complexes sont délibérées également, elles feront donc une part importante à la séance de délibération quotidienne jusqu'à la prise de la décision.

Vous pouvez, bien sûr, traiter une décision complexe comme une décision cruciale, cela fonctionne très bien aussi. Ce qui diffère dans le traitement de l'entraînement que nous vous proposons ici, c'est la pondération de chaque option par une lettre, un nom ou une couleur et une note qui représenteront, pour vous, des signets émotionnels. Il s'agit moins d'options tranchées qui s'excluent l'une les autres mais de la progression d'une préférence vers l'une des hypothèses.

Préparation de l'exercice

Cet exercice demande une préparation et une certaine mise en scène. Elle n'est à faire qu'une fois, nous ne la faisons donc pas entrer dans le cadre de l'exercice à proprement parler. Nous vous recommandons d'utiliser du papier et un crayon pour la préparation car vous aurez besoin de revenir plusieurs fois à vos conventions initiales.

Nous utilisons le thème de l'exploration de pièces. Vous pourrez choisir une autre méthode si vous le désirez, le principe restera le même. Notez chaque option qui se présente à vous, envisagez toutes les hypothèses, même les plus improbables ou non pertinentes. Utilisez une feuille de papier pour chaque option.

Donnez un nom à chaque feuille, le nom d'une pièce d'une maison. Peu importe si le nom a un rapport avec l'option ou non, vous pouvez aussi l'appeler, « la chambre du bébé » ou « la chambre des travaux de rénovation ». Donnez une couleur à la feuille, une couleur qui vous vient spontanément à l'esprit pour caractériser l'option et les murs de la pièce. Enfin donnez une note initiale sur 100 à la feuille, c'est le pourcentage de préférence préalable pour cette option, cette pièce. Ce n'est pas très grave si le total n'est pas égale à 100, nous sommes dans l'imagination de toutes façons, là où tout est permis, où le calcul et le temps sont très relatifs. Cette note reflétera vos préférences mais aussi le risque et votre aversion à ce risque.

Voici un exemple d'une décision complexe à cinq options, cinq pièces à visiter.

Notre maison est trop petite pour avoir un bébé

- Ne pas avoir de bébé (bureau – brun – 20)
- Vendre et acheter comptant une maison un peu plus grande (séjour – bleu – 20)
- Vendre et acheter à crédit une maison beaucoup plus grande (grande chambre – orange – 10)
- Garder la maison et construire une chambre (chambre de bébé – rose – 30)
- Garder la maison et transformer le bureau en chambre (atelier – vert – 20)

Laissez venir instinctivement les réponses. Vous pouvez ajouter une odeur, ou des sensations auditives et/ou sensorielles (musique différente dans une pièce, revêtement de sol, fenêtres, etc.)

Vous êtes prêts pour la visite.

Exercice pratique n°25 : visiter une décision complexe

OBJECTIF :

- **Simulation mentale de l'exploration des options d'une décision complexe.**
- **Laisser dégager une préférence.**

IMPORTANCE : recommandé.

DIFFICULTÉ : ★★★

TYPE : prise de décision.

QUAND : lorsqu'une décision complexe se présente.

FRÉQUENCE : autant de fois que nécessaire jusqu'à la date butoir.

DURÉE : 20 minutes environ.

L'EXERCICE :

- **Prévoir une pause pendant laquelle vous ne serez pas dérangé.**
- **Le soir, au calme est une bonne idée, assis à une table ou à un bureau.**

• Pratiquer une respiration F-6 pendant 5 minutes environ (30 respirations).

• Posez les options devant vous dans l'ordre que vous désirez [explication 1].

• Choisissez une pièce, celle que vous voulez.

• En imagerie mentale entrez dans la pièce et immergez-vous [explication 2].

• Asseyez-vous dans un fauteuil dans la pièce imaginaire.

• Imaginez que vous avez pris la décision que cette pièce représente.

• Comment vous sentez-vous ? [explication 3].

• Imprégnez-vous de la vie après la décision, dans cette pièce.

• Pratiquez la respiration en F-6 pendant une minute (6 respirations).

• Levez-vous de votre fauteuil et quittez la pièce en fermant la porte derrière vous.

• Vous pouvez changer la note de la pièce selon vos impressions [explication 4].

• Vous pouvez visiter une autre pièce si vous le désirez et si vous avez le temps.

• Vous pouvez aussi décider de condamner une pièce définitivement.

• Déchirez la feuille [explication 5].

COMPÉTENCES VISÉES : Une exploration sensorielle des préférences puisque la logique ne fonctionne pas ici.

[explication 1]

Posez les options devant vous : faites-le réellement sur la table devant vous. Disposez les pièces (les options) comme s'il s'agissait du plan d'une maison, vous êtes au centre et les pièces sont distribuées autour de vous.

[explication 2]

Immergez-vous dans la pièce : c'est cette imagerie mentale qui rend l'exercice difficile. Chaque pièce représente une option, elle a un nom, une couleur, un parfum, une musique ou un son. Plus vous arriverez à percevoir la pièce et l'associer à la décision qu'elle représente et plus fortes seront vos intuitions lorsque vous voudrez décider finalement. Ne vous inquiétez pas si vous mettez des mois à maîtriser cet exercice, c'est normal.

[explication 3]

Comment vous sentez-vous ? : faites un autoscanner, posez-vous la question sur vos émotions et vos sentiments. Gardez en tête l'option que représente cette pièce. Dans votre fauteuil virtuel vous passez en revue toutes les conséquences de cette décision. Comment vous sentez-vous ?

[explication 4]

Changer la note : c'est le but de l'exercice, donner une note à la pièce, à l'option. Vous devez changer la note, à la hausse si vous vous sentiez bien dans la pièce, à la baisse si vous aviez envie de partir.

[explication 5]

Déchirez la feuille : il s'agit d'un acte symbolique pour fermer définitivement une option, elle ne vous convient pas. Vous aurez moins de pièces à visiter par la suite.

Aides à la prise de décision

Vous n'aurez pas immédiatement une image claire, une flèche lumineuse vous poussant vers l'ouverture à choisir ou une voix d'outre-porte vous attirant à l'intérieur. Vous aurez à gagner de la confiance en vous et en votre intuition. Bien sûr qu'il est possible de bénéficier d'un moment d'insight, un Eurêka, cela nous est arrivé à tous. Profitez-en, ça peut faire partie de l'alchimie d'Archimède.

Prêtez plutôt attention aux synchronicités qui apparaîtront dans les jours qui suivent, au cours de la vie de tous les jours, portez attention. Les mots, les sensations et les couleurs sont importants repérez-les, ne baissez pas la garde jusqu'à ce que vous ayez une réponse confirmée plusieurs fois.

Pour faciliter la tâche symbolique vous pouvez donner un nom improbable et inapproprié à chaque pièce, un petit nom qui a peu de chances de figurer dans vos conversations de tous les jours. Un nom d'animal, de planète, de ville lointaine, etc. Ouvrez grands vos yeux et vos oreilles pour les synchronicités surprenantes correspondant à ces mots. Vous pouvez choisir ces noms ou laisser le « hasard » les déterminer par le moyen de votre choix.

Vous prendrez ensuite la décision selon les mêmes modalités que pour les décisions cruciales.

Conseils aux débutants

La méthode paraît complexe, elle l'est beaucoup moins que celle qui consisterait à évaluer logiquement chacune des hypothèses. Elle vous permet de vous immerger dans un problème, de vous familiariser avec toutes les options en toute quiétude et la neutralité émotionnelle.

Les principes de ce livre sont toujours les mêmes et vous remarquerez beaucoup de similitudes dans la manière d'aborder une décision. Les principes de base demeurent, ce sont : l'intention, la perception (sensorielle, intrasensorielle et extrasensorielle), la décision (logique et intuitive) et l'action. L'observation est capitale, que ce soit l'intravision avec l'imagerie mentale ou l'extravision avec les yeux.

Ne sautez pas trop vite aux conclusions, ne fermez pas les portes trop tôt. Attendez qu'une réponse soit confirmée par une autre information, c'est le cas le plus général. Pour ce qui est des synchronicités on se rend compte qu'un message est donné trois ou quatre fois par des canaux différents, ensuite les messages s'arrêtent. Soyez attentif.

Ne vous découragez pas. Les perceptions intrasensorielle et extrasensorielle ne fonctionnent pas à tous les coups, il s'agit d'une brèche dans la protection que la nature s'est construite pour durer.

EXERCEZ VOS DÉCISIONS 5 – LES DILEMMES

PAR DAVID O'HARE

UN DILEMME EST UNE SITUATION QUI IMPOSE UNE alternative, menant à des résultats différents, dont les deux partis sont d'égal poids émotionnel, en général perçus comme douloureux ou repoussants. Les possibilités offertes peuvent être également attirantes ou repoussantes l'une que l'autre les deux options étant émotionnellement équivalents. Plus largement encore, un dilemme est synonyme de choix difficile ou douloureux tel le choix cornélien où *Le Cid* dut choisir entre amour et honneur. En philosophie morale, le dilemme exprime la situation où se trouve une personne qui doit choisir A et B mais qui ne peut choisir les deux options, elle doit choisir A ou B et ne remplit pas ainsi l'une de ses deux obligations.

Un dilemme est douloureux par anticipation, c'est ce qu'on appelle une méta-émotion, « j'ai peur d'avoir mal ». Lorsque j'écris en ouverture de ce chapitre que toutes les décisions difficiles sont des dilemmes c'est que lorsque j'ai de la difficulté à décider alors qu'il n'existe qu'une seule option, c'est aussi un dilemme : ne pas décider et souffrir plus tard, décider et souffrir tout de suite, l'évitement des décisions importantes est un fournisseur majeur de dilemmes.

La logique et la raison viennent difficilement à bout des dilemmes. Les processus raisonnés de la décision évaluent les risques et les avantages de chaque option. Dans le cas d'un dilemme, le résultat final est 50 % de chaque côté de la balance par définition. Chaque jour qui passe, chaque nuit d'insomnie, chaque calcul et chaque évaluation ajoutent un poids de chaque côté de la balance alourdissant d'autant plus la charge émotionnelle de l'ensemble.

Le dilemme c'est aussi la certitude de souffrir dans les deux cas. Mais comment évaluer le choix de la moindre souffrance ? La douleur est à fuir, comment décider de me diriger volontairement vers la douleur ?

Nous attendons trop souvent qu'un événement extérieur vienne bousculer l'ensemble et faire basculer le fléau de la balance et nous priver de la décision. C'est moralement plus simple mais émotionnellement beaucoup plus douloureux. L'évitement kidnappe nos décisions pour faire croître le niveau de la rançon.

LE DILEMME EN QUATRE LIGNES

- Conscient et volontaire
- Deux options
- Certitude pour chaque option : désagréable, douleur, perte
- Délibération recommandée

PRENEZ VOTRE TEMPS POUR NE PAS LE PERDRE

La première décision à prendre lors de la résolution d'un dilemme c'est de décider à quel moment vous devrez rendre votre décision. Ne prenez la décision qu'au moment de la rendre. Avant ce moment que vous aurez déterminé, décidez de ne pas décider et de laisser toutes les options ouvertes et à explorer. Vous avez besoin de votre intuition, elle est en train de fouiller dans ses archives pour vous tirer de l'embarras, laissez-la épuiser toutes les pistes. Combien de courses contre la montre avons-nous accompagné au cinéma ou dans les romans palpitants où les avocats n'avaient que peu de temps pour sauver la vie de leur client ? Combien de fois la solution n'est-elle pas arrivée *in extremis* interrompant une *in extremis* onction ? C'est palpitant au cinéma, c'est délicieusement horripilant dans un roman. Dans la vraie vie, accordez plus que des secondes de grâce à votre intuition.

Lorsque j'ai compris comment fonctionnait la désensibilisation de la peur par la cohérence cardiaque, il m'est immédiatement venu à l'idée la possibilité de la désensibilisation aux dilemmes afin de prendre de la distance émotionnelle par rapport à la décision à prendre. Un dilemme c'est deux peurs, c'est choisir entre la peste et le choléra.

Par nature, l'homme se tient éloigné de ce qui lui fait peur, sa survie en dépend. Mais pourquoi jouons-nous donc à nous faire peur, pourquoi aimons-nous les films d'horreur, les polars gore et les montagnes russes ? Et l'homme créa le jeu.

LE JEU ET L'ÉMOI

Le jeu a de multiples fonctions éducatives, sociales et de divertissement. Il a aussi la fonction d'immerger le joueur dans une métaphore de vie sans risque en préparation aux affrontements inévitables. Le jeu permet la simulation et l'expérimentation des options. Les pilotes s'entraînent dans des simulateurs de vol de plus en plus réalistes, les militaires, les pompiers ou la sécurité civile créent des jeux de rôle grandeur nature pour y inclure les pires des scénarios catastrophes afin de tester les capacités de décision de chacun des participants. Jouer à la poupée, à la guerre, à la classe ou avec des figurines ne permettent ni de gagner, ni de perdre, mais se contentent de représenter le monde et d'entraîner le joueur à affronter la vie réelle, dans un cadre où une fausse manœuvre n'engendre que peu de conséquences.

Le jeu est une activité librement consentie, délimitée dans le temps et par des règles qui suspendent les règles ordinaires, elle est fictive car elle s'accompagne de la conscience de la réalité seconde.

JOUER À SE FAIRE PEUR

Imaginez que vous alliez au cinéma voir un film d'horreur, le pire qui soit : un mix d'*Alien*, des *Dents de la Mer*, de *Psychose* et de l'*Exorciste* assis entre Jack Nicholson tenant une tronçonneuse et Rosemarie avec son bébé, avec juste derrière vous, une forme approximativement humaine portant cagoule noire et un masque blanc au cri figé, « j'aimerais bien qu'elle enlève ses mains livides du dossier de mon fauteuil. Je ne sais même pas d'où vient cette odeur ». Imaginez.

Vous ressentirez, dans votre corps, les effets des émotions que suscitera ce film : le cœur qui s'accélère (la peur), votre souffle coupé (l'appréhension), la transpiration et la chair de poule (l'angoisse), l'envie de vomir (le dégoût), le besoin de tourner la tête (la honte), le besoin de crier (peur, colère), la bouche et les yeux grand ouverts (la surprise) et cela à répétition pendant toute la séance.

Retournez voir le même film le lendemain. Que s'est-il passé ? Les sensations sont un peu moins vives, la surprise a disparu. La surprise est une émotion qui amplifie celles avec lesquelles elle est associée. Jack est toujours là, le bébé de Rosemarie s'est endormi (j'espère qu'il n'est pas mort avec tout ce qu'il a saigné hier), le requin rôde encore et je sens encore les mains pâles frôler mes cheveux à l'arrière, je ne me retournerai pas, elle pourrait me reconnaître depuis notre rencontre au cimetière. C'est légèrement plus acceptable.

Allez voir le même film tous les jours pendant trois semaines. Il y a de fortes chances que Jack partage votre pop-corn et que le requin ressemble à une maquette, la madame en noir a quitté son masque. C'est l'habituation qui a réduit le niveau de votre stress. C'est à ce moment que vous allez voir des images, entendre des sons ou comprendre des choses qui étaient passées tout à fait inaperçues tellement votre attention était focalisée sur la peur et la mise en place de réflexes de fuite ou de combat.

Un dilemme c'est devoir choisir entre deux films d'horreur transposés dans la vraie vie, c'est deux scénarios catastrophe qu'il faut jouer jusqu'au bout. C'est par le jeu de simulation que nous allons vous préparer à décider. L'imagerie mentale sera largement mise à contribution ainsi que le scanner du corps et l'étude des émotions.

DEUX PORTES BRÛLANTES

Avant de commencer l'exercice qui suit, vous devriez lire le chapitre consacré aux décisions complexes si vous ne l'avez pas déjà fait. Vous avez été invités dans un vestibule où plusieurs portes s'offraient à vous, nous vous avons montré comment les pousser, observer les décisions derrière chaque porte et laisser le choix mûrir et se présenter à vous. Dans le cas des dilemmes, il y a deux portes fermées, ces deux portes sont brûlantes et vous ne pouvez pas les pousser pour vous transporter de l'autre côté et examiner en toute lucidité les choix qui s'offrent à vous.

L'objectif de l'exercice est de vous rendre moins sensible à la chaleur des portes, mettre des gants isolants pour pouvoir pousser la porte, la pièce de la décision sera chaude aussi mais vous aurez franchi la première étape, celle de la désensibilisation.

UNE DÉSENSIBILISATION DOUBLE

L'expérience en clientèle

J'ai, de nombreuses fois, pratiqué cette désensibilisation aux dilemmes avec des clients qui y étaient confrontés. Je vous livre la méthode avant de vous expliquer comment l'appliquer à votre propres cas.

Les divorces sont des dilemmes avec une très grande charge affective pour les deux protagonistes devenant antagonistes. Ayant été médecin de famille pendant une trentaine d'années j'ai accompagné des dizaines de familles dans cette *désaventure* traumatisante. Je prends un exemple fictif, résultat cumulé de nombreux acteurs de ces drames : Monsieur Jean Némard[1].

Jean est marié depuis vingt ans, avec sa femme, ils furent heureux et eurent deux enfants. Peu à peu la vie, les intérêts et le plaisir d'être ensemble ont fait place à l'indifférence et à la lassitude. Jean ne sait pas s'il doit rester ou partir, tenter de recoller ou de décoller, statu quo ou statut de la liberté. Le dilemme. L'indécision le pousse à l'angoisse et à la dépression ce qui ne facilite pas les décisions, la boucle vicieuse s'est enclenchée. Debout devant le précipice de la dépression, ses conseillers lui disent de décider de faire un grand pas en avant. « Anne ne le mérite pas, ça va me coûter cher, je ne verrai plus les enfants, je pourrai déménager, elle n'a jamais voulu déménager près de la mer, je suis trop vieux, je suis encore jeune … », toutes les éventualités ont défilé dans sa tête tous les soirs. Anne ne sait rien mais elle se doute de la tornade cérébrale qui détruit nuit après nuit les échafaudages de solutions mis en place la veille.

Lorsque nous évoquons l'incertitude de Jean et sa certitude de souffrir et de faire souffrir, il est connecté à mon appareil de cohérence cardiaque. Nous pouvons observer à l'écran la courbe affolée de son cœur qui s'emballe et subit les assauts émotionnels à la simple évocation. Sur le spectrogramme nous pouvons isoler la peur, la colère, la tristesse, la tempête et le calme se lisent dans les vagues de son rythme cardiaque.

Nous décidons alors d'examiner deux scénarios, chaque éventualité de la décision de Jean. Scénario 1, je pars ; scénario 2, je reste. Il se met dans la peau d'un Jean ayant décidé et nous testons chaque scénario séparément. S'il s'agit d'un véritable dilemme (et c'est le

[1] Mes excuses anticipées à un éventuel homonyme inconnu, ceci n'est que fiction.

cas ici) les deux sont aussi perturbants pour le système émotionnel. Nous pouvons enregistrer l'intensité de la perturbation et juger ainsi de l'impact physiologique du stress que représente la décision quelle qu'elle soit car les deux sont douloureuses.

Ensuite j'enseigne à Jean comment, avec la respiration F-6, il peut rapidement atténuer l'impact émotionnel de l'une et de l'autre des situations redoutées. Nous pouvons le constater à l'écran.

Je demande ensuite à Jean de pratiquer tous les jours sa respirations F-6 trois fois par jour. Lorsque cet exercice est devenu instinctif je lui demande de commencer à pratiquer la désensibilisation. Il va tous les soirs se mettre en cohérence cardiaque et passer en revue, en imagerie mentale, toutes les conséquences d'une des décisions tout en restant en cohérence cardiaque. Un soir l'une des options, l'autre soir l'autre option. Sans jugement, sans essayer de décider justement, en observateur, pour se désensibiliser.

Au bout d'un certain temps, difficile à prévoir, une des options va devenir évidente, la peur ayant cessé, il peut se promener dans l'univers de la décision et de ses conséquences en étant lucide et détaché. Les événements semblent se mettre en place, ce qui n'est pas le cas pour l'autre hypothèse. Lorsque nous testons les hypothèses avec mon « détecteur émotionnel » l'une d'entre elles passe en douceur et l'autre bloque toujours. L'une s'accompagne d'une courbe ondulante de neutralité émotionnelle, l'autre accroche et ne s'apaise pas. Le corps a tranché : il est plus à l'aise avec la première. C'est la voie de l'intuition émotionnelle. Je ne dis pas que c'est la meilleure des solutions, elle n'est pas toujours rationnelle et peut s'avérer fausse, mais elle résonne avec le corps, le cœur, les valeurs, l'inconscient, la mémoire enfouie et la mémoire collective. C'est la réponse la moins redoutée, la moins douloureuse et souvent la meilleure des deux.

C'est ce qui apparaît dans le film « Des Hommes et des Dieux » que nous évoquions par ailleurs : la décision de divorcer d'avec la vie était omniprésente, *omnidouloureuse* et *obnubilante*, les hommes priaient, suppliaient, réfléchissaient, méditaient associant ainsi toutes les tentatives d'accès à l'inspiration. Tout s'opposait et s'entrechoquait : la foi, le désir de vivre, la peur, l'espoir, les valeurs les émotions et le calme, peu à peu, à l'unanimité un choix s'est imposé timide et douloureux, il devenait cohérent. Rester et y rester.

Vous n'avez pas d'appareil de biofeedback par la cohérence cardiaque et pas de coach pour vous accompagner. Vous pouvez cependant pratiquer de la même manière. Jean a pratiqué seul ses exercices de désensibilisation, le travail s'est fait chez lui, dans la discrétion et le calme de ses moments de méditation respiratoire. Ensemble nous n'avons fait que montrer, expliquer et vérifier. La puissance de la désensibilisation aux dilemmes est aussi à votre portée.

Votre expérience

Le schéma est le même, vous avez un avantage sur Mr Némard, c'est que vous pratiquez déjà la respiration F-6, il vous faudra donc moins de temps pour mettre en place votre exercice de prise de décision dans le cas d'un dilemme.

Vous avez une décision importante à prendre, quelle que soit l'option que vous adopterez, le résultat sera une douleur, une blessure ou une perte causée à vous-même ou à quelqu'un d'autre. Vous avez déjà réfléchi à la question et vous l'avez tournée et retournée dans tous les sens. Mettez en place une séance par jour exclusivement consacrée à l'exercice de désensibilisation. Pendant ce temps, il est préférable de ne pratiquer aucun autre exercice spécifique de ce livre, ne conserver que les exercices de respiration F-6. Préférez la séance du soir car la réponse peut venir pendant la nuit.

Ritualisez le moment, prévoyez de ne pas être dérangé, pratiquez cet exercice avec l'intention unique de vous confronter aux conséquences du dilemme qui vous préoccupe. Vous allez consacrer chaque jour à une des deux options, un jour l'une, un jour l'autre. Il y a une option pour les jours pairs, une pour les jours impairs.

Exercice pratique n°26 : se préparer à trancher un dilemme

OBJECTIF : apprendre à gérer les dilemmes sans avoir trop mal.
IMPORTANCE : recommandé.
DIFFICULTÉ : ★★★
TYPE : prise de décision.
QUAND : Lorsqu'un dilemme se présente et nécessite une prise de décision.
FRÉQUENCE : tous les soirs jusqu'à la décision.
DURÉE : 20 minutes environ.

L'EXERCICE :

- Prévoyez une pause pendant laquelle vous ne serez pas dérangé.
- Le soir, au calme est une bonne idée.
- Commencez par pratiquer une respiration F-6 pendant 5 minutes environ (30 respirations).
- Considérez l'option selon que le jour soit pair ou impair.
- Imaginez que la décision est prise **[explication 1]**.
- Vivez en imagerie mentale ce que sera la vie après la décision **[explication 2]**.
- Cherchez les émotions ressenties, localisez-les, nommez-les.
- Associez chaque émotion ressentie à la respiration F-6 que vous maintenez **[explication 3]**.
- Si l'émotion est trop forte, alternez l'émotion et la respiration en F-6 **[explication 4]**.
- Après avoir observé toutes les émotions, revenez doucement à la réalité.
- Terminez la séance par au moins 5 minutes de respiration F-6 (30 respirations).
- Le lendemain pratiquez de même avec l'autre option.

COMPÉTENCES VISÉES : La désensibilisation émotionnelle par l'exposition en cohérence cardiaque.

[explication 1]

Imaginez la décision prise : il s'agit de faire apparaître, en imagerie mentale, la situation qui résulte de la décision prise, l'une des options du dilemme. Imaginez le lendemain, une semaine plus tard, un mois plus tard et votre vie future.

[explication 2]

Vivez en imagerie mentale : il s'agit de vivre les émotions, les sentiments et les pensées. Explorez votre corps, pratiquez un autoscanner, cherchez la localisation de chaque émotion, focalisez votre attention à cet endroit.

[explication 3]

Associez l'émotion à la respiration en F-6 : il s'agit de l'exercice de focalisation respiratoire à 6 par minute, il prend ici toute son importance. L'association émotion désagréable et cohérence cardiaque insèrent un filtre entre les émotions et les pensées. Il s'agit d'une désensibilisation émotionnelle vous permettant de mieux décider.

[explication 4]

Si l'émotion est trop forte, pratiquez l'alternance : il est parfois difficile de maintenir une respiration contrôlée lors d'une émotion forte. Dans ce cas pratiquez « l'aller-retour » c'est-à-dire l'évocation de l'émotion pendant quelques secondes, suivie par la respiration rythmée à F-6 pendant quelques respirations. L'effet est immédiat sur la neutralité émotionnelle.

Prendre la décision, résoudre le dilemme

Il faut en général plusieurs nuits pour qu'une lueur apparaisse. Le tunnel peut paraître long quelquefois. Ce tunnel est cependant un raccourci qui évite une route escarpée et dangereuse, de nombreux virages en épingle, des fausses routes, des précipices et des éboulements.

« Un beau jour, ou peut-être une nuit, semblant crever le ciel et venant de nulle part », un signe blanc d'espoir peut se manifester à vous, en général il s'agit d'une sorte d'apaisement, au milieu de la tempête qui tourbillonne dans votre tête. Vous pourrez aussi avoir reçu en rêve une part de la solution, c'est souvent le cas ; des synchronicités surprenantes pourront aussi vous être données. Lorsque cette sensation de calme vous envahira, vous pouvez alors prendre la décision, elle peut être évidente ou vous pourrez avoir besoin de la tester en pratiquant les exercices décrits aux chapitres précédents (décisions cruciales et décisions complexes).

CONCLUSION

Vous n'aurez pas de dilemmes à résoudre tous les jours, mais le principe de base de leur résolution reste le même pour toutes les décisions qu'elles soient majeures ou suffisamment empoisonnantes pour empêcher notre vie de suivre un cours calme et serein. C'est un principe que nous avons essayé de vous présenter dans ces derniers chapitres : comment aiguiser les sens pour trancher proprement, le moins douloureusement possible et séparer le souhaitable de ce qui l'était moins. L'expérience acquise des décisions passées, celles prises par surprise, pas toujours comprises, méprises souvent aussi, les vôtres et celles de vos semblables, s'organise en assistance pour vous accompagner dans vos choix futurs.

Voici un verset de la Bible vers lequel je me suis souvent tourné lors des moments difficiles et des décisions à risque : « Il fait toute chose bonne en son temps ; il a mis dans le cœur de l'Homme la pensée de l'éternité[1] ». Ce verset, écrit il y a plus de 3000 ans nous éclaire sur la notion du temps mais aussi sur cet inconscient collectif nommée ici la « pensée de l'éternité ».

[1] Ecclésiastes chapitre 3, verset 11.

Dans la tradition taoïste, l'éternité est considérée comme un état d'esprit. L'éternité ne peut pas se trouver dans l'avenir pas plus qu'elle ne se trouve dans le passé. Le temps comme nous l'entendons, comme nous le percevons, n'existe qu'au plan matériel. L'éternité pourtant s'y trouve aussi mais voilée par le temps. Elle est dans l'état d'esprit de celui qui vit l'instant présent, ici et maintenant. Dans la tradition taoïste, la « volonté céleste » se trouve dans la direction de la nature, du cosmos, du Tao. Elle procède de la dynamique supérieure. Comme la nature, la « volonté céleste » est partout, elle est l'Intelligence universelle.

À l'extérieur, elle se manifeste par les événements, les circonstances, les conditions de la vie. À l'intérieur, la volonté céleste se manifeste par l'intuition, mais encore faut-il ici être réceptif à son message.

Nous ne suivons aucune dérive mystique, sectaire ou ésotérique mais nous constatons que des siècles de traditions ont décrit en termes imagés, se rapportant à des croyances, ce que l'on commence à découvrir avec la physique quantique. Un jour, peut-être, un recueil de textes sacrés comportera le Cantique des Quantiques !

EXERCEZ VOS DÉCISIONS 6 – PRENEZ SOIN DE VOUS

PAR JEAN-MARIE PHILD

VOTRE CORPS VOUS PARLE TOUS LES JOURS, TOUTE LA journée, écoutez-le. Les signaux subconscients les plus nombreux sont ceux qui ont trait à la bonne santé. La vie a un but principal, celui de se maintenir. Tous les mécanismes de régulation sont orientés vers ce but. La douleur, les inconforts, les malaises, les émotions et les sentiments sont tous destinés à ajuster un comportement ou une position par rapport à l'environnement pour rester en meilleure vie. Tous les messages de notre corps et d'ailleurs, les perceptions sensorielles et extrasensorielles ont la même orientation, on dit que la nature est bienveillante, elle est surtout égoïste et la bienveillance envers nous est son moyen de survie. Tous les messages que nous percevons ont pour finalité une meilleure et longue vie !

LE BILAN DE VIE DE GÉRALDINE

C'est ainsi qu'elle me fit sa demande, elle désirait un bilan de vie, 35 ans, ni malheureuse ni vraiment heureuse, Géraldine faisait le point. Elle voulait connaître ses chances et les opportunités qui pourraient se présenter à elle au niveau sentimental et professionnel, rien de très original. J'aimais bien le terme de bilan de vie. Comme d'habitude, je commençais par la santé, c'est immédiat, plus fort que moi, dès que le client s'assoit, son scanner du corps s'affiche au-dessus de son épaule gauche. Mon faisceau d'observation descend le long de la tête, du cou, du cœur puis s'arrête au niveau de son sein gauche je perçois une inflammation, une source d'énergie qui ne me plaît pas. Je termine le scanner, rien d'autre, la région du sein gauche me rappelle par sa luminescence insistante.

Je fais part de mes constatations et je conseille à Géraldine de consulter un médecin, juste pour un examen de routine. Elle se voulut rassurante en m'indiquant qu'elle avait pratiqué une mammographie quelques mois auparavant et rien n'avait été inquiétant, elle avait hâte de connaître le reste de son bilan de vie. Je lui demandai cependant de confirmer cet examen.

Trois mois plus tard, elle consulta à nouveau pour une décision professionnelle, le sein gauche fut à nouveau l'objet d'un appel à l'attention, le scintillement était plus insistant, je le fus aussi. Je n'ai pas l'habitude d'être directif mais ici, je ne sentais pas la situation bonne. J'interrogeai Géraldine sur la mammographie, en fait, elle avait été pratiquée plus de deux ans auparavant. Quelques jours plus tard, je recevais un appel m'informant que la mammographie et le scanner avaient tous les deux confirmé mon pressentiment. Géraldine fut opérée, les complications limitées par une intervention large qui a sacrifié son sein gauche. Aujourd'hui, elle consulte régulièrement pour sa santé et le suivi de son traitement, elle n'a plus de cheveux, mais je l'ai « vue » dans quelques mois, plus belle que jamais, cette précognition, que je sais exacte, la soutient dans son combat.

Pratiquez régulièrement un autoscanner de santé. Passez en revue vos sensations, vos émotions, les inconforts et les désagréments en localisant leur point d'impact, prenez l'habitude, une à deux fois par mois de faire ce bilan de longue vie. Il n'y pas d'exercice spécifique ici autre que celui de l'autoscanner de santé décrit page 93. Consultez un professionnel de santé si vous avez un doute et si celui-ci vous revient régulièrement au même endroit.

EXERCEZ VOS DÉCISIONS 7 – LES DÉCISIONS FINANCIÈRES

PAR JEAN-MARIE PHILD

LES DÉCISIONS FINANCIÈRES SONT LES GRANDS POURVOYEURS de mes consultations. Je reçois beaucoup d'hommes d'affaires, de commerçants, d'artisans, d'avocats, d'agents immobiliers et de personnages politiques, je reçois aussi de nombreux particuliers à l'occasion d'un achat, d'une vente ou d'un divorce. Ce qu'ils demandent en général c'est un chiffre, ou plutôt : un montant.

Je me suis livré ce matin à une petite recherche sans prétention sur Internet[1]. Je cherchais les motifs de consultation principaux chez les « voyants[2] ». Les quatre motifs principaux repérés dans la majorité des résultats de mes requêtes étaient : amour – santé – travail – argent. Je m'en doutais, c'est d'ailleurs l'objet des trois sections de mes consultations si je joins le travail et l'argent, intimement liés. Je voulais connaître la répartition approximative entre les trois motifs. Beaucoup plus difficile à connaître car les publications n'existent pas, à ma connaissance. J'ai donc cherché des mots clés combinés pour contourner l'absence de données.

[1] Recherche sur Google le 12 juin 2011.
[2] J'ai choisi le terme « voyant » parce qu'il est consacré par l'usage dans le domaine de la prédiction mais ce terme ne me convient pas.

- Voyance + Santé = 6,7 millions de pages
- Voyance + Argent = 5,5 millions de pages
- Voyance + Travail = 5,2 millions de pages
- Voyance + Amour = 4,0 millions de pages

La répartition semble équitable. Lancez la requête « Voyance + Économie » et ce sont 14,3 millions de pages qui apparaissent. Le total Voyance et Argent, le Travail et l'Économie envoie 28 millions de pages... L'économie, l'argent et le travail sont favorables à l'économie des voyants. Cette étude n'a rien de scientifique mais elle confirme ce que j'écrivais : mes consultations de conseil sont remplies de personnes effrayées par l'incertitude financière.

La peur, celle de manquer, celle de tout perdre est omniprésente. La grande majorité des hommes qui consultent ont peur de manquer ou de perdre, les autres ne consultent pas parce qu'ils ont peur de venir (c'est un autre chapitre). La peur peut toujours se résumer en un montant que mon interlocuteur aimerait connaître : combien ? De combien vais-je disposer à ma retraite ? Quel sera le prix acceptable pour l'achat de ma maison ? Combien vais-je donner pour mon divorce ?

Avant d'aborder mes conseils et l'exercice que je vous propose, laissez-moi vous dire comment je procède.

MA VISION DES CHIFFRES

Je vois des chiffres et des nombres. Il me semble avoir toujours fonctionné de cette façon, d'aussi loin que je me souvienne, je vois, en imagerie mentale, affichés en imagerie mentale, des chiffres et des nombres clairement dessinés.

L'intuition et les rêves se révèlent à nous par des symboles, les mots et les chiffres sont des symboles d'une signification et d'un rapport à la réalité. Lorsque nous vous avons présenté le chapitre concernant les synchronicités, il était souvent question de mots ou de noms qui reviennent et qui semblent surgir de façon impromptue pour donner un sens à leurs coïncidences. Je suis très marqué par les nombres c'est peut-être votre cas aussi.

LED, DEL et FIDS dans mon HUD

Mon écran d'imagerie mentale, celui de la visualisation et de matérialisation virtuelle de la pensée, est actif sur demande, je me le représente comme le HUD (voir page 96). Je le fais apparaître à la moindre occasion pour « voir » une pensée, l'explorer et la décrire. C'est ce que tous les parapsychologues et autres « clairvoyants » font lorsque vous les consultez, ils activent leur écran et vous décrivent ce qu'ils y voient. Mon écran se comporte comme ces matrices des chiffres de LED[1] sur fond noir qu'on voyait sur les premières montres à quartz et les écrans d'appel à la Sécurité sociale ou à la boucherie du supermarché. Un fond sombre et des chiffres lumineux qui composent un nombre.

Pensez à une locomotive verte, son numéro 6783 est affiché en grandes lettres blanches sur le côté de la cabine du conducteur. Vous l'imaginez ? Vous le voyez ? Où le voyez-vous ? Imaginer, c'est construire une image dans sa tête. Moi, c'est là que je vois les nombres qui vous intéressent. J'imagine cet endroit au centre de ma tête, je le regarde, les yeux ouverts, mon regard dans le vague, j'ai l'impression que ma vision vient de l'arrière de mon crâne, de mon occiput et que je regarde vers l'avant un écran au milieu de mon crâne.

Vous souvenez-vous de l'affichage mécanique des départs et les aéroports il y a une dizaine d'années avant que les écrans électroniques ne gèrent l'information ? C'était le temps des FIDS[2] mécaniques. Il s'agissait de petites palettes blanches ou noires qui défilaient avec un bruit caractéristique pour s'arrêter sur une lettre

[1] LED : *Light-Emitting Diode*, en français l'usage voudrait que l'on utilise le terme de DEL pour diode électroluminescente.
[2] FIDS : *Flight Information Display System.*

un ou chiffre. Ainsi défilaient avec un cliquetis, toutes les possibilités alphanumériques de destinations éphémères, c'était fascinant. Vous souvenez-vous ? Avec-vous imaginé ce genre d'affichage dans votre imaginarium ?

Le mélange des LED brillants et des FIDS est la meilleure description que je puisse vous faire de la manière dont les nombres m'apparaissent.

Un exemple : le prix de vente d'une maison

Vous désirez acheter une maison, vous en avez visité beaucoup, vous avez des préférences basées sur votre délibération et votre intuition. L'une d'entre elles vous plaît davantage que les autres, elle est hors budget mais vous voulez quand même faire une offre. Vous me consultez pour savoir si ça peut passer. Je suis tout à fait à mon aise avec ce genre d'offre et mes services se sont de maintes fois révélés efficaces. Je fais apparaître mon HUD et je fais défiler le FIDS. Si vous avez ouvert le livre à cette page, j'explique par peur de vous affoler : j'imagine des nombres qui défilent lentement dans ma tête. À un moment donné, l'affichage s'arrête, il est bloqué sur un nombre. Je sais aujourd'hui que c'est le montant à ne pas dépasser sinon vous seriez dans la difficulté. Il ne s'agit pas d'un montant précis en général, ce peut-être 400 000 ou 500 000, voilà vos limites raisonnables non raisonnées. Je n'ai absolument pas besoin de connaître votre budget, vos moyens de financements ou vos ressources.

Ce qui est formidable, c'est que contrairement à d'autres capacités personnelles de prévisualisation, la prévisualisation des nombres s'applique à moi aussi. Je m'en sers dans toutes mes décisions comportant un montant. Merci à mon LEDFIDSHUD !

Cette vision des chiffres est devenue une véritable prévision, vous pouvez également, j'en suis certain, développer vos capacités prévisionnelles des nombres et des montants importants de vos négociations.

Jean-Marc et Marie

Le couple consulte car ils désirent mon avis quant au rachat d'une entreprise qui les intéresse et qu'ils espèrent relancer pour pouvoir travailler ensemble, ce dont ils rêvent depuis longtemps. Le prix est bon, le vendeur semble honnête et le marché en expansion. Je veux connaître le prix de vente demandé. Je n'ai pas besoin de connaître leur budget ou leurs capacités de financement, j'ai déjà affiché mon tableau numérique et le montant bloque, il ne « passe pas » pour moi.

Jean-Marc et Marie sont surpris car ils attendaient mon assentiment, le montant demandé étant dans leurs moyens. J'approfondis ma « lecture » et j'ai l'information que c'est le bilan financier qui n'est pas bon. Je fais part de mon avis. Le couple part un peu déçu par ma prestation. Un an plus tard, ils reviennent : ils avaient acheté l'entreprise et fait faillite confirmant ainsi tous mes dires, le bilan financier ayant été falsifié.

VOS CAPACITÉS À PRÉVOIR

Vous disposez d'un écran d'imagerie mentale, je le sais, la preuve : vous pouvez encore afficher la locomotive verte et son matricule blanc. Vous disposez aussi d'autres moyens pour faire des nombres de puissants alliés dans toutes vos négociations chiffrées. Il vous faudra de l'observation, de l'entraînement et de la patience.

Avant toute chose, souvenez-vous qu'il s'agit d'un jeu. Cette intention semble indispensable pour fixer l'apprentissage. Les jeux et les nombres ont toujours été liés : qu'il s'agisse du jeu de dés, des tombolas, du casino ou du Monopoly l'apprentissage de l'utilisation des nombres semble portée et renforcée par le jeu.

Première étape : l'observation des nombres

Prenez l'habitude de regarder le plus de nombres possibles dans votre environnement, faites-en un jeu : l'observation des nombres. Vous pourrez voir apparaître, en quelques semaines de ce jeu, des synchronicités surprenantes : des nombres récurrents, des coïncidences bizarres, des nombres qui s'accrochent à vous et qui vous caractérisent. Ne cherchez ni à interpréter ni à donner un sens pour l'instant, c'est la phase d'observation et de familiarisation avec des symboles. Si les nombres se mettent à se manifester à vous et à vous surprendre, il y a de fortes chances que, comme moi, vous y soyez sensibles et que vous puissiez développer cette aptitude à vous en servir. Progressivement, certains chiffres et certains nombres se feront connaître à vous et sortiront de la pénombre. C'est le moment de passer à l'étape suivante.

Deuxième étape : deviner des nombres

C'est toujours un jeu. Amusez-vous, si ça vous intéresse, le plus souvent possible à deviner des nombres, des valeurs, des montants indépendamment de ce qu'ils représentent. Par exemple dans l'histoire de Sir Galton, vous auriez cherché à mettre un nombre sur le bœuf sans vraiment chercher à le peser dans votre tête. À ce bœuf correspond un numéro, c'eut put être (quelle horreur cette supputation) son prix, son immatriculation, ou le nombre de visiteurs lui ayant caressé la croupe au lieu de son poids. Il s'agit de séparer l'objet du symbole que le nombre représente. Votre subconscient connaît la fourchette raisonnable du nombre que vous désirez recevoir, ce ne sera jamais 23 g ou 59 millions de tonnes dans le cas du bœuf. Laissez venir un nombre, inscrivez-le quelque part, au pire dans votre mémoire, et vérifiez la réponse. C'est un entraînement. Souvenez-vous que la sagesse de la foule connaissait le poids du bœuf au kilogramme près ! C'est auprès de cette sagesse que vous puiserez vos nombres.

Cherchez alors autant d'objets d'étude comportant des nombres de toutes origines que vous le pourrez. La température actuelle à Vladivostok, l'année de naissance de St-Chrone, le résultat d'un vote, l'immatriculation de la voiture qui vous double, la hauteur de la tour de Pise, etc., toutes ces choses que vous pourrez vérifier le plus rapidement possible. N'en faites pas une obsession, c'est une observation et l'attente d'un nombre, et surtout pas une estimation Laissez venir les nombres sur votre écran mental, notez et vérifiez.

Troisième étape : passez aux choses sérieuses

Appliquez votre observation à vos interrogations. Qu'il s'agisse de l'estimation d'une maison, d'un prix de vente, du montant de la négociation de votre prochain salaire ou d'une pension alimentaire. Commencez toujours avec précaution en vous entourant des conseils et des réflexions habituelles. Ce n'est que lorsque vous aurez pris confiance que vous pourrez reporter peu à peu votre décision sur l'intuition financière.

Prendre une décision financière

Il n'y a pas d'exercice spécifique pour la préparation à la décision. Vous appliquerez les méthodes présentées précédemment (décisions simples, cruciales, complexes ou dilemmes) selon l'enjeu pour vous. Par contre, vous pouvez valider une décision financière en vous fiant au montant, il vous faudra de l'entraînement mais c'est tout à fait possible et très rentable.

Exercice pratique n°27 : valider une décision financière

OBJECTIF : donner du poids intuitif à un prix ou une négociation.
IMPORTANCE : utile.
DIFFICULTÉ : ★★★
TYPE : validation.
QUAND : lorsque vous avez besoin de connaître un montant chiffré.
FRÉQUENCE : à la demande.
DURÉE : quelques minutes.

L'EXERCICE :

- **Prévoyez une pause pendant laquelle vous ne serez pas dérangé.**
- **Le soir, au calme est une bonne idée.**
- **Commencez par pratiquer une respiration F-6 pendant 5 minutes environ (30 respirations).**
- **Visualisez un montant en rapport avec votre transaction [explication 1].**
- **Maintenez la respiration rythmée à F-6.**
- **Observez ce montant, comment vous sentez-vous ? [explication 2].**
- **Si ça tracasse modifiez le montant par petites touches [explication 3].**
- **Comment vous sentez-vous avec le résultat final ?**
- **Si possible, dormez sur la décision.**
- **Observez les synchronicités numériques, elles sont extraordinairement surprenantes !**

ENSUITE :

- **vous pourrez appliquer cette technique à toutes les négociations (salaire, heures de travail, négociations avec les enfants, etc.).**

COMPÉTENCES VISÉES : être à l'aise avec les négociations.

[explication 1]

Visualisez un montant en rapport avec votre transaction : affichez le premier montant qui vous vient en imagerie mentale. Prenez l'habitude de laisser faire votre intuition.

[explication 2]

Observez ce montant, comment vous sentez-vous ? : est-ce que cela passe ou est-ce que cela tracasse ? Si cela tracasse c'est que les chances que cela casse sont importantes.

[explication 3]

Si ça tracasse modifiez le montant par petites touches : modifiez le chiffre à la baisse s'il s'agit d'un achat, à la hausse s'il s'agit d'une vente. Votre intuition cherche à vous protéger. Grâce à ce marchandage monologal avec vous-même vous arriverez, avec l'entraînement, à afficher le montant optimal qui sera souvent une fourchette d'ailleurs.

EXERCEZ VOS DÉCISIONS 8 – LES DÉCISIONS AFFECTIVES

PAR JEAN-MARIE PHILD

TROISIÈME VOLET CHRONOLOGIQUE DE MES CONSULTATIONS après avoir évoqué la santé et l'argent. C'est instinctivement que je réserve cette phase de votre intuition partagée avec moi. Motif de consultation principal pour les femmes, il est un motif de consultation détourné par les hommes. Mes clients sont des financiers, des hommes politiques, des étudiants, des universitaires, des artistes et de tellement d'autres milieux professionnels et sociaux qui n'osent avouer leur recherche, qui avancent des raisons professionnelles pour me consulter, et je sens, qu'au fond c'est à la recherche de l'amour et d'une stabilité affective qu'ils sont venus. Les décisions humaines sont affectées par les relations, souvent infectées par elles aussi.

En matière de décisions affectives, je crois avoir tout vu et entendu dans mon cabinet de consultation. Voici les principaux thèmes que j'aborde de façon quotidienne :

- Je suis seul(e), vais-je rencontrer quelqu'un ? Qui ? Quand ? Où ?
- Je fréquente quelqu'un, est-ce la bonne personne ?
- Je crois que la personne avec qui je vis me trompe, est-ce que je me trompe ?

• Dois-je rester, dois-je partir ?
• Dois-je me marier ?
• Dois-je divorcer ?
• Je ne supporte pas sa mère, son père, etc. Que dois-je faire ?
• Quel est l'avenir de mes enfants ?
• Que fait mon enfant que je ne sais pas ?
• Mon adolescent ne me parle pas, on ne s'entend pas, que dois-je faire ?
• Ma belle-fille (mon beau-fils) n'est pas la personne qu'il faut à mon enfant, que dois-je faire ?

Et la liste continue, interminable. Autant de questions, autant d'incertitudes et de douleur. Je dois avouer que c'est dans le domaine de l'affect que mon rôle de parapsychologue est le plus difficile, tellement les émotions sont intriquées et contradictoires. Si je réserve cette partie pour la fin de la consultation c'est que, souvent, la réponse aux questions et aux décisions à prendre s'est déjà imposée pendant l'entretien. Il me faut aussi un peu plus de temps pour « voir » l'entourage de mon client et des relations avec ses proches et ses reproches.

Utiliser l'intuition dans nos relations est difficile car les relations affectives sont subjectives, les émotions, les schémas du passé, les attentes et la douleur interfèrent sans cesse avec les messages comme de la friture sur une ligne téléphonique. L'installation ou l'amélioration d'une relation satisfaisante ne peut pas se baser sur la simple collecte d'informations, elles se fondent aussi sur le développement d'un véritable amour intuitif. Ce qui demande un travail sur notre capacité à aimer, à accepter, à tolérer et à être bienveillant.

Il est impossible de dégager une stratégie commune pour toutes les possibilités. Je développerai ci-après les grandes lignes des principes de base pour la gestion émotionnelle des décisions affectives.

JE VEUX SAVOIR

Je veux savoir, je veux l'avoir, je veux la voir. Nous désirons tous nous projeter dans le futur et que cette projection privée nous aide à choisir aujourd'hui. Pour le côtoyer tous les jours je peux vous assurer que le futur n'est que possibilités et qu'il se façonne en permanence par vos intentions, vos choix et vos actes. Vous ne pourrez savoir du futur que ce qu'il peut vous être donné à voir par des bouffées intuitives.

En ce qui concerne l'amour et les relations affectives, les émotions sont tellement emmêlées avec les signaux intuitifs de toute nature que les bouffées intuitives seront peu nombreuses, peu précises et tellement changeantes. S'il est un domaine pour lequel vous pourrez avoir besoin de l'assistance d'un professionnel c'est bien celui-là. L'exploration intuitive de la personne que vous consulterez sera non émotionnelle, empathique et détachée. Ce n'est pas que votre problème ne lui importe pas, au contraire, votre problème ne l'affecte pas en terme de perception, c'est ce qui fait sa force.

Tout n'est pas perdu, bien au contraire, tout est à gagner dans ce domaine. Vous pouvez développer vos capacités intuitives à faire le tri des données, à prendre de la distance et de la hauteur, à changer de point de vue. Les exercices de base tels que la respiration F-6 et les autres exercices plus spécifiques décrits vont tous dans ce sens. Développez vos sens de l'intention, de la perception, de l'intuition et de l'action qui sont les quatre piliers d'une décision solide.

L'intention

Sachez ce que vous voulez, quel type de relation vous aimeriez développer. Que ce message soit clair, qu'il soit un objectif et un fil rouge pour vous guider jusqu'à la satisfaction. L'intention c'est un point de vue, un point : ici et maintenant (ce que je tiens dans ma main aujourd'hui) et une direction : je regarde à demain vers où je vais. L'intention est importante dans tous les exercices que vous pratiquerez après avoir lu ce livre. Je fais ceci pour mon objectif.

La perception

Une fois l'intention définie, votre choix de vie, de relation affective, toutes les perceptions seront orientées dans cet objectif. Les influx d'information en rapport avec l'intention seront majorées et focalisées, les autres seront réduites pour ne garder que l'essentiel ou le menaçant. Vous aurez appris à ouvrir vos sens et votre cœur à l'écoute des messages intuitifs, les vôtres, ceux de votre entourage et ceux de la mémoire collective, notre infosphère.

L'intuition

C'est ce chemin alternatif à la raison qu'emprunte une décision avant de se prendre. C'est comme l'électricité, la puissance est transmise par ce courant alternatif entre raison et intuition, ce n'est pas l'un ou l'autre, mais l'un et l'autre en total équilibre. La raison se développe à l'école sur plusieurs années, l'intuition s'acquiert aussi à celle de la vie, l'objectif de ce livre est de vous en donner le cours préparatoire. L'intuition amoureuse, affective, suit le mouvement, vous êtes sur la bonne voie.

L'action

Les trois étapes précédentes (intention, perception, intuition) franchies, ne reste que la décision qui n'est autre que le premier pas vers l'action. La décision c'est l'initi-action. Vous aurez pris de l'assurance car votre intuition aura donné le feu vert, vos émotions seront à l'aise et votre raison rassurée. Lancez-vous, lancez l'hameçon vers l'âme sœur.

PRENDRE UNE DÉCISION AFFECTIVE

Les décisions affectives sont difficiles mais elles n'ont pas de spécificité en termes d'exercices d'entraînement. Il s'agit de décisions simples ou de décisions à choix multiples (les dilemmes). Je vous invite à vous reporter aux chapitres correspondants. Toutefois la lecture des sections suivantes de ce chapitre peut être utile pour éclairer votre compréhension particulière des décisions affectives.

Pour prendre une décision affective, encore faudrait-il avoir le choix ! De mon poste d'observateur de la nature humaine, je constate qu'un nombre important de décisions affectives ont été choisies par dépit, par défaut d'options et d'alternatives. La crainte de la solitude est une constante, elle arrive dans le trio de tête avec la crainte de la maladie et de la pauvreté. Instinctivement j'ai toujours pratiqué mes consultations dans cet ordre : santé, ressources et affectif.

Je vous livre quelques conseils que je donne, ils ne sont pas des conseils sur les décisions mais plutôt sur votre savoir-être. Ces exercices simples vous permettront certainement d'augmenter vos probabilités d'avoir un choix plus large et trouver ainsi l'âme cœur.

Trouver la bonne personne

Ne plus être seul. L'angoisse et le désespoir de millions de personnes. Les rencontres sont des parenthèses vite fermées dans un roman qui ne s'écrit pas. Les variables sont tellement nombreuses que le choix rationnel est impossible. Regardez autour de vous, les couples qui s'entendent, s'apprécient et s'aiment, ne sont-ils pas des couples improbables ? Comment peut-on mettre une relation amoureuse en équation tellement il y a d'inconnues ? Le choix d'un compagnon ou d'une compagne est du domaine quasi exclusif du coup de cœur, de l'émotion, des sentiments, c'est-à-dire de l'intuition.

En développant votre intuition globale vous développerez forcément votre intuition affective. Si vous n'avez pas commencé, je ne saurai trop vous recommander de vous mettre immédiatement à pratiquer quotidiennement les 3 séances de respiration en F-6 avec l'intention de développer votre intuition. Ensuite, vous pourrez commencer à chercher la bonne personne. L'intuition affective est autant une question d'intuition que d'*extuition*, c'est-à-dire notre façon d'envoyer un message de l'inconscient à l'inconscient des autres.

La première bonne personne à trouver, c'est vous ! En matière de relations affectives et amoureuses nous avons tendance à vouloir être des récepteurs de bonnes vibrations et nous sommes seulement à l'écoute, les radars ouverts en permanence pour capter une âme sœur émettant sur nos propres fréquences affectives. À force de vouloir capter, nous oublions d'émettre. Le principe du radar, c'est pourtant l'envoi d'une onde radio qui se réfléchit sur un objet et qui revient vers nous en nous renseignant sur sa position, sa distance et sa direction. Le radar est à double sens, d'ailleurs, le mot est un palindrome[1]. D'autres palindromes pourraient s'appliquer à ce chapitre selon que vous en appliquiez ou non les principes énoncés ici : « la mariée ira mal » ou « à l'étape épate-la » …

Pour être la bonne personne de quelqu'un : devenez un émetteur radar.

En 2006, Rhonda Byrne publia le livre « The Secret » qui se vendit à des millions d'exemplaires. Ce livre dédié à la pensée positive a pour objet la loi de l'attraction selon laquelle les semblables s'attirent mutuellement et que les pensées positives attirent des résultats positifs et les pensées négatives l'inverse. Dans notre propos, la phrase « je suis seule » résulte dans le résultat de continuer à être seule. L'objectif étant de changer nos représentations mentales en objectif positif et non en une consta-

[1] Palindrome : mot qui peut se lire à l'endroit et à l'envers (rotor, kayak, ressasser, etc.).

tation négative : « je mérite d'être aimée », « je suis aimée ». Le signal qui est envoyé à notre cerveau émotionnel le conditionne pour entrer en résonance avec les signaux identiques émis par d'autres radaristes isolés.

Votre mission, si vous l'acceptez, est de développer votre émetteur « radar » autour de vous à chaque fois que vous êtes en public, votre **R**ayon d'**A**ttraction de **D**ésir, d'**A**mour et de **R**econnaissance. Le terme est amusant et totalement farfelu, mais l'objectif est bien réel et réalisable.

L'entraînement à l'attraction

Bien entendu, vous continuerez à pratiquer des exercices de cohérence cardiaque tous les jours, c'est la base de tout exercice spécifique. Le soir, réservez une quinzaine de minutes pour faire l'entraînement suivant.

Exercice pratique n°28 : entraînement attractif

OBJECTIF :
- **Se sentir à l'aise en public**
- **Attirer amitié et affection**

IMPORTANCE : utile.
DIFFICULTÉ : ★★
TYPE : entraînement.
QUAND : lors de problèmes de communication ou interpersonnels.
DURÉE : 10 à 15 minutes.
FRÉQUENCE : une à deux fois par jour.

L'EXERCICE :
- **Prévoir une pause pendant laquelle vous ne serez pas dérangé.**
- **Le soir, au calme est une bonne idée.**

• Pratiquer une respiration F-6 pendant 5 minutes environ (30 respirations).
• Imaginez-vous en public dans un environnement habituel **[explication 1]**.
• Promenez-vous en imagination en regardant les personnes présentes **[explication 2]**.
• Souriez **[explication 3]**.
• Déplacez votre attention vers le cœur et respirez par le cœur.
• Envoyez une pensée agréable à chaque personne que vous rencontrez.
• N'oubliez personne.
• Revenez doucement à l'instant présent.
concernant les décisions.

COMPÉTENCES VISÉES : améliorer son estime de soi en public.

[explication 1]
Imaginez-vous en public : commencez par un environnement habituel les premiers jours (une fête de famille, le bureau, le club sportif), pour ne pas avoir à imaginer trop d'environnements et vous concentrer sur les personnes présentes. Imaginez des endroits avec du monde, au moins une dizaine de personnes différentes. Peu à peu, lors des séances suivantes, ajoutez des personnages inconnus, imaginaires ou rencontrés dans la vie, puis vous pourrez, après plusieurs semaines, commencer à imaginer des lieux non familiers. Il s'agit d'un entraînement et d'un conditionnement.
[explication 2]
Promenez-vous au milieu des personnes en imagination : il s'agit d'un lieu public où vous pouvez circuler entre les personnes. Il est important de regarder les visages et de s'y attarder.

[explication 3]

Souriez : j'ai expliqué par ailleurs l'importance du sourire. Il envoie un signal renforçateur au cerveau. Lorsque je souris, mes émotions me disent « je suis heureux d'être avec cette personne ».

Cet entraînement vous permettra de vous présenter en public avec une présence affirmée, le lâcher-prise que donne l'assurance et la prise de distance qui permet d'avoir la vue d'ensemble favorable aux décisions et aux rencontres.

L'exercice en public

L'exercice est exactement le même que ci-dessus avec des personnes en chair, en os et en émotions. Lorsque vous êtes mal à l'aise en public, après avoir mis en place l'exercice ci-dessus, il est assez simple de le pratiquer en public. Focalisez votre attention sur votre respiration, envoyez une bouffée de pensées agréables à chaque personne que vous rencontrez, regardez les personnes croisées avec un sourire sur le visage ou au moins dans les yeux. Dites merci chaque fois que vous le pouvez. N'oubliez pas la reconnaissance pour les personnes, elle est un puissant ciment des relations. Ce n'est pas un merci à tort et à travers, mais un merci pour chaque pensée, parole ou action en votre faveur.

Et, en tout cela, vous vous comportez en sachant que vous êtes la bonne personne pour quelqu'un.

QUEL EST MON PROBLÈME ?

Nous avons mis un très grand accent sur la connaissance et la reconnaissance des intuitions, cette partie intime et souvent discrète de nous. Mais qu'en est-il de la connaissance de soi, de moi, de vous, de la totalité de ce qui fait votre personne ?

Apprendre à connaître vos intuitions c'est dévoiler un peu de vous, vous pouvez aussi élargir le champ et apprendre à vous connaître tel que les autres vous voient.

Avec cette section, nous sommes légèrement hors du sujet de la décision mais il est parfois utile de mettre en place le petit exercice suivant pour, justement, avoir la possibilité de choisir par la suite. Il s'agit d'un exercice d'imagerie mentale puissant à pratiquer le soir calmement sans être dérangé.

Exercice pratique n°29 : apprendre à se connaître

OBJECTIF : obtenir un avis intuitif sur sa propre personne.
IMPORTANCE : utile.
DIFFICULTÉ : ★★★
QUAND : lorsque vous avez besoin de savoir où vous en êtes.
FRÉQUENCE : indéfinie.
DURÉE : 10 à 15 minutes.

L'EXERCICE :

- **Prévoir une pause pendant laquelle vous ne serez pas dérangé.**
- **Le soir, au calme est une bonne idée.**
- **Pratiquez une respiration F-6 pendant 5 minutes environ (30 respirations).**
- **Reportez toute votre attention à votre imagerie mentale.**
- **Faites apparaître une personne que vous aimez ou en qui vous avez confiance [explication 1].**
- **Posez lui la question qui vous taraude : « pourquoi suis-je seul(e) ? » [explication 2].**
- **Attendez, écoutez et explorez toutes les réponses.**
- **Quelle est la réponse qui vous blesse le plus ? [explication 3].**

- **Où la sentez-vous ? Faites un autoscanner pour localiser cette émotion.**
- **Déplacez lentement votre attention vers cette zone.**
- **Pratiquez une respiration en F-6 centrée sur la zone [explication 4].**
- **Continuez jusqu'à ce que l'émotion se soit atténuée ou estompée.**
- **Remerciez votre visiteur qui a partagé ce moment d'imagerie mentale.**
- **Revenez doucement à la réalité.**

COMPÉTENCES VISÉES : une meilleure connaissance de soi.

[explication 1]

Faire apparaître une personne que vous aimez : il s'agit d'imaginer une conversation avec une personne de confiance. Cette personne peut être vivante ou disparue (un grand-parent, un parent par exemple), si la personne est disparue cela apporte plus de puissance à l'évocation car le dialogue imaginaire sera détaché de la relation actuelle. Ce n'est pas un exercice de médiumnité ou d'invocation de personnes défuntes. C'est un exercice d'imagerie mentale, je le répète, avec un interlocuteur apprécié et distant. Considérez cette personne en confidente, vous aimez être en sa présence, elle est un guide et un observateur empathique. Imaginez-vous assis en sa présence dans un lieu calme, sans limite de temps.

[explication 2]

Posez-lui la question qui vous taraude : « D'après toi, pourquoi suis-je seule, pourquoi est-ce que j'attire les personnes à problèmes, pourquoi les femmes ne restent-elles pas avec moi ? » et toutes les questions semblables centrées sur vous. Vous êtes au centre de votre questionnement.

[explication 3]

Nommez l'émotion : il est toujours utile de nommer une émotion pour la faire sortir du secret, en se dévoilant sous son vrai nom, elle vous donne de la force pour l'affronter. Peur, honte, dégoût, tristesse, colère... donnez un nom à vos émotions.

[explication 4]

Respirer en F-6 vers l'émotion : vous commencez à comprendre le fonctionnement de la cohérence cardiaque. Déplacez votre focalisation sur le lieu de l'émotion que vous venez de nommer. Imaginez que vous respirez vers et à partir de cette zone de votre corps, respirez en F-6 comme une bande-son que vous aimeriez rajouter à un film. Cette superposition a un effet de désensibilisation, de prise de distance et de meilleure capacité à résoudre le problème par le conditionnement intuitif.

Cet exercice est difficile et parfois impossible à réaliser seul. Il s'agit d'un exercice dérivé des Thérapies Cognitives et Comportementales, donc si vous avez des difficultés à les réaliser, nous vous conseillons de consulter un thérapeute spécialisé. C'est une décision qu'il est parfois sage de prendre. Ce livre a été écrit comme un guide pour la majorité des personnes. Parfois, les traumatismes du passé, une fragilité particulière ou des émotions exacerbées peuvent rendre le travail personnel impossible, n'hésitez pas à consulter.

JE NE M'ENTENDS PAS AVEC...

PAR DAVID O'HARE

« Je ne m'entends pas avec lui. Je ne peux pas le voir. Je ne peux pas la sentir. Je le trouve sans saveur. Le courant ne passe pas. » Les atomes s'accrochent et se choquent, ils ne sont pas toujours crochus. La résonance entre deux êtres est une exception, le déphasage souvent la règle.

Sympathie et antipathie empruntent les mêmes arcanes de l'inconscient que l'intuition, les émotions et les sentiments. Il suffit de relire les phrases imagées présentées plus haut pour réaliser comment nous impliquons automatiquement nos sens lorsque nous évoquons nos relations. Le système de mise en alerte n'est-il pas le système nerveux sympathique justement ?

Nos décisions impliquant nos relations affectives, nos amours, nos enfants, nos parents et nos amis sont teintées et faussées par les émotions, les valeurs, le devoir, la morale et la crainte de blesser aussi. Les décisions affectives sont compliquées en raison de l'implication émotionnelle. S'il était possible d'apaiser les relations avec certaines personnes, les décisions affectives seraient moins complexes. Il existe un exercice très simple qui permet de prendre de la distance par rapport à certaines personnes pour mieux s'en approcher.

Sympathique, parasympathique, antipathique

J'estime à 150 000 le nombre de consultations pratiquées dans ma vie professionnelle. Sur ce nombre important, il est évident que certains patients ne m'étaient pas forcément sympathiques.

Je regrettais de ne pas pouvoir avoir de meilleures relations avec un petit nombre de personnes, celles qui se plaignaient tout le temps, celles qui venaient avec la liste des médicaments que j'étais sommé de prescrire, celles qui savaient tout et qui me le faisaient savoir. Une petite dizaine de personnes en tout par an. Avec elles, je restais professionnel sans plus, mes soins étaient sans faille, aucune de ces personnes ne s'est jamais rendue compte de ma distance, mais cela ne m'aurait pas dérangé qu'elles consultent ailleurs. Ce qu'elles ne faisaient pas, mettant un malin plaisir à revenir chez moi !

À partir de la cohérence cardiaque, j'ai donc mis en place un petit exercice que j'ai systématisé et poussé hors de mon cabinet pour l'appliquer à ma vie en général. Lorsque je suis en présence d'une personne et que les émotions résultant de cette présence ne sont pas plaisir, joie, bonheur ou sourire, voici ce que je fais. Je pratique tout simplement la respiration en F-6 secrètement, c'est magique ! Tout d'abord, cela m'empêche de couper la parole ce qui était l'un de mes défauts principaux, ensuite cela me donne de la distance, de l'air, en concentrant mon attention sur ma propre respiration je suis moins sensible au souffle de mon interlocuteur, j'ai mon propre rythme et peu à peu je l'entraîne avec moi. Essayez, c'est d'une simplicité redoutable et d'une efficacité remarquable.

Si un jour vous et moi nous nous rencontrons, et que vous décelez une respiration rythmée à 6 par minute malgré tous mes efforts pour masquer cet exercice, ne partez pas, il est possible que je m'entraîne simplement !

Exercice pratique n°30 : la sympathisation

OBJECTIF : développer des relations sympathiques avec les personnes antipathiques.
IMPORTANCE : utile.
DIFFICULTÉ : ★
QUAND : indéfini.
FRÉQUENCE : en présence d'une personne « antipathique ».
DURÉE : indéfinie.

L'EXERCICE :

- **Lorsque vous êtes en présence d'une personne qui vous dérange.**
- **Ne l'évitez pas.**
- **Respirez doucement et discrètement en F-6.**
- **Elle ne doit pas s'en rendre compte.**
- **Faites le chaque fois que vous êtes en sa présence.**

COMPÉTENCES VISÉES : créer un lien.

Chut !

Gardez ceci pour vous s'il vous plaît, certains de mes amis pourraient croire que je les ai manipulés à l'insu de leur plein gré. En fait, c'est moi qui ai changé. En atténuant les émotions négatives, qui vous tenaient à distance (la méfiance, l'ennui, le soupçon, l'antipathie, la réserve et autres colères) je ne m'ouvrais pas à vous, je n'étais pas acceptant. En baissant ces barrières vous avez pu pénétrer dans mon espace personnel et vous faire connaître à moi tels que vous étiez, aimables. Dignes d'attention, d'affection et d'amour.

Je vous encourage donc à choisir une personne en présence de laquelle vous n'êtes pas à l'aise (belle-mère, belle-fille, voisine de palier, supérieur hiérarchique, époux coléreux, adolescent insolent) et testez cette aptitude dans la discrétion et une certaine patience (au moins deux semaines de rencontres régulières).

EXERCEZ VOS DÉCISIONS 9 – DÉCIDEZ DE DIRE NON

PAR JEAN-MARIE PHILD

JUSQU'À PRÉSENT, NOUS AVONS PROPOSÉ DES EXERCICES POUR développer vos intuitions et appliquer ensuite cet apprentissage à la prise de décision, dire OUI à une option dans les meilleures conditions possibles. Notre propos ne serait pas complet si nous ne vous donnions pas aussi quelques pistes pour apprendre à dire NON, une décision qui est souvent complexe pour beaucoup d'entre nous.

Un grand nombre de nos décisions sont teintées par notre perception de l'impact social qu'elles pourraient avoir. Je reçois quotidiennement, en consultation, des personnes qui veulent connaître l'impact d'une décision qu'elles doivent prendre sur l'un de leurs proches.

Imaginez votre vie sur une île déserte sans aucune conséquence sociale pour toutes vos décisions. Votre vie serait totalement différente s'il n'y avait pas le regard, le jugement, l'avis, les attentes des autres et l'impact de vos propres décisions sur leurs vies. Combien de décisions avez-vous prises qui étaient des oui alors que vous vouliez dire non ? Combien d'entre elles avez-vous regretté ? Combien de non-dits avez vous généré par vos non-dits alors que ce devait être des oui-dits ? Nous vous proposons un premier exercice de oui-dire en toute transparence et en toute assertivité.

Les convenances sont le ciment social, elles déciment aussi parfois l'estime de soi et notre individualité. Les convenances sont nécessaires mais l'assertivité doit aussi s'apprendre et se pratiquer. L'assertivité c'est la capacité à exprimer son avis et sa décision avec tact et empathie tout en maintenant les convenances sociales à un niveau acceptable. La décision sociale est une caractéristique de l'être humain, l'émotion prime sur la raison car l'émotion a une fonction sociale prédominante. Le jeu de l'ultimatum en est un parfait exemple.

LE JEU DE L'ULTIMATUM

Cette expérience de psychologie sociale a été souvent reprise dans les ouvrages traitant de la prise de décision.

• **La règle du jeu** : deux participants sont placés dans des pièces séparées, ils ne se connaissent pas, ne se voient pas et n'interagissent à aucun moment. Les deux participants connaissent la règle du jeu et l'approuvent. Un tirage au sort désigne un « offreur » et un « répondeur ». Une somme forfaitaire est proposée à l'offreur (10 $ en dix billets de 1 $). Il doit alors proposer de donner une partie de cette somme au répondeur qu'il ne connaît pas et qu'il ne voit pas. Le répondeur peut accepter l'offre ou la rejeter. S'il accepte l'offre, l'argent est ainsi réparti entre les deux participants et la partie s'arrête. Si le répondeur rejette l'offre, le jeu s'arrête et les participants ne touchent rien, ni l'un ni l'autre.

• **La logique** : la logique mathématique pour l'offreur voudrait que l'offreur propose 1 $ au répondant qui devrait être satisfait de recevoir cette somme au lieu de tout perdre.

• **La réalité** : l'expérience a été renouvelée de très nombreuses fois et les résultats ont toujours été contre la logique mathématique. L'offreur propose systématiquement une somme plus importante que celle dictée par la logique, en général proche de la moitié. S'agit-il de la peur du rejet de l'offre par le répondeur, le souci de justice ou une prédisposition naturelle à la générosité ?

Lorsque des offres faibles, proches de la logique (1 $ ou 2 $) étaient proposées, le répondeur refusait et perdait tout espoir de gain entraînant aussi l'offreur dans la perte. S'agit-il de la colère, le souci de justice ou une prédisposition naturelle à l'avarice ? Lorsque l'offreur savait qu'il jouait contre un ordinateur il proposait selon la logique c'est-à-dire la somme minimale car il savait que la logique de l'ordinateur accepterait un gain faible plutôt qu'une perte totale.

Cette expérience a été renouvelée des centaines de fois avec de multiples variantes, les sommes mises en jeu augmentées, les résultats furent toujours les mêmes. Les explications les plus diverses ont été proposées, des livres entiers ont été écrits sur le sujet. La constatation persiste : lorsqu'une décision implique un autre être humain la logique pure n'est pas la seule responsable.

LE JEU DU DICTATEUR

Une variante du jeu de l'ultimatum, dite « du dictateur », a été testée ensuite. L'offreur avait là encore à sa disposition une somme dont il pouvait proposer une partie au répondeur dans les mêmes conditions (sans le connaître, le voir ou communiquer avec lui). Dans cette variante, le répondeur n'avait cette fois aucune option de choix, il prenait ce qui lui était offert et la partie était terminée.

La logique mathématique aurait voulu que l'offreur ne propose rien. Je pense que vous devinez le résultat surprenant pour tout esprit un tant soit peu logique : l'offreur a rarement proposé de ne rien donner alors qu'il en avait la possibilité. Lorsqu'une décision implique un autre être humain, la logique pure devient émotionnelle et généreuse, l'offre devient sympathique, c'est-à -dire que l'offreur partage l'émotion supposée du receveur, il se met à sa place.

POSEZ-VOUS UNE QUESTION

Lorsque vous aurez à prendre une décision pour laquelle une réponse négative impliquerait certainement des sentiments ou des émotions négatives pour une ou plusieurs personnes qui auraient ainsi à souffrir de votre décision, que ces émotions soient un sentiment d'injustice, de la honte, de la colère, de la tristesse, de la déception, du jugement, de la réprobation, de l'embarras, etc., posez-vous une question simple : « Est-ce que je suis à l'aise pour dire NON ? » Est-ce que ce non va à l'encontre de vos valeurs, de vos droits, de votre sentiment de justice ? Est-ce que les émotions ou les sentiments que vous prêtez aux autres prennent plus de place que les vôtres ?

L'exercice que nous vous proposons est difficile si vous ne savez pas dire non. Il est destiné à développer votre assertivité dans un premier temps, votre estime de soi dans un second. Il n'est pas question d'ignorer les sentiments des autres ou de les bafouer, au contraire, il s'agit de placer vos sentiments réciproques sur les deux plateaux d'une balance et de leur donner la chance de s'équilibrer. Vous méritez les mêmes égards de vous-même que ceux que vous prodiguez aux autres.

EXERCEZ VOTRE POUVOIR DE DIRE NON

Cet exercice est assez difficile. Vous ne pouvez l'envisager que si vous avez une pratique régulière de la cohérence cardiaque et la respiration en F-6 tous les jours. Je vous conseille aussi, au début, de vous exercer sur de petites décisions, celles où le risque de contrarier, décevoir ou déplaire est assez faible pour vous, jusqu'à ce que vous puissiez l'appliquer peu à peu à des cas plus risqués pour vous.

Prenez donc, pour commencer, le cas d'une réponse négative à donner à une seule personne, sachant que cette réponse lui sera désagréable et que votre amitié ou votre relation ne risque pas d'être affectée sur le long terme. Le cas le plus simple et le moins risqué.

Tout d'abord, évaluez la date à laquelle vous devez donner votre réponse négative et engagez-vous à ne pas décider avant cette date. La première décision sera de ne pas décider avec une certaine date. Vous aurez besoin de quelques jours, au début, pour vous entraîner à cet exercice.

L'EXERCICE

Asseyez-vous comme pour un exercice de base de respiration en F-6. Mettez-vous en cohérence cardiaque en respirant à la fréquence 6 pendant 6 respirations (une minute), concentrez-vous totalement sur la respiration comme vous savez le faire.

Après ce temps d'induction de la cohérence cardiaque, fermez les yeux et commencez à imaginer la scène où vous vous trouvez face à la personne à laquelle vous devez dire non. Restez en cohérence cardiaque même si cela vous paraît difficile. Regardez la personne dans les yeux avec franchise, sans agressivité, avec empathie car vous savez que vous allez l'émouvoir et dites-lui la phrase toute simple « Je ne ferai pas .... », « Je ne dirai pas ... », « Je n'irais pas ... », sans justification et sans mots de regrets ou de désolation.

Vous pouvez répéter mentalement cette phrase plusieurs fois en maintenant votre rythme respiratoire, c'est même recommandé. Il s'agit d'imprimer cette phrase dans votre cerveau limbique tout en lui disant que vous êtes neutre émotionnellement (la cohérence cardiaque envoie un signal de neutralité émotionnelle à votre thalamus). Vous vous habituez à la situation, vous vous désensibilisez aux conséquences pour pouvoir y répondre toujours avec empathie mais clarté d'esprit.

La pratique de la cohérence cardiaque en association avec une émotion désagréable la prive peu à peu de sa charge émotionnelle. Vous aurez alors la totale possibilité d'expliquer clairement, sans bafouiller, sans trembler les raisons de votre choix.

La mise en situation imaginaire et son association à la cohérence cardiaque, lorsqu'elle est maîtrisée, est un très puissant outil de désensibilisation. Cette désensibilisation est à répéter plusieurs fois, il est même dit que toute reprogrammation ou apprentissage demande environ 21 jours ou au moins 21 répétitions. Chaque séance vous procurera plus d'aplomb et plus de confiance dans vos capacités à dire non en toute franchise et en toute liberté.

Exercice pratique n°31 : apprendre à dire non

OBJECTIF : comme son nom l'indique.
IMPORTANCE : recommandé.
DIFFICULTÉ : ★★★
TYPE : entraînement.
QUAND : vous avez besoin de refuser ou de dire non et que vous ne savez pas faire.

L'EXERCICE :

- Prévoir une pause pendant laquelle vous ne serez pas dérangé.
- Le soir, au calme est une bonne idée.
- Pratiquez une respiration F-6 pendant 1 minute environ (6 respirations).
- Reportez toute votre attention à votre imagerie mentale.
- Mettez mentalement en scène votre annonce d'un refus.
- Mettez au point la phrase simple énonçant votre refus, sans justifications, sans excuses.
- Répétez mentalement cette phrase 6 fois en conservant la respiration F-6 **[explication 1]**.

- **Terminez par 6 respirations en F-6.**
- **L'exercice a duré 3 minutes en tout.**

[explication 1]

Répétez mentalement la phrase 6 fois : il s'agit d'un « mantra » que l'on ancre avec la respiration en F-6. L'ancrage par la cohérence cardiaque donne une puissance par le renforcement émotionnel que procure la cohérence cardiaque.

LA PUISSANCE D'UN MANTRA

Je vous propose le terme mantra en dehors de toute connotation religieuse ou philosophique que ce soit.

Le terme mantra signifie en sanskrit « outil de protection de l'esprit[1] » il permet de focaliser l'attention et de détourner le discours mental vers l'objet d'une intention. Ses vertus complexes ont été vérifiées depuis des millénaires, elles sont basées sur l'intention, la résonance du son et la concentration sur une signification. N'hésitez pas à vous en servir. Personne n'a besoin de le savoir.

[1] *Manas* = outil ou arme de l'esprit et *tra* = protection (source : wikipedia.org/fr).

VOUS AVEZ LES CLEFS

Nous vous avons livré un programme clefs en mains. Il reste à pratiquer et à développer vos intuitions avec ces outils, c'est un travail quotidien qui pourra se poursuivre pendant très longtemps – vous n'atteindrez jamais la perfection et l'infaillibilité. Par l'entraînement vous pourrez progressivement ajouter des décimales au rapport entre les décisions justes et celles qui n'ont pas été bonnes.

Prenez la vie comme un jeu, un apprentissage permanent, perfectionnez ce jeu de la même façon que le musicien perfectionne le sien au moyen des gammes répétitives, améliorez votre style et la personnalité de votre interprétation des décisions.

4 fondements et 1 pratique à retenir pour ce perfectionnement :

• **L'intention**

La volonté de poursuivre un but et la destination finale. Affirmez cette intention pour vous tous les jours, levez la tête pour chercher et maintenir votre horizon.

• **L'attention**

Observez-vous dans votre environnement le plus souvent possible. Pratiquez des moments de pleine conscience pour renforcer les messages que votre corps vous envoie.

• **L'intuition**

Apprenez à reconnaître les messages subtils, leur provenance et leur mode d'expression au moyen de ce formidable outil de communication dont la nature vous a équipé.

- **La reconnaissance**

Lorsque vous reconnaissez un signe, qu'il a été favorable pour vous, quel que soit son mode de transmission, vous augmentez la probabilité d'en connaître d'autres.

- **La pratique de la cohérence cardiaque**

Ou d'un exercice équivalent d'un point de vue physiologique (méditation, yoga, *mindfulness* etc.), la pleine conscience et la pleine connaissance de vos réseaux internes et externes passe par ces moments de recueillement personnels, instants passés à recueillir les messages à votre disposition.

BONNE ROUTE

DAVID O'HARE

J'AI PRIS UN IMMENSE PLAISIR À DÉFRICHER LE CHEMIN QUE vous allez emprunter, je pourrais aussi écrire *déchiffrer* car les voies que vous emprunterez sont parfois complexes ou paraissent cryptées. Le fil rouge que je désirais suivre était la simplicité et l'application immédiate dans la vie de tous les jours. En décidant de choisir un fil rouge, j'ai délibérément écarté de nombreux autres écheveaux de possibilités et de pistes aux tonalités diverses.

Le sujet est immense, les voies d'abord nombreuses et les possibilités de développement infinies. Nos explorations, la vôtre et la mienne, ne font que commencer. Les intuitions sont venues à moi, par la petite porte, sans crier gare, court-circuitant ma raison pour mieux l'assister. Je ne sais plus qui de Raison ou d'Intuition est le commandant de bord ou qui est le co-pilote. J'ai donc donné mandat aux deux pour diriger ma vie, ils sont donc, de ce fait *co-mandants*[1] en charge de ma destination, de mes décisions et de ma destinée.

Ne restez pas sur la fin, reprenez les exercices un par un, pratiquez régulièrement, développez vos compétences intuitives. La fin justifiera amplement les moyens que vous aurez mis en place. Je serais très fier d'y être pour quelque chose.

[1] Du verbe *mander* : faire savoir, transmettre une information, un message.

JEAN-MARIE PHILD

Je n'ai ni don ni capacités extraordinaires, je ne suis pas un extraterrestre, au contraire, j'ai plus les pieds sur terre que dans la tête dans les nuages. Voir la vie des gens, entrevoir les possibilités de leur avenir et savoir, avant eux, le déroulement de certains événements est tellement naturel chez moi que je n'avais pas imaginé le fossé d'incompréhensions qui nous séparait. L'incompréhension du mode de fonctionnement de la connaissance dite extrasensorielle pour laquelle je peux une nouvelle fois confirmer qu'elle passe bien par les sens. Je n'ai jamais vraiment cherché à comprendre mais à prendre, je n'ai jamais cherché à surprendre mais à apprendre.

Par ce livre qui parle d'intimité, je voudrais que cette fréquentation soit pour vous l'ouverture d'une porte sur votre présent et votre futur. Intimité avec vous, vos pensées, vos émotions et vos sentiments, intimité avec vos proches et intimité avec nous, les auteurs. De ces intimités naîtront, j'espère, le désir d'avancer en ayant moins peur, l'assurance d'une Nature bienveillante et la confiance en vous.

N'hésitez-pas à pousser les portes des très nombreux assistants professionnels que nous sommes pour faire le point. Développez vos propres compétences car elles sont en germe en vous.

Merci pour votre confiance.

ANNEXE : LISTE DES EXERCICES

BIBLIOGRAPHIE

ATKINSON W. W. : *Thought Vibration ~ the Law of Attraction in the Thought World* [Ebook], 1906.

BANCEL P., NELSON R. : The GCP Event Experiment: Design, Analytical Methods, Results. *Scientific Journal of Exploration*, 2008.

BAYS J. C. : *Manger en pleine conscience : Redécouvrir la sagesse innée du corps*. Editions Le Jour, 2011.

BERN D. J., HONORTON C. : Does psi exist? Replicable evidence for an anomalous process of information transfer. *Psychological Bulletin*, *115*(1), 4-8,1994.

BERN D. J., PALMER J., BROUGHTON R. S. : Updating the ganzfeld database: A victim of its own success? *Journal of Parapsychology*, *65*(3), 207-218, 2001.

BOIRAC E. : *L'Avenir des sciences psychiques*, 2e edition, 1917.

BOSCO H. : *Malicroix,* Gallimard, 1948.

BOSS M. : *The analysis of dreams,* Philosophical Library, 1958.

BOSSUET J. B. : *Sermons choisis de Bossuet,* Garnier Frères, 1922.

BYRNE R. : *The Secret,* Atria Books/Beyond Words, 2006.

CARROL L. : *Through the Looking-Glass,* Macmillan, Londres, 1871.

CHABRIS C., SIMONS D. : *The Invisible Gorilla: And Other Ways Our Intuitions Deceive Us*, Crown Archetype, 2010.

COLLECTIF DIRIGÉ PAR SETBON P. : *6 ordonnances anti-stress*, Thierry Souccar Éditions, 2010.

COX W. E. : Precognition: An Analysis II. *Journal of the American Society for Psychical Research*, *50*(1), 99 -109, 1956.

DAMASIO A. R. : *L'erreur de Descartes,* Odile Jacob, 1997.

DAMASIO A.-R. : *Spinoza avait raison : Joie et tristesse, le cerveau des émotions*. Odile Jacob, 2005.

DESCARTES R. : *Règles pour la direction de l'esprit*, Vrin, 2000.

DOSSEY L. : *La science des prémonitions : Une approche raisonnée de notre capacité à prévoir l'avenir*, Robert Laffont, 2011.

DURAND G. : *Champs de l'imaginaire.* ELLUG Éditions, 1996.

DURKHEIM E. : *De la division du travail social*, P. U. F., 1973.

DYER W.-W. : *Le pouvoir de l'intention : Apprendre à co-créer le monde à votre façon*, AdA, 2004.

EINSTEIN A. : Zur Elektrodynamik bewegter Körper. *Annalen der Physik*, *17*, 891-921, 1905.

EINSTEIN A. : *Comment je vois le monde,* Flammarion, 2009.

EKMAN P., DAVIDSON R. J. : *The Nature of Emotion: Fundamental Questions (Series in Affective Science)*, Oxford University Press, USA, 1994.

EMMONS R. A., MCCULLOUGH M. E.: Counting blessings versus burdens: an experimental investigation of gratitude and subjective well-being in daily life. *J Pers Soc Psychol*, *84*(2), 377-389, 2003.

FEATHER S. R., SCHMICKER M. : *The Gift: The Extraordinary Experiences of Ordinary People,* St. Martin's Paperbacks, 2006.

GERSHON M. D. : *The Second Brain*, HarperCollins Pub, 1998

GIGERENZER G. : *Le génie de l'intuition : Intelligence et pouvoirs de l'inconscient*, Belfond, 2009.

GIRARDIN (DE) D. : *Lettres parisiennes par Madame Émile de Girardin*, 1843.

GLADWELL M., CHARRON D. : *La force de l'intuition*. Le Grand livre du mois, 2006.

ILES G. : *Leading American inventors*, Henry Holt, 1912.

JUNG, C. G. : *Synchronicité et Paracelsica*, Albin Michel, 1988.

JUNG C. G., SHAMDASANI S. : *Psychologie du yoga de la Kundalinî*, Albin Michel, 2005.

KABAT-ZINN, J. : *Où tu vas, tu es*, J.-C. Lattès, 1996.

KABAT-ZINN J. : *L'éveil des sens - Vivre l'instant présent grâce à la pleine conscience*, Arenes Éditions, 2009.

KÄMMERER P. : *Das Gesetz des Serie*, Deutsche Verlagsanstalt, Stuttgart/ Berlin, 1919.

KIDD J. M., COOPER G. M., DONAHUE W. F., HAYDEN H. S., SAMPAS N., GRAVES T. ET AL. : Mapping and sequencing of structural variation from eight human genomes. *Nature*, 453(7191), 56-64, 2008.

KÖHLER W. : *Intelligenzprüfungen an Anthropoiden*, G. Reimer, 1917.

LeGault M. R. : *Think!: Why Crucial Decisions Can't Be Made in the Blink of an Eye*, Threshold Edition, 2006.

LÉPINEUX R., SOLEILHAC N., ZÉRAH A. : *La programmation neuro-linguistique à l'école*, Nathan, 1993.

LINCOLN A. : *Collected Works of Abraham Lincoln (6)*, Rutgers University Press, 1953.

LOVELOCK J. : *La terre est un être vivant : L'hypothèse Gaïa*. Flammarion, 2010.

MAYER E. L. : *Extraordinary Knowing: Science, Skepticism, and the Inexplicable Powers of the Human Mind*, Bantam, 2008.

MCCRATY R., CHILDRE D. : *The Appreciative Heart*. HeartMath Institute (e-book), 2002.

MCTAGGART L. : *La Science de l'intention : Utiliser ses pensées pour transformer sa vie et le monde*, Ariane Éditions, 2008.

O'HARE D. : *Maigrir par la cohérence cardiaque*, Thierry Souccar Éditions, 2008.

OATES S. B. : *With Malice Toward None: A Life of Abraham Lincoln*, Harper Perennial, 1900.

O'DONNEL K. P., POWERS D. F., MCCARTHY J. : *Johnny, We Hardly Knew Ye ; Memories of Johnny Fitzgerald Kennedy*, Little, Brown and Company, 1970.

PARQUET M. D. : *Jeux et exercices des jeunes filles par Mme de Chabreul*, Hachette, 1856.

PAULI W., JUNG C. G. : *The Pauli/Jung Letters*, Princeton University Press, 2001.

PIGANI E. : *Psi, enquête sur les phénomènes paranormaux*, Presses du Châtelet, 1999.

PINKER S. : *Comment fonctionne l'esprit*, Odile Jacob, 2000.

Reeves, H. : *La Synchronicité, l'âme et la science : Existe-t-il un ordre a-causal ?* Diffusion Payot, 1985.

RHINE, J. B. : *Extra-Sensory Perception*, Forgotten Books, 2008.

RUBIN, E. : *Synsoplevede figurer, studier i psykologisk Analyse*, Ite Del. Gyldendal, 1915.

SCHECHTER, E. I. : Hypnotic induction vs. control conditions: Illustrating an approach to the evaluation of replicability in parapsychological data. *Journal of the American Society for Psychical Research*, 78(1), 1-27, 1984.

SERVAN-SCHREIBER D. : *Guérir, le stress, l'anxiété, la dépression sans médicament ni psychanalyse*, Robert Laffont, 2003.

SIMMONS D. : *Hypérion*, Robert Laffont, 1999.

SUROWIECKI J. : *La Sagesse des foules*, Jean-Claude Lattès, 2008.

TARG R. : *Limitless Mind: A Guide to Remote Viewing and Transformation of Consciousness*. New World Library, 2004.

TATIUS A. : *Leucippé et Clitophon*, Alexandrie, vers 200.

CHARDIN (DE) T. : *La Vision du Passé*, 1923.

VERNADSKY V. I. : *Geochemistry and the Biosphere*, Synergetic Press, 2007.

WELCH S. : *10/10/10*, Michel Lafon, 2010.

WORKSHOP Z. I. R., BUCCHERI R., ELITZUR A. C., SANIGA M. : *Endophysics, Time, Quantum And the Subjective, Proceedings of the ZIF Interdisciplinary Research Workshop, 17-22 January 2005, Bielefeld, Germany*, World Scientific Pub Co Inc, 2005.

YOGI M. M. : *La science de l'être et l'art de vivre*, Arge, 1991.